D1157959

Gallmeister

NOIRE

INCIDENT
À TWENTY-MILE

Trevanian

INCIDENT À TWENTY-MILE

Roman

Traduit de l'américain
par Jacques Mailhos

Ouvrage traduit avec le concours
du Centre national du livre

Gallmeister

Titre original :
Incident at Twenty-Mile

ISBN 978-2-35178-048-0
ISSN 1952-2428

Je dédie ce livre à Owen Wister et à Frederic Remington – au premier pour avoir créé les personnages archétypiques et les motivations spécifiques qui font tourner les moteurs narratifs du western en tant que genre, et au second pour en avoir établi le lexique et la grammaire visuels. À eux deux, ils ont fourni les idiomes et l'inspiration non seulement à tous les auteurs qui leur ont succédé dans ce domaine, mais également aux cinéastes, de John Ford à Sergio Leone.

Prison d'État, Laramie

Bien que cela fît maintenant huit ans que le Wyoming était devenu un État, les plus anciens des gardiens l'appelaient encore prison territoriale. Le gardien seconde classe John Tillman (surnommé "CB" par ses collègues qui raillaient ainsi la douceur de "Cul de Bébé" de ses joues) n'était titulaire que depuis un mois lorsqu'on lui confia la garde des "grains de lune" au deuxième étage de l'aile de haute sécurité. Il ignorait pourquoi on appelait "grains de lune" les fous criminels ; il n'avait jamais posé la question, de peur qu'il s'agisse encore d'une de ces blagues avec lesquelles les anciens gardiens tourmentaient et humiliaient les petits nouveaux.

Tillman commença sa première ronde des cellules spéciales, s'arrêtant à chaque porte pour ouvrir le guichet et jeter un œil au détenu. Le premier grain de lune était assis au bord de sa paillasse et se balançait d'avant en arrière en fredonnant. Le sourire d'absolu contentement qu'arborait sa face terne ne trahissait rien du devoir impérieux que pouvait ressentir cet homme de jeter de l'acide au visage des enfants. "Si moi je le fais pas…, avait-il expliqué au juge, qui le fera ?"

Dans la cellule d'à côté, "le Politicien" était entièrement absorbé par un débat houleux entre lui et le vide.

Le troisième grain de lune se recroquevilla dans un coin lorsqu'il entendit le guichet s'ouvrir. Il resta là comme ça, prostré, cachant son visage dans ses mains, à bredouiller : "S'il vous plaît, ne me faites pas de mal ! Je l'ai pas fait exprès ! Dieu m'est témoin que je l'ai pas fait exprès !" "Le Revenant", comme les gardiens l'appelaient, avait peur de tout. Lors des rondes de curage matinal, il fallait qu'un gardien entre chercher son seau à merde parce qu'il avait trop peur de l'apporter lui-même jusqu'à la porte, comme le faisaient les autres détenus. Avec humanité, Tillman referma le guichet dès qu'il eut vérifié que le Revenant était bien là. Le vieux répéta : "Je voulais pas ça !" puis s'affaissa sur lui-même, soulagé, et ses yeux se plissèrent en un rictus narquois. Il les avait encore bien eus. Il l'avait bel et bien fait exprès. Et il le referait s'il le pouvait. Ce genre de femmes n'avaient que ce qu'elles méritaient.

Tillman passa devant la grande cellule à deux paillasses actuellement inoccupées et s'arrêta à la dernière porte du couloir. Un frisson lui traversa l'échine lorsqu'il tendit la main vers le guichet parce que ce grain de lune-là, un homme du nom de Lieder, était le détenu le plus dangereux de la prison. Les gardiens avaient toujours une certaine fierté dans la voix lorsqu'ils parlaient de Lieder. C'était le pire des pires, et ils avaient été choisis pour protéger la société de ses méfaits.

— Ça doit vouloir dire qu'on est plutôt des durs nous aussi, pas vrai ? Après tout, on a réussi à garder le 187.

Le matricule 187 était auparavant leur hôte le plus célèbre : Robert LeRoy Parker, voleur de chevaux, qui avait purgé dix-huit mois au pénitencier territorial sous le nom de George "Butch" Cassidy.

— Mais le 187 était un enfant de chœur à côté de ce Lieder. Te laisse pas abuser par ce type, petit. Il est aussi fuyant qu'un étron dans un seau de graisse. Sois toujours sur tes gardes. Il s'est déjà fait la belle de deux prisons, et y a toutes les chances qu'il essaie de recommencer, un jour ou l'autre. Fais bien en sorte que ça se produise pas pendant ton service, ou le surveillant chef t'enfoncera le bras dans la gorge pour t'arracher les poumons d'un coup sec !

— Ouais, petit, et tu sais pas ce que Lieder fait à longueur de journée, allongé là-haut dans sa cellule ? Il fait ce que ta mère t'a interdit de faire parce que ça bousille les yeux. Il lit ! Sa cellule déborde de livres et de magazines et de journaux ! Voilà ce qu'y fait, de la première lumière à l'extinction des feux. Y lit surtout de l'histoire et de la politique. Mais il a un livre préféré qu'il relit sans arrêt.

— C'est quoi ?

— Oh, tu le sauras bien assez tôt. Tu sauras bien assez tôt tout ce qu'il y a à savoir sur ce livre.

C'étaient les gardes qui fournissaient Lieder en livres et en magazines, d'une part parce que c'était le meilleur moyen pour qu'il se tienne tranquille, et d'autre part parce qu'ils avaient peur de lui. Un jour, d'une voix posée et sincère, il avait informé un sergent que s'il n'avait pas un journal chaque semaine il le punirait, lui et sa famille, dès qu'il aurait mis les bouts. Le sergent avait reniflé puis balayé la menace en répliquant qu'aucun grain de lune ne mettrait jamais les bouts de cette aile de haute sécurité. Aucun ne l'avait jamais fait, aucun ne le ferait jamais. Mais le lendemain il arriva avec un journal sous le bras. Bah, bon sang de bonsoir, à quoi bon prendre des risques ? T'as vu son casier, nom d'un chien ?

À l'âge de seulement quatorze ans, Lieder avait infligé un week-end d'enfer à sa ville natale, un peu au sud de Laramie : il avait explosé les fenêtres à la carabine, mis le feu à l'école et pris trois enfants en otage dans une écurie de louage qu'il menaçait de faire flamber si quiconque approchait. On finit par le coincer et on l'envoya dans une institution privée spécialisée dans le "redressement" des jeunes voyous par le biais d'une pédagogie combinant les châtiments destinés à briser leur esprit et les longues sessions de prière à genoux bras écartés jusqu'à ce que la douleur des crampes devînt insupportable. À dix-huit ans, il s'enfuit après avoir gravement blessé son tuteur spirituel alors qu'ils priaient ensemble pour son salut. Ce n'est qu'au bout de trois mois de dévastation marqués par des actes d'une cruauté aussi inventive que gratuite, qui virent tout le coin sud-ouest du Wyoming scruter les ténèbres et sursauter au moindre bruit, qu'il fut repris et enfermé à la prison territoriale parce que aucune autre institution n'était équipée pour garder ce gamin, qui avait puni un prêcheur à l'évangélisme particulièrement tenace en le plombant de quatre balles, une dans chaque paume et une dans chaque pied, afin de lui offrir les stigmates du Christ.

Lieder fut sauvé de la foule qui s'apprêtait à le lyncher et condamné à la réclusion perpétuelle en tant que menace pour la société. Une fois incarcéré, il devint un modèle de bonne conduite, toujours calme, toujours poli, toujours serviable. Mais il s'échappa alors qu'il travaillait (comme contremaître) à la manufacture de balais de l'établissement et resta en cavale pendant près de quatre ans. Après s'être joint, dans le nord, à la branche dite "Union Pacific" de l'armée de Coxey, ce mélange typiquement américain de noble cause, de bigarrure quichottesque, de saine révolte et de tohu-bohu carnavalesque, Lieder se lassa et repartit tracer un sentier de douleur et de violence à travers le sud du Wyoming et le nord du Colorado. À un moment donné, il connut une sorte de révélation politique ; des victimes témoignèrent que, tandis qu'il les torturait pour savoir où ils avaient caché leur magot, il déblatérait sur son enrôlement dans la croisade de William Jennings Bryan pour empêcher fermiers et ouvriers de se faire crucifier "sur une Croix d'or", et pour les protéger des hordes d'étrangers venues envahir l'Amérique depuis l'autre bout de l'océan pour voler le travail des Américains et souiller leur sang en séduisant leurs femmes. Ses déchaînements de violence culminèrent avec l'attaque d'un fermier qui avait fait part de son intention de voter pour McKinley plutôt que pour Bryan. Commençant par le fermier, Lieder avait méthodiquement puni toute la famille au manche de hache, et l'avait fait avec une telle application qu'aucun d'eux ne fut en mesure de témoigner plus tard. Le fermier ne recouvra jamais toute sa mémoire ; ses deux enfants survécurent avec le cerveau en compote et une haine féroce des étrangers ; quant à sa femme, elle prit congé de la réalité en plongeant dans un état de catatonie si profond qu'elle dut finir ses jours dans une institution. Malgré les déclarations de Lieder selon lesquelles il avait été "cruellement provoqué" et avait agi pour le bien de ses États-Unis d'Amérique adorés, le juge le condamna à la réclusion à perpétuité dans un établissement de haute sécurité.

— Ce Lieder est fou, c'est sûr, expliqua le gardien que Tillman remplaçait, mais il n'est pas stupide. Il a infligé toutes sortes de souffrances aux gens, mais il a jamais tué personne, parce qu'il sait qu'on le pendrait pour ça. Non, c'est pas un imbécile. C'est le mal, voilà ce que c'est. Un distillat de pur mal à deux cents degrés. Et c'est un roué, avec ça. L'est capable de pousser les piafs à se mettre à la marche rien qu'en leur parlant. Alors tu fais gaffe, petit. Je veux dire : tu fais vraiment gaffe.

Tout cela fit regretter à Tillman d'avoir promis à sa femme qu'il parlerait à Lieder. Mais… chose promise, chose due.

Il ouvrit le guichet et trouva Lieder en train d'arpenter sa cellule d'un air énervé, traversant son champ de vision un livre ouvert à la main.

— Et voilà ! Et cette "période de troubles" signifie sûrement la guerre à Cuba ! Qu'est-ce que ça pourrait vouloir dire d'autre ? Il disparut un instant alors qu'il atteignait le coin de sa cellule le plus proche du guichet, puis il tourna les talons et fit les cinq pas qui le séparaient du coin opposé.

— Ces troubles auront une fin, lut-il à voix haute, et la nation se réjouira ! Mais tout en se réjouissant elle remarquera la pourriture insidieuse qui lui ronge le cœur ! Cette pourriture se disséminera, jusqu'à ce que du Peuple surgisse un chef capable de châtier les envahisseurs !

Lieder referma doucement son livre et contempla l'horizon à travers les barreaux de sa fenêtre.

— … Châtier les envahisseurs…, répéta-t-il d'une voix émerveillée, avant de s'effondrer sur sa paillasse. *Châtions-les !* lâcha-t-il, puis, les yeux fixés sur le plafond, il reprit d'une voix étonnamment calme : Vous devez être le nouveau gardien. Comment vous appelez-vous ?

— Euh… Tillman.

— Tillman, répéta-t-il. J'aime connaître le nom des gens. Je pense que c'est important de connaître le nom des gens. Eh bien, monsieur Tillman, bienvenue au pays des grains de lune. Vous avez quelque chose pour moi ?

Tillman se racla la gorge.

— J'ai le journal de cette semaine.

Il se tut et un silence gêné s'installa.

— Comment… euh… comment je fais pour… ?

— Vous vous demandez comment faire pour me le donner sans ouvrir la porte.

— C'est-à-dire… euh… bredouilla Tillman, qui n'avait absolument aucune envie de prendre le moindre risque.

Lieder se leva.

— Vos collègues roulent les pages et les font passer par les trous. Et pour tout vous dire, je pense honnêtement que c'est la meilleure manière de procéder. Faudrait être un crétin fini pour prendre le risque d'entrer chez moi.

Tillman roula maladroitement la première des quatre pages du journal et la fit doucement passer par un trou du guichet. Elle lui fila brusquement entre les doigts lorsque Lieder l'arracha de l'autre côté.

— Y a de bonnes nouvelles, dit Tillman en commençant à rouler la deuxième feuille. On dirait que les combats ont cessé à Cuba. Ils ont signé un… un truc… avec l'Espagne.

— Un protocole, dit Lieder en fixant sa page d'un air mauvais. Mais allez savoir ce que ça signifie… Ces foutus ânes bâtés de Washington se sont fait rouler dans la farine ! Des braves jeunes Américains vont se battre et crèvent pour apprendre la vie à des étrangers, et les politiciens signent un protocole. L'Espagne nous fourgue Porto Rico et les Philippines pour s'en débarrasser. Et ce crétin de McKinley pense avoir bien agi ! Ces sournois d'Espagnols nous ont refilé une cuillère empoisonnée, monsieur Tillman. Une cuillère empoisonnée ! Ils viennent de nous fourguer deux millions de métèques illettrés, et faudra pas attendre longtemps avant qu'ils débarquent ici en masse pour voler le boulot des Américains ! Donnez-moi ça. (Il arracha la deuxième feuille à travers le trou et la parcourut rapidement des yeux.) Pauvres crétins !

Tillman attendait le bon moment pour adresser à Lieder la question que sa femme lui avait demandé de poser, et ce moment n'était clairement pas encore venu.

— J'aimerais connaître votre opinion sur une chose, monsieur Tillman, dit Lieder. À votre avis, qui a coulé le *Maine* ?

— Euh… Les Espagnols, évidemment.

— Les Espagnols ? reprit Lieder en éclatant de rire. C'était ces foutus anarchistes ! Un de ces bâtards d'immigrés a posé une bombe à bord pendant que le *Maine* était encore au port en Amérique !

— Mais… pourquoi auraient-ils fait ça ?

— Pour nous faire entrer en guerre, pardi ! Pour attirer nos soldats hors de nos frontières et laisser la voie libre pour envahir notre pays !

— C'est dingue ! Y a pas…

Lieder tourna vivement la tête vers le guichet et décocha à Tillman un regard plein de furie… puis il masqua doucement sa rage derrière un sourire qui n'animait que ses yeux.

— Qui sait, vous avez peut-être raison, monsieur Tillman, dit-il en laissant maintenant son sourire dévoiler toutes ses dents. Les dingues disent parfois des choses dingues. C'est comme ça qu'on sait qu'ils sont dingues, pas vrai ? Je peux vous poser une question, monsieur Tillman ?

— Pardon ? fit Tillman d'un ton sec.

Si Lieder pensait l'embobiner comme un vulgaire piaf, il se trompait lourdement.

— Vous lisez ? Moi, je pense que la lecture est une bonne chose. Ça maintient l'esprit alerte, et ça ouvre des horizons.

— Je ne lis que la Bible. Personne a besoin de lire autre chose, parce qu'y a là-dedans toute la vérité du monde. Moi et ma femme, on lit la Bible tous les matins et tous les soirs.

— Votre femme ? Ah… oui. Oui, un gardien m'a dit que le petit nouveau était un jeune marié. C'est une sacrée honte, vous trouvez pas, tous ces gars qui peuvent pas s'empêcher de dire des saloperies sur les jeunes mariés ? De faire des blagues sur ce qui les attend, combien de fois ils le font, et comme la femme a mal après ! Les hommes pensent qu'ils sont drôles, mais ce ne sont que des porcs. Alors comme ça vous avez besoin de rien lire d'autre que la Bible, hein ? Vous savez ce que je lisais quand vous êtes venu à ma porte ? Je lisais le livre le plus important qu'on ait jamais écrit… en dehors de votre Bible, cela va sans dire. Je lisais *La Révélation de la vérité interdite*, écrite par un homme qui signe tout simplement Le Guerrier. Vous avez déjà entendu parler de *La Révélation de la vérité interdite*, monsieur Tillman ?

— Je mentirais si je disais que oui, répondit Tillman d'un ton cassant pour bien faire sentir à Lieder qu'il n'avait rien d'une oie blanche.

— Je suis désolé pour vous. Mais bon, j'imagine qu'il n'est pas donné à tout le monde de recevoir et de comprendre la vérité interdite. C'est réservé à ceux qui ont été élus pour châtier tous les politiciens de Washington qui souillent ce beau pays qu'on a. Et les immigrés ! Et les papistes ! Et les financiers ! Et les… (Il s'interrompit et se remit brusquement à sourire.) Mais écoutez-moi un peu, vous voulez bien ? Écoutez-moi débiter mes inepties comme un cinglé. Les sains d'esprit, ils s'en foutent que les étrangers et les catholiques et les juifs fassent sauter un cuirassé américain et s'en tirent sans être inquiétés le moins du monde. Ils s'en foutent ! Et ils s'en foutent qu'on transforme l'Amérique en une vraie décharge où l'Europe jette sa racaille ignorante.

Il se laissa retomber sur sa paillasse et leva les bras pour enfouir son visage dans le creux de ses coudes.

— Euh… commença Tillman d'une voix mal assurée, à propos de lecture et tout ça, est-ce que… euh… Est-ce que vous avez une Bible, là-dedans ?

Lieder ne réagit pas.

— Je vous demande ça, parce que ma femme… dit Tillman en haussant les épaules.

— Parce que votre femme quoi, monsieur Tillman ? demanda Lieder sans relever la tête.

— Eh bien, je lui ai parlé de vous, et elle m'a dit que je devrais… Je veux dire, elle pense que peut-être vous apprécieriez…

— Que peut-être j'apprécierais quoi, monsieur Tillman ?

Le gardien s'éclaircit la voix.

— Avez-vous accepté le Seigneur Jésus-Christ comme votre sauveur personnel ?

Lieder sourit derrière ses coudes. Mais c'est d'une voix douce et compréhensive qu'il répondit :

— Eh bien, monsieur Tillman, je ne pourrais honnêtement pas dire que c'est le cas.

— Vous n'avez pas été lavé par le Sang de l'Agneau ?

— N-non. Mais j'avoue qu'il y a quelque chose de sacrément séduisant dans ce que vous dites. (Il leva la tête et regarda vers le guichet ; son regard semblait vulnérable et sincère.) Dites, votre femme, elle aurait pas un truc que je pourrais lire, des fois ? Un truc qui puisse guider mes pas vers le droit chemin ?

— Je vous apporterai quelques brochures demain.

— C'est vrai, monsieur Tillman ? Je vous en serais extrêmement reconnaissant.

— Comptez sur moi.

Tillman referma le guichet et prit une profonde respiration. Mary sera contente comme tout quand je lui dirai. Contente comme tout !

Une fois seul, Lieder serra ses lèvres en un sourire sec.

— Mais c'est parfait, tout ça ! On dirait qu'y a du juste dans ce que Paul dit en Frisons 7, 13 : Louez la parole du Seigneur, car c'est la vérité, et la vérité *vous rendra libre.*

DUTCHMAN'S FINGER, YANKEE PROMISE, Sally's Drawers, Why Bother ?, Easy Squaw, Eureka Ditty*... la ruée vers l'argent dans le Wyoming a laissé derrière elle tellement de villes éphémères au nom fantasque que "Twenty-Mile" semble bien terre à terre en comparaison, jusqu'à ce que vous découvriez que cette bourgade ne fut jamais à vingt miles de quoi que ce soit. Elle surgit du jour au lendemain en bordure d'une voie de chemin de fer à faible écartement reliant la ville-champignon de Destiny à une mine d'argent située haut dans les montagnes et baptisée le Filon Surprise. La distance entre ces deux terminus n'était que de dix-sept miles à vol de corbeau, mais si ce corbeau avait dû prendre le train, il en aurait été pour quarante-sept miles d'ascension pénible et tortueuse sur les lacets vertigineux des Medicine Bow Mountains, frôlant d'un côté des parois de roche brute, et de l'autre, une série d'à-pics à vous retourner les boyaux.

Certains prétendent que Twenty-Mile fut ainsi baptisée lorsque les géomètres du chemin de fer, après avoir choisi au hasard un point à partir duquel mesurer les distances, découvrirent un plateau de deux acres environ vingt miles plus haut qui pourrait bien servir de lieu de stockage du matériel le temps d'ouvrir la voie à la dynamite et de poser les rails. La petite grappe de bâtiments aux frontons non peints qui y poussa du jour au lendemain fut donc appelée Twenty-Mile. Évidemment, apprendre que Twenty-Mile s'appelait ainsi parce qu'elle se trouvait à vingt miles d'un endroit situé à vingt miles de là n'a rien de très gratifiant, mais il est peu probable que nous n'aurons jamais de meilleure explication, parce que Twenty-Mile

* Respectivement : Le Doigt du Hollandais, La Promesse du Yankee, La Culotte de Sally, À quoi bon ?, La Squaw facile, La Chanson d'eurêka. (Note du Traducteur)

n'existe plus qu'en petits caractères sur les cartes topographiques, où son symbole signifie *agglomération inhabitée* – expression de cartographe voulant dire ville fantôme.

Cette ville fantôme attire quelques rares chasseurs de souvenirs qui déclarent, après avoir difficilement gravi la vieille et dangereuse voie ferrée à l'abandon en quête de vestiges du Passé Disparu de l'Amérique, avoir ressenti un "frisson" troublant en découvrant les quelques bâtiments épars, en ruine et blanchis par le soleil, qui forment Twenty-Mile. Les anciens disent que le "mauvais totem" de cette ville vient de ce qui s'y est produit en 1898, année où, ayant déjà entamé sa glissade vers la déchéance finale après sa brève poussée de croissance, elle n'était plus habitée que par une poignée d'obstinés. Mais chaque samedi soir, cahotant et claquetant, un train de cinq wagons descendait la production hebdomadaire d'argent du Filon Surprise à Destiny, où on la passait en fonderie avant de l'exporter vers l'est. La locomotive à faible écartement crachotante marquait un bref arrêt à Twenty-Mile et y libérait une soixantaine de mineurs pour leur cuite hebdomadaire. Elle les reprenait le dimanche matin, alors qu'elle remontait chargée de charbon, de matériel et de vivres pour le Filon et les résidents de Twenty-Mile. Cette organisation avait été mise au point par les gérants de la mine pour empêcher leur main-d'œuvre de marginaux et de vagabonds de descendre à Destiny, où ils risquaient de trouver un travail moins harassant, moins dangereux et moins mal payé, ou même de déserter pour les nouvelles mines d'or, là-haut, dans le Klondike. Mais les mineurs du Filon Surprise formaient une bande d'écervelés à bout de forces qui se contentaient bien de rester sur place tant qu'on leur laissait toute la nuit du samedi pour foutre le boxon et claquer leur salaire ; ce foutage de boxon et ce claquage de salaire constituaient l'unique excuse que Twenty-Mile pouvait encore avancer pour justifier son existence après que son rôle de point de ravitaillement principal pour la mine eut été repris par Destiny, et que le torrent de prospecteurs indépendants qui ratissaient naguère ces montagnes se fut tari en un piètre goutte-à-goutte d'une demi-douzaine d'acharnés.

Avant même l'arrêt complet du train, les mineurs assoiffés de bon temps se ruaient hors des wagons en criant et en tirant en l'air avec leurs vieilles pétoires tordues, puis ils prenaient d'assaut l'Auberge de Bjorkvist, où ils dévoraient de phénoménales quantités d'assez piètre nourriture. Ensuite, la plupart d'entre eux allaient au Grand Magasin de Kane pour acheter des bleus de travail, des gants, de la pommade pour les muscles, des chemises de flanelle, du tabac à chiquer ou des médicaments – et, de temps à autre, un petit cadeau frivole pour l'anniversaire d'un proche, chez eux. M. Kane gardait leurs achats en réserve jusqu'au dimanche matin, juste avant qu'ils ne se hâtent d'aller reprendre le train.

Après leur passage au Grand Magasin, certains se rendaient au Palais du rasoir du Pr Murphy, où une chaudière à charbon crachotant dangereusement s'épuisait à faire chauffer suffisamment d'eau pour les quatre baignoires en bois du salon. Vous pouviez y prendre un bain pour trente-cinq cents, et le rasage à quinze cents vous était fourni avec des quantités suffisantes de lotion claquée sur les joues pour que vos potes vous sifflent en vous sentant entrer à l'Hôtel des Voyageurs (qui n'était pas vraiment un hôtel, juste un bordel avec un bar). Si certains passaient par l'étape bain, rasage et lotion à profusion, c'était parce qu'ils pensaient qu'ils pourraient obtenir des faveurs de la part des prostituées s'ils se présentaient à elles sous leurs meilleurs atours. Personne ne spécifiait jamais en quoi ces "faveurs" consistaient, mais leur évocation était toujours accompagnée de clins d'œil, bourrades et ricanements entendus.

Trois "filles" travaillaient à l'Hôtel des Voyageurs : Frenchy, grande Noire mince aux yeux jaunes de La Nouvelle-Orléans ; Chinky, petite Chinoise timide qui parlait mal l'anglais et ne regardait jamais un homme dans les yeux ; et Queeny, vieille Irlandaise volubile et riante à poitrine flasque, réputée capable de boire n'importe quel tord-boyaux pour peu qu'il ne fasse pas fondre le cul du verre le temps qu'elle l'engloutisse. Les mineurs les plus âgés préféraient Queeny parce que c'était "une chouette barrique de rires" et "bonne vieille chic fille à bon cœur" ; les plus jeunes optaient pour Chinky parce que les deux autres, plus expérimentées, risquaient de se moquer d'eux ; et ceux qui se prétendaient connaisseurs choisissaient Frenchy parce que tout le monde savait que les Noires étaient naturellement meilleures pour la chose, tout simplement, et que si en plus celle-ci était française… Chaud devant, chaud !

Le nombre de mineurs surpassait largement la population permanente de Twenty-Mile, qui était passée de plus de deux cents âmes en plein âge d'or à tout juste quinze, lesquelles n'occupaient guère plus de cinq des maisons en bois brut érigées à la va-vite pendant les années d'expansion et d'espoir, quand la devise de la ville était : *Regardez-nous grandir !* Maintenant, ces maisons vides grinçaient et grognaient doucement tandis qu'elles s'abandonnaient à la lente et mortelle emprise de la gravité.

Les quinze résidents de Twenty-Mile incluaient donc M. Kane, le patron du Grand Magasin ("Tout ce dont une personne a vraiment besoin"). Ruth Lillian, sa fille de dix-sept ans au caractère bien trempé, était, de l'avis général, la beauté de la ville. Le Pr Murphy, comme nous l'avons vu, vendait des bains chauds, des rasages et de généreuses aspersions de lotion dans son Palais du rasoir. Mme Bjorkvist gérait l'auberge, qui n'était en fait qu'un vaste salon où l'on servait des "steaks". Ces steaks étaient servis avec du chou, des biscuits et des pêches au sirop à chaque repas. Derrière, il y avait une longue salle avec des couchettes en bois dotées de minces matelas de paille que les mineurs atteignaient en titubant pour s'y effondrer et dormir après leur passage à l'Hôtel des Voyageurs. La pension complète, gîte, dîner et petit déjeuner, coûtait un dollar – un vrai hold-up, grommelaient les mineurs, mais ils payaient quand même. Bien que Mme Bjorkvist parlât avec un accent capable d'émousser une scie à métaux, elle était parvenue à faire clairement savoir qu'il était hors de question qu'elle vît jamais la moindre "fille" de l'Hôtel des Voyageurs traîner dans son établissement. Il existait aussi un M. Bjorkvist qui grognait dans son coin, un malabar renfrogné avec l'assistance duquel elle avait eu deux enfants. (Un plaisantin prétendait qu'il avait dû tomber sur un filon à chacun de ses coups de pelle.) Kersti Bjorkvist était une jeune femme de vingt-deux ans aux épaules trapues et aux traits épais qui travaillait en cuisine et servait à table, et son frère, Oskar, était un demeuré âgé d'un an de plus que Ruth Lillian Kane, qu'il reluquait les yeux moites et la bouche bée, en une expression qui lui valait chaque fois les foudres de M. Kane.

L'Hôtel des Voyageurs – et ses trois filles – était tenu par M. Delanny, qui toussait beaucoup, portait des chemises à jabot d'un blanc éclatant et était aussi maigre qu'un rail. M. Delanny était réputé être un ancien "flambeur", réputation patiemment polie par Jeff Calder, le vétéran de la guerre de Sécession unijambiste qui servait au bar et se plaignait souvent que, bien qu'il eût fait plus que sa part pour la défense de l'Union, ce gouvernement d'irresponsables patentés refusait de traiter ses héros blessés comme il aurait dû le faire.

Passons aux trois derniers citoyens de Twenty-Mile : B.J. Stone s'occupait des ânes qui travaillaient à la mine. On le disait "bizarre" parce qu'il lisait beaucoup et qu'il avait une façon bien à lui de vous regarder comme s'il savait une chose qu'il n'avait pas l'intention de vous confier. Le factotum qui secondait B.J. Stone dans sa mission s'appelait Coots, vieux métis bourru, moitié Noir, moitié Cherokee, qui ne se mêlait à personne et dont la rumeur disait qu'il avait été pistolero et n'était donc pas homme avec qui l'on plaisantait sans risque. Enfin, il y avait le "révérend" (voir "steak" et "filles") Leroy Hibbard, que la compagnie minière stipendiait pour ramener les hommes au Filon tous les dimanches matin puis flageller l'âme de toute cette main-d'œuvre par un puissant sermon auquel les propriétaires puritains de Boston forçaient chacun à assister, pour sa plus grande édification. Après sa harassante liturgie dominicale, Hibbard restait toujours dormir à la mine et redescendait à la ville le lundi après-midi en longeant à pied les quinze miles de voie ferrée. Le révérend s'était cloîtré dans un combat contre la Dépravation et le Mal qui rôdaient dans l'âme de chacun des descendants d'Adam, mais tous les quinze jours sa fibre morale s'effilochait et il se faufilait nuitamment par la porte de derrière de l'Hôtel des Voyageurs pour boire avec Jeff Calder avant d'aller pécher avec Frenchy. Après cette immersion dans l'abîme de l'abomination, il descendait la rue en titubant au plus noir de la nuit, juste avant l'aube, pleurant et criant qu'il n'était qu'une créature répugnante ! Un pécheur détestable ! Un fornicateur ! Un vil vaisseau d'iniquité indigne du pardon divin ! Mme Bjorkvist ne cachait pas que cela correspondait bien à ce qu'elle-même pensait du révérend, qui se délectait de sa dégoûtation comme d'un châtiment délicieusement approprié pour sa vilenie.

B.J. Stone (le muletier qui lit beaucoup ?) trouvait le révérend ridicule et s'en moquait ouvertement. Et pour cette raison, l'homme de Dieu détestait Stone de cette haine profondément enracinée que les hommes de bien prétendent réserver au péché et qu'ils font toujours tonner contre le pécheur.

Le dimanche matin, une fois que le train avait déchargé sa livraison et embarqué les mineurs pour les remonter, eux et leurs gueules de bois carabinées, jusqu'au Filon Surprise, Twenty-Mile se sentait subitement engourdie, plombée, comme si elle aussi avait souffert de sa propre gueule de bois, abrutie par les cris et les rires, aigrie par l'alcool, hébétée par les excès de sexe et le trop peu d'amour. La plupart des gens se levaient tard le dimanche, mais l'on pouvait souvent trouver Kersti Bjorkvist assise à sa table de cuisine, abattue, le regard dans le vide, et du côté de l'hôtel Jeff Calder clopinait dans le bar en poussant son balai tandis qu'à l'étage les filles publiques dormaient étendues sur leurs draps chiffonnés et moites.

Le carillon de la porte du Grand Magasin de Kane tinta quand M. Delanny passa prendre les flacons d'Authentique sirop de la mère Grise qu'il buvait pour soigner sa toux. En partant, il croisa Mme Bjorkvist et la salua en ôtant son chapeau, geste théâtral plein de sarcasme qui lui fit se pincer les lèvres et tourner le nez. Elle ne voulait rien avoir à faire avec l'homme qui possédait l'Hôtel des Voyageurs et ses… ses… ses catins de Babylone ! L'aversion morale que ressentait Mme Bjorkvist pour l'hôtel n'allait cependant pas jusqu'à lui faire cracher sur le profit qu'elle tirait des résidents de ce lieu de perdition en leur servant leurs déjeuners et dîners quotidiens. Incapable de s'abaisser à laisser entrer de tels êtres dans son établissement, elle y envoyait sa fille porter des gamelles contenant leurs repas, mais gardait toujours un œil sur l'horloge pour s'assurer qu'elle ne s'attardait pas plus que le temps nécessaire pour poser la pitance sur le rebord tiède du poêle de l'hôtel, parce que… eh bien parce qu'on n'est jamais trop prudent, n'est-ce pas ?

Sachant que Mme Bjorkvist ne lui achetait jamais rien, M. Kane continua à vaquer à sa routine dominicale de l'inventaire des marchandises que le train avait apportées de Destiny, en laissant ses clients déambuler d'un comptoir à l'autre et tâter les nouveaux arrivages, pestant contre leur prix et leur qualité.

— Auriez-vous décidé de fêter notre victoire à Cuba en faisant des folies, madame Bjorkvist ?

Elle renifla d'un air pincé.

— Alors, on a attrapé un rhume ? demanda M. Kane de son accent morne et dental qui aurait trahi ses racines ethniques aux oreilles de toute personne moins insensible à la musique de la langue que ne l'était Mme Bjorkvist. Vous devriez peut-être essayer le Sirop de M. Delanny.

La nuque de Mme Bjorkvist se raidit à l'idée de faire pénétrer dans le tabernacle de son organisme un produit utilisé par ce… pousse au vice, ce… ce… ! Quand tout à coup quelque chose attira son attention de l'autre côté de la vitrine.

— Allons pon ! Quessse que z'est que za ? voulut-elle savoir.

M. Kane leva les yeux et vit M. Delanny debout au milieu de la rue en train de parler avec un jeune homme qui portait sur une épaule un gros sac, et sur l'autre, pendu par une bandoulière improvisée, un énorme fusil. En dehors de quelques rares prospecteurs, l'arrivée d'un étranger était un événement suffisamment étonnant à Twenty-Mile pour justifier le "Quessse que z'est que za ?" irrité de Mme Bjorkvist. Et aussi bien le chapeau de fermier à large bord que les bottes de fermier à bout large de ce jeune homme indiquaient qu'il n'avait rien d'un prospecteur.

— T'où croyez-fous qu'il déparque, zui-là ? demanda Mme Bjorkvist sans quitter l'étranger des yeux, comme si elle eût voulu le clouer sur place le temps de se forger une opinion à son sujet.

— Je n'en ai aucune idée, madame Bjorkvist, dit M. Kane d'un ton indifférent dont il savait qu'elle s'irriterait.

Ils regardèrent M. Delanny sourire et hocher la tête en réponse à une question de l'étranger, puis s'en aller vers son hôtel après lui avoir adressé, de sa main aux doigts longs et fins, un geste qui voulait clairement dire : "Bonne chance à toi, mon gars." Suivi d'un nouveau hochement de tête qui précisait : "Parce qu'il va t'en falloir."

Le jeune homme ajusta la charge de son sac, releva le bord de son chapeau du bout du pouce et s'en alla. Mme Bjorkvist pressa sa joue contre la vitrine pour gagner en champ de vision sur la diagonale de la rue et pouvoir ainsi l'observer plus longuement. Non qu'elle fût curieuse, mais si elle-même n'avait pas le droit le plus strict de savoir ce que cet étranger manigançait, alors qui l'avait, hein ? Lorsqu'il tourna pour entrer dans l'écurie de B.J. Stone, elle approuva en son for intérieur. Elle aurait dû s'en douter. Ce vieil homme, et sa manière qu'il avait de sans cesse lire des livres et de regarder les gens comme s'ils étaient bizarres, ou stupides, ou... je sais pas ! Et dire qu'il ose traiter les gens de bizarres. Lui, qui n'est rien d'autre qu'un vil, qu'un fourbe... Mais il était hors de question qu'elle souillât son esprit ne fût-ce qu'en pensant ce mot.

Sur un ton qui voulait dire "On aurait pu le parier", elle informa M. Kane que l'étranger était allé à l'écurie.

— Alors comme ça, il est allé à l'écurie, hein ? reprit-il sèchement. Allons pon ! Où fa l'monde ? Où fa l'monde ?

Ruth Lillian Kane descendit des appartements de l'étage, où elle avait fait la vaisselle du petit déjeuner pendant que son père ouvrait le magasin. Elle salua gaiement Mme Bjorkvist (un peu trop gaiement, parce qu'elle ne l'aimait pas) et lui demanda poliment des nouvelles de sa fille. Mais la propriétaire de l'auberge se contenta de poser un regard désapprobateur sur la nouvelle robe en vichy que portait Ruth Lillian. Fanfreluches et vanités ! Il la gâte, il la pourrit. Il cherche à racheter la manière dont sa mère... bon, j'en ai assez dit. J'en ai assez dit. On n'a jamais rien obtenu de bon à gâter les enfants. Elle aurait dû lui dire un peu ses quatre vérités, mais elle n'avait pas de temps à perdre à bavasser comme ça. Cet étranger allait vouloir dormir et manger dans son auberge. Bah, elle dirait peut-être oui, peut-être non. Ça dépendrait de son genre. Elle verrait bien.

Sans socialiser plus avant, elle sortit du magasin et traversa la rue vers son établissement.

— Au revoir, madame Bjorkvist, lança M. Kane dans son dos d'une voix chantante. C'est toujours un plaisir de vous servir.

B.J. STONE APPUYA LE DOSSIER DE SA CHAISE en équilibre contre le mur du local de ferrage, replia consciencieusement le journal de Cheyenne vieux de deux jours qu'il était en train de lire et massa sa courte barbe grise du revers de la main.

— Du Nebraska, hein ? Et t'as fait tout ce chemin à pied ! Bon, y a de l'eau fraîche dans le tonneau. Sers-toi. Le gobelet est juste là. Je suis désolé de devoir te dire ça, fiston, mais si c'est du travail que tu cherches, tu te trouves à peu près dans le pire endroit de la République. Il ne se passe absolument rien à Twenty-Mile. Et là, je te parle des jours où y se passe quelque chose. C'est une ville sans histoire. Son passé n'a que onze ans, et elle n'a pas le moindre avenir. Je te proposerais bien un peu de boulot pour te dépanner mais, à m'occuper des ânes pour le Filon, je gagne juste assez pour empêcher mon corps de laisser fuir mon âme. J'aurais même pas de quoi payer l'vieux Coots s'il se satisfaisait pas de bosser pour un coin où dormir, une gamelle de rata et ma reconnaissance éternelle. Pas vrai, Coots ?

Le vieux Cherokee-Noir à la silhouette maigre et nerveuse ne leva pas les yeux et continua à curer le sabot de l'âne qu'il tenait replié sur ses cuisses, calé sur son tablier de cuir.

— Et pour du rata, c'est du foutu mauvais rata, marmonna-t-il.

— Désolé de pas pouvoir t'aider, fiston. Mais je peux tout de même t'offrir une tasse de café.

— Une tasse de café pourrait me faire que du bien, Monsieur.

Le jeune gars grogna en laissant glisser les sangles qui lui avaient scié les épaules au cours de sa longue nuit d'ascension de la voie ferrée depuis Destiny.

— Sers une tasse de jus à notre invité, Coots, dit B.J. Stone d'un ton princier.

— Tu veux prendre ma place à curer ce sabot ? demanda Coots.

— Non, non, tu fais ça très bien.

— Alors c'est toi qui lui sers ce bon Dieu de café. T'as rien foutu de toute la matinée que de rester assis là le nez dans ton journal à pester contre l'impérialisme et le chauvinisme et Dieu seul sait quels autres zismes ! Pendant ce temps-là, moi, j'ai été plus affairé qu'un unijambiste en plein concours de bottage de cul !

B.J. Stone se pencha vers Matthew et murmura :

— Désolé, notre pauvre vieux Coots fait vraiment un hôte misérable. Et tu n'as pas encore goûté son café…

— Le bois pas si tu l'aimes pas ! répliqua Coots.

— Et susceptible, avec ça, la vieille carne, lâcha B.J. sous le revers de sa main.

Le jeune homme eut un sourire gêné ; c'était la première fois qu'il voyait un Noir envoyer paître un Blanc de la sorte. B.J. Stone se leva en soupirant comme un martyr et disparut dans la cuisine, où du café mijotait sur un poêle en fonte, s'épaississant et noircissant sans faillir depuis que l'on avait fait couler son marc en y plongeant des coquilles d'œufs dès le lever du lit ce matin-là.

Le jeune homme posa son fusil à côté de son sac et massa doucement son épaule endolorie du bout des doigts en regardant les habiles mains à paumes claires de Coots s'affairer sur le sabot de l'âne. Mélange de traits nègres et de regard cherokee, le visage de Coots l'intriguait.

— D'où tu tiens cette arme ? demanda Coots sans lever les yeux de son travail.

— De mon père.

— Ouais, et lui y la tenait sûrement de son arrière-grand-père, qui devait l'avoir achetée à Mathusalem ! Comment tu fais pour trouver des munitions pour un vieux tromblon comme ça ?

— Le père les faisait lui-même. (Il défit le laçage de son sac à dos et y farfouilla pour en retirer un sac de toile contenant les cartouches qu'il avait emportées lorsqu'il s'était mis en route.) En voilà une. Une vraie beauté, hein ? Le père, il prenait deux cartouches double zéro ordinaires, il les coupait en deux, il laissait l'amorce et la poudre dans une, puis il fabriquait une chemise plus longue avec du carton fin et il y mettait la poudre de l'autre et les plombs des deux. Après, il tassait tout bien – c'était toujours là que j'avais peur, quand il tassait – puis il pinçait le carton et plongeait le tout dans de la cire pour que ce soit bien raide et imperméable. Elles étaient vraiment belles. Mais faut reconnaître que ce fusil a un joli petit recul.

— J'te crois ! fit Coots en faisant tourner une de ces cartouches double taille entre ses doigts et en secouant la tête. Ça doit vous étaler son homme, et après faut se relever et remonter en première ligne à chaque coup qu'on tire. (Coots lança la cartouche au jeune homme.) C'est-y pas une perte de temps, de fabriquer des cartouches pour une arme qu'est même pas bonne pour la chasse ! Tu touches une bête avec cette pétoire, et tu te retrouves avec plus rien qu'une touffe de poil et l'air ébahi.

Le gars pouffa de rire.

— Le père s'en servait que tous les trente-six du mois. Il éclatait des vieux tonneaux, ça faisait voler les bouts de lattes dans tous les sens. Juste pour frimer. Ça lui plaisait d'avoir un fusil plus gros que tout le monde. (Il remit la cartouche dans son sac.) Faut bien dire qu'il avait pas grand-chose d'autre pour frimer, le père.

— Mais c'est dangereux, une vieillerie pareille, petit ! Et avec des munitions maison, qui plus est... Tous aux abris, les gars ! Alors comme ça, t'as traîné ce vieux monstre à dos d'homme depuis le Nebraska ?

— Oui, m'sieur. Je sais pas au juste pourquoi je l'ai pris. Je voulais pas le laisser, voilà tout. Mais pour sûr qu'il est lourd. Bien cent fois que j'ai dû penser le larguer sur le bord de la route.

— Mais tu l'as pas fait.

— Non, m'sieur, je l'ai pas fait.

— Et pourquoi ?

— Je sais pas trop.

— Tu dois l'aimer beaucoup.

— Non, m'sieur, je l'aime pas. La vérité... c'est que je le déteste.

— Je te comprends. Un jour ou l'autre, ce vieux truc va nous pulvériser un gars direct jusqu'en enfer, petit.

— Ouais, ben... c'est déjà fait. C'est ce vieux fusil qu'a eu la peau de mon père.

Le cure-sabot de Coots se figea en plein mouvement.

— Désolé, petit. Je voulais pas... Je disais ça juste pour parler, tu sais. Je suis désolé pour ton père.

Le jeune homme haussa les épaules et dit d'une voix neutre :

— Ça arrive, ce genre de choses. Ça arrive... (Il baissa les yeux et secoua la tête :) et puis c'est tout.

Il attrapa un vieux livre relié cuir posé sur l'établi. Il avait la même odeur que la Bible de sa mère, mais les mots ne lui disaient rien.

— C'est du latin, petit, dit B.J. Stone en revenant de la cuisine avec une tasse dans une main et la cafetière dans l'autre, l'anse brûlante enveloppée dans une poignée de vieux chiffons. C'est un recueil de satires romaines de Lucilius à Juvénal. M'étonnerais que tu lises le latin.

Il tendit sa tasse à Matthew.

— Non, m'sieur, dit le jeune homme en reposant délicatement le livre avant de tendre sa tasse pour se faire servir.

— Les satires traitent de nos vices et de nos… Oups ! (Distrait, B.J. Stone avait fait déborder la tasse de Matthew.) Traitent de nos vices et de nos absurdités ; c'est-à-dire de pratiquement toutes les affaires humaines. (Il se tourna vers Coots.) Bon, tu veux un peu de cette misérable bouillie, ou tu préfères continuer à tripatouiller ce sabot ?

— Faut bien que quelqu'un bosse ici, répliqua Coots en tendant sa tasse pour que B.J. Stone la remplisse.

— Tu t'intéresserais pas aux Romains, par hasard, hein, fiston ? demanda ce dernier en se servant lui aussi un café.

— Non, m'sieur, je peux pas dire que je m'y intéresse. Je sais qu'y en a un qui s'est juste lavé les mains en les laissant tuer Jésus, et… bah, c'est tout ce que je sais sur les Romains. La vérité, c'est que je lis pas tant que ça.

— C'est un tort. Y a pas mieux qu'un livre pour s'abriter quand les choses virent trop mauvaises. Ou trop mornes.

Cette dernière remarque semblait adressée à Coots, qui l'ignora.

La tasse en fer-blanc était si chaude que Matthew dut aspirer de grandes bouffées d'air pour ne pas se brûler les lèvres, mais c'était bon de sentir le café descendre dans son estomac vide.

— Quand je disais que je lisais pas tant que ça… En fait, on bougeait beaucoup, et je me suis tellement fait balader d'école en école que je sais à peine déchiffrer mon nom.

— Et c'est quoi, ton nom ?

— Eh ben, m'sieur… On m'appelle le Ringo Kid.

Coots et B.J. Stone échangèrent un regard.

— Ah oui, vraiment ? dit B.J. Stone. Le Ringo Kid, hein ? Donc quand ta mère t'appelle pour une corvée, elle crie : Hé, le Ringo

Kid ! Ramène un peu tes fesses par là et coupe-moi du p'tit bois ! C'est ça ?

— Non, m'sieur, elle dit pas ça.

Il se tut un instant avant d'ajouter à voix basse :

— Ma mère est morte.

— Et son père aussi est mort, lança Coots d'un ton accusateur pour souligner le manque de tact de son partenaire.

— Oh. (Le ton taquin s'effaça de la voix de B.J.) Ça fait longtemps que t'es seul ?

— Environ deux semaines. À la mort de mes vieux, j'ai décidé de faire mon sac pour partir vers l'Ouest et…

Il haussa les épaules.

— Je vois, dit B.J. Stone en prenant une longue gorgée de café pour masquer sa gêne.

— Ma mère m'a appelé Matthew, dit le jeune homme pour briser le long silence qui s'était établi. Elle voulait quatre garçons. Matthew, Mark, Luke et John.

— Et qu'est-il arrivé aux trois autres évangélistes ?

— La fièvre a emporté Luke quand il était tout bébé. Et Mark est parti il y a environ deux ans.

— Et John ?

— Y a jamais eu de John. Ma mère a arrêté d'avoir des enfants quand Luke est mort. Elle a dû trouver que ça valait pas la peine, si c'était pour que la fièvre vienne et les emporte. (Le jeune gars prit une profonde respiration, tourna les yeux vers le lointain et posa un regard dur vers la falaise sur laquelle s'arrêtait Twenty-Mile. Puis son regard s'adoucit en une sorte de sourire attendri.) La vérité, c'est qu'on m'appelle pas vraiment le Ringo Kid. J'ai juste dit ça pour… bah, je sais pas trop pourquoi. Ça m'a semblé être un nom correct pour commencer ma nouvelle vie, voilà tout. Je l'ai trouvé dans les livres de M. Anthony Bradford Chumms. Vous connaissez ? *La Vengeance du Ringo Kid* ? Ou *Le Ringo Kid donne une bonne leçon* ? Ou *Le Ringo Kid a tout son temps* ? Je les ai tous lus et relus jusqu'à ce que leurs pages tombent. Au dos du *Ringo Kid règle ses comptes*, y a écrit que M. Anthony Bradford Chumms est "un gentleman anglais qui sait insuffler une grande richesse culturelle et stylistique aux histoires du Far West les plus passionnantes".

— Eh ben dites-moi, fit B.J. Stone d'un ton feignant l'admiration. Il sait insuffler une grande richesse culturelle et stylistique, hein ? Ça alors !

— Oui, m'sieur. Selon moi, M. Anthony Bradford Chumms est le meilleur écrivain de tout le vaste monde !

— Moi, je préfère m'en tenir à mon bon vieux Lucilius. Mais je croyais que t'avais dit que tu savais à peine lire ton nom ?

Matthew baissa les yeux et resta silencieux pendant trois bonnes secondes.

— Oui, m'sieur, j'ai dit ça, fit-il enfin. Mais c'était un mensonge. J'ai dit que je savais pas lire parce que le Ringo Kid sait pas lire, mais tout le monde le respecte quand même, parce qu'il est honnête et juste. Et j'ai toujours voulu être comme lui.

— Ah. Tu dis beaucoup de mensonges, pas vrai, Matthew ?

— J'ai bien peur que oui, m'sieur. Je sais que c'est un péché, mais… (Il haussa les épaules, puis sourit.) Mais faut avouer que c'est sacrément pratique.

— Je vois. Bon, écoute-moi, Matthew… Je peux t'appeler Matthew, n'est-ce pas ?

— Pour sûr, m'sieur. Pouvez m'appeler comme vous voulez tant que vous m'appelez pas trop tard pour le dîner ! répondit-il en se forçant à rire de la vieille blague éculée de son père.

B.J. Stone gratta sa barbe naissante du revers de la main.

— Ouais, ouais. Bon, écoute, Matthew. Si tu as faim – et les jeunes gars comme toi ont souvent faim –, tu peux aller manger quelque chose en bas chez Bjorkvist. Je te dis pas que la bouffe est bonne, hein. En fait, le mieux qu'on puisse en dire est que les hommes costauds arrivent en général à en garder l'essentiel dans le ventre.

— Non, non, ça va, j'ai pas faim.

En réalité, cela faisait un jour et demi qu'il n'avait pas mangé.

— Comme tu voudras. Mais ça serait une bonne idée de te remplir un peu l'estomac avant de monter jusqu'à la mine.

— La mine ?

— T'es pas en route pour chercher du boulot au Filon Surprise ?

— Euh, non, je… La vérité, c'est que j'avais jamais entendu dire qu'y avait une mine dans cette montagne.

— Personne t'a parlé du Filon, à Destiny ?

— J'ai pas demandé. Les gens couraient partout, à sonner de la trompe et à crier pour fêter notre victoire à Cuba.

— Notre victoire ! le coupa B.J. Stone. Une nation jeune et puissante écrabouille un vieux pays fatigué qu'a rien d'autre que d'antiques navires en bout de course commandés par des aristocrates fin de race, et on trouve ça glorieux ? Sous prétexte de répandre la démocratie, on pique les Philippines et Porto Rico. Et tant qu'on y est, on rafle les îles Hawaï ! Thomas Jefferson se retournerait dans sa tombe s'il apprenait qu'on est devenus impérialistes !

Coots ferma les yeux et secoua la tête.

— T'avais vraiment besoin de parler de Cuba, hein ? dit-il à Matthew.

— Mais je…

— Notre victoire ? poursuivit Stone. Notre victoire ? William Randolph Hearst, alias je-suis-si-riche-que-je-peux-faire-ce-que-foutu-bon-me-semble, décide de faire exploser les ventes de ses journaux en excitant un ramassis de ruffians écervelés jusqu'à ce que leurs bouches écument de fureur patriotique ! Et ce Roosevelt assoiffé de publicité loue les services d'une troupe de joueurs de polo et de quelques cow-boys désœuvrés pour charger sur San Juan, avec une myriade de journalistes à leur suite, évidemment ! Mais il rappelle vite fait sa bande de Rough Riders à Long Island pour échapper aux seuls vrais dangers de toute cette foutue guerre : la malaria et la fièvre jaune. Notre victoire ! Tu sais comment on a gagné l'île de Guam, fiston ?

— Euh, non, m'sieur. Mais je…

— Je vais te dire, moi, comment on l'a gagnée. Un de nos navires s'est approché et a fait feu sur le port. Là, le commandant espagnol – qui savait même pas que c'était la guerre, bon sang de bonsoir ! – a envoyé un messager *pour s'excuser de ne pas nous renvoyer notre salut*, il était désolé, mais il n'y avait plus aucune munition dans toute l'île. Alors nous, on a envoyé une barque à terre et on a fièrement crié victoire ! Victoire !

La véhémence de cette tirade poussa Matthew à lancer un regard nerveux vers Coots, qui haussa les épaules et demanda à son partenaire :

— C'est bon, t'as fini, là ?

B.J. Stone grogna et renifla. Puis hocha la tête.

— Oui, j'ai fini. Mais… Nom de Dieu, penser qu'on a pu sacrifier des jeunes hommes juste pour qu'une poignée de vieux croûtons puissent… Ah, me relance pas, hein !

Il prit une profonde respiration, puis dit :

— Alors, Matthew. Comme ça, tu connaissais pas le Filon Surprise ? T'as juste pensé que ce serait une bonne idée de monter tout en haut de cette voie ferrée creusée dans la montagne pour voir si y aurait pas du boulot au bout ?

— Euh… Je me suis dit qu'y aurait forcément quelque chose au bout. Sinon pourquoi on l'aurait construite ? Et ça avait l'air prometteur, ce qu'y avait, bien caché là-haut comme ça dans la montagne.

— T'as pris un sacré putain de risque, dit Coots. Cette voie est foutument étroite, et le train aurait pu te ratatiner sous ses roues comme une vieille merde. Hé, mais j'y pense…

— C'est vrai ! Ce foutu train a bien failli me tuer. Je remontais la voie, aussi fiérot que peinard, et tout à coup j'ai senti les rails trembler, et l'instant d'après j'entendais le train qu'arrivait dans mon dos. Pouvez être sûrs que j'ai tout de suite cherché un coin où me mettre, mais y avait que de la roche d'un côté et du vide de l'autre. Alors j'ai détalé vers le haut aussi vite que j'ai pu, avec mon sac et mon fusil, et juste quand la locomotive est sortie du virage j'ai trouvé une fissure dans la paroi et je m'y suis coincé du mieux que j'ai pu, en pressant mon visage contre la roche. Et le train arrive en grondant et m'aspire les fesses en me frôlant de si près que tous les wagons ont tapé dans la crosse de mon fusil, clac clac clac ! J'étais sûr que quelque chose allait s'accrocher dans la bandoulière et m'entraîner vers la mort. J'avais tout bonnement la certitude que ce foutu vieux fusil aurait ma peau, comme il avait eu celle du père.

— Bon sang ! Tu l'as vraiment échappé belle.

— Pour ça ! Après son passage, je me suis effondré juste là sur les rails, assis, mou comme une vieille chiffe, avec mon cœur qui battait comme un fou. La vérité, c'est que si j'avais su…

— Laisse-moi te donner un petit conseil, fiston, dit M. Stone. Tu devrais arrêter cette manie que t'as de commencer sans cesse tes phrases par "La vérité", parce que, en général, les gens disent ça pour temporiser le temps d'inventer un mensonge. Et si tu tiens tant que ça à être un menteur, autant en être un bon.

Le jeune gars approuva d'un air songeur.

— Merci, m'sieur, je m'en souviendrai.

— Donc je suppose que tu vas monter à la mine ? dit Coots.

Matthew baissa les yeux et considéra le sol. Puis :

— Non, m'sieur, je crois pas que je vais faire ça. Je crois que je vais rester par ici un moment.

— Mais je viens de te dire qu'y a pas de boulot à Twenty-Mile, dit Stone d'un ton un peu exaspéré.

— Oui, m'sieur, vous me l'avez dit. Mais y a quelque chose dans cet endroit qui me plaît bien.

— Ah oui ?

— Vous inquiétez pas, m'sieur, je trouverai du travail. Dites, je peux vous demander un service ?

— Tant que ça me coûte ni souci, ni travail, ni argent, ni temps.

— Je peux vous laisser mon sac et mon fusil, le temps d'explorer un peu la ville ?

— Si ça te chantes. Mais ça sert à rien.

Le jeune homme opina du chef et sourit.

— Zavez sûrement raison, m'sieur. (Il se leva.) En tout cas, je vous remercie bien pour le café. J'en avais sacrément besoin.

Ils regardèrent le jeune homme redescendre la rue striée d'ornières. B.J. Stone sirotait son café d'un air songeur.

— Qu'est-ce que tu en dis, Coots ?

— Ça me la coupe.

— Qu'est-ce qui peut pousser un jeune gars brillant comme ça à vouloir rester ici, au bout du monde ?

— Peut-être bien qu'il se cache.

— De qui ?

— Ça me la coupe.

— Bon, ce qu'est sûr, c'est qu'y trouvera pas de boulot dans c'te ville mourante.

— Non, c'est pas un truc sur quoi je miserais.

Prison d'État, Laramie

Lorsqu'il arriva pour prendre son service, le gardien seconde classe John "CB" Tillman était cruellement embarrassé.

Il avait été étonné, mais ravi de la manière dont Lieder avait pris les brochures que sa femme avait choisies pour son édification. Il s'était plus ou moins attendu à ce qu'il lui rît au nez, comme le faisaient ses collègues gardiens, qui le traitaient de "punaise de bénitier" chaque fois qu'il tentait de partager avec eux le divin présent de la foi. Mais Lieder ne s'était pas moqué. C'est avec respect, presque avec tendresse, qu'il avait pris les pages roulées des brochures qu'il lui tendait à travers les trous du guichet. Et lorsqu'ils avaient discuté à voix basse de ces messages d'espoir d'un côté à l'autre de la porte, les murmures de Lieder lui semblaient toujours chargés d'une profonde sincérité… La voix d'un homme qui cherche son chemin. Et, à plusieurs reprises, en ouvrant le guichet, Tillman avait vu Lieder à genoux à côté de sa paillasse, le visage enfoui dans ses bras, en pleine prière fervente.

La manie blasphématoire de Lieder d'inventer des citations des Écritures et de les attribuer à "Paul aux Mohicans", ou "Paul aux Floridiens" faisait de la peine à Tillman. Mais Lieder l'assura qu'il n'y mettait aucun irrespect et lui promit de prier pour avoir la force d'en finir avec toutes ses mauvaises habitudes. À partir de ce jour, son acceptation de Jésus comme sauveur personnel sembla le soulager d'un lourd fardeau. Tillman l'entendait souvent chanter seul dans sa cellule, le plus souvent des chansons du bon vieux temps, et une fois, il lui déclara qu'il acceptait de bon gré l'emprisonnement de son corps pour le restant de sa vie terrestre car il savait désormais qu'il pouvait avoir foi en la libération de son âme pour toute l'éternité.

Au début, les rapides progrès de Lieder lui mettaient du baume au cœur tout en rendant hommage à la bienveillance et à la puissance du Seigneur. Mais ces derniers temps…

— Je ne sais vraiment pas quoi faire, avait avoué Tillman à sa femme. Il semble être tombé dans les ténèbres. Parfois, il craque et sanglote à fendre l'âme. Il dit que ses péchés sont si noirs et si innombrables qu'il ne mérite pas le pardon du Seigneur. Et parfois il reste juste allongé sur sa paillasse, le regard fixé sur le plafond. La réalité des choses, Marie, c'est que l'âme de cet homme croule sous les péchés.

— Mais il ne doit pas désespérer, John. Le désespoir est le pire des péchés.

— Je sais, je sais. Mais que dois-je faire ?

— Tu ne dois jamais, absolument jamais relâcher tes efforts pour le sauver, John. Tu dois lui dire qu'il lui faut poursuivre sa marche dans le marais du découragement, car la miséricorde du Seigneur est aussi vaste qu'éternelle.

Tillman promit qu'il n'abandonnerait pas sa mission concernant Lieder. Qu'il prierait pour lui le soir même. Sa femme convint que la prière était le remède souverain à toutes les souffrances et afflictions de l'homme, mais elle lui rappela qu'il devait rester prudent dans ses contacts avec ces… comment vous les appelez, déjà ?

— Grains de lune.

— Bon, ben tu ne prends aucun risque, hein ?

— Tu me prends pour un fou, mon amour ? Tu crois que j'ai envie que John Junior grandisse sans papa ?

Elle rougit et poussa son torse du bout des doigts, comme elle le faisait toujours quand il mentionnait sa “condition”, condition qu'ils avaient fêtée en s'échangeant des présents. Il lui avait offert des rubans pour tresser ses cheveux, et elle lui avait offert une cordelette en cuir tressé avec un macaron qu'il pouvait porter comme cravate. Ils avaient ri de la coïncidence qui avait voulu que leurs deux présents eussent à voir avec les liens et les tresses, et elle avait déclaré que c'était de bon augure.

La première chose que Tillman fit lorsqu'il prit son service fut d'aller voir Lieder, qu'il trouva allongé sur sa paillasse, les yeux au plafond, perdu dans la souffrance et la détestation de soi. Il le salua d'un ton encourageant, mais Lieder marmonna amèrement qu'il n'avait plus rien à faire en cette vie, et probablement rien non plus dans la suivante. Alors à quoi bon ? À quoi bon ?

Tillman lui rappela que le désespoir est le pire des péchés. Le désespoir est une ruse du Malin, qui nous fait douter de la promesse de salut que le Seigneur a adressée même aux plus bas et aux plus vils d'entre nous, mais Lieder se contenta de secouer misérablement la tête avant de se tourner vers le mur.

Tillman soupira et regagna le bureau de garde.

Il faisait presque nuit lorsque Tillman fit sa dernière ronde chez les grains de lune. À travers le guichet, il trouva le lanceur d'acide assis sur le rebord de sa paillasse, en train de se bercer en chantonnant, comme toujours. Le Politicien exprimait un violent désaccord avec une zone de sa cellule qu'il appelait "sale petite pincée de chiure de cane". Entendant le guichet s'ouvrir, le Revenant se recroquevilla dans un coin.

— Ne me faites pas de mal ! Je l'ai pas fait exprès ! Dieu m'est témoin que je l'ai pas fait exprès !

La cellule suivante était longtemps restée vide, mais elle abritait désormais deux hommes qui avaient été transférés chez les grains de lune pour protéger de nouveaux jeunes prisonniers, qu'ils attiraient régulièrement dans des coins sombres pour, selon l'expression utilisée à la prison, "entrer par effraction". En s'approchant de la porte, Tillman entendit des bruits de grognements et de halètements, comme si des gens se battaient. Il ouvrit le guichet et trouva un géant sans cou à tête d'obus penché au-dessus du pied de sa paillasse, et, derrière lui, un petit gnome au visage révulsé. Ils grognaient et ahanaient tous les deux. Le gnome lança un rictus mauvais vers le guichet ouvert, et ce n'est qu'alors que Tillman comprit qu'ils étaient en train de… Dieu tout-puissant ! Il referma le guichet d'un coup sec et s'en alla.

Il prit quelques longues respirations pour apaiser sa nausée avant de poursuivre sa ronde par la cellule de Lieder. Il avait révisé les paroles de réconfort qu'il partagerait avec ce pécheur désespéré qui…

Mais Lieder n'était pas sur sa paillasse. Dans la pénombre du crépuscule, Tillman le vit à sa fenêtre fermée de barreaux, à moitié debout, à moitié à genoux, comme si – Seigneur Dieu ! Il avait déchiré une bande de sa couverture. Il en avait noué un bout à un barreau, et l'autre autour de son cou. *Ne laisse pas cela advenir, je Te le demande en Son nom !* D'un geste vif, il abaissa le levier de blocage, tira la grosse barre de loquet en fer, se précipita dans la cellule et souleva Lieder pour soulager la tension qui serrait le nœud de la couverture sur son cou. Il tint le corps flasque dans ses bras, puis poussa un soupir de soulagement lorsque Lieder se mit à cligner des yeux. Dans un souffle, Tillman prononça une prière de grâces pour n'être point arrivé trop tard, mais quelque chose tirait sur le lacet de cuir que sa femme lui avait offert, et il se resserrait sur sa gorge de sorte que… Argh ! Les deux hommes étaient visage contre visage, et Lieder tenait fermement le lacet entre ses doigts puissants. Il referma son poing et lui imprima une demi-rotation. Les yeux de Tillman s'exorbitèrent.

Lieder laissa doucement le poids désossé s'effondrer sur le sol entre ses bras.

Enfin. Enfin il était libre de suivre les instructions du Guerrier telles qu'elles étaient détaillées dans *La Révélation de la vérité interdite*. Il avait envisagé de libérer les grains de lune pour former le noyau de sa milice pour une Amérique libre, mais avait finalement jugé les hommes du bout du couloir trop vieux et trop fous pour lui être de quelque utilité. Il ne prendrait que les deux nouveaux de la cellule double, le gnome et l'homme à tête d'obus.

Il eut de la peine pour le jeune Tillman. Mais… chacun doit jouer avec la main qu'il a. Et puis quoi, partir chercher sa récompense avec un peu d'avance ne peut pas être une si mauvaise chose que ça, pas vrai ? Pas pour un croyant sincère.

Ruth Lillian Kane était seule dans le Grand Magasin, son père étant monté dans les appartements privés pour préparer le déjeuner. Il s'était toujours occupé lui-même des repas, même à l'époque où sa mère était avec eux, parce que Mme Kane n'avait aucune intention de laisser les tâches domestiques gâcher son physique. Ruth Lillian avait hérité de l'allure de sa mère et de son amour des jolies choses, ainsi que du type d'intelligence pratique à la fois vive et sans chichis de son père. Elle avait joliment disposé le nouvel arrivage en rayon – elle avait le coup d'œil de sa mère pour ce genre de choses – et elle se trouvait debout derrière le comptoir, occupée à feuilleter un catalogue de patrons de la Compagnie Singer, approuvant les styles qui lui siéraient d'un petit son nasal enjoué et rejetant les modèles inadaptés d'un léger froncement de sourcils accompagné d'un hochement de tête sec, lorsque le carillon du magasin retentit. La lumière était si éclatante dans la rue qu'elle dut mettre une main en visière pour voir le client dont la silhouette se découpait dans l'embrasure de la porte.

— Puis-je vous aider ?

— Je l'espère vraiment, m'dame.

L'homme s'approcha du comptoir et ôta son chapeau à larges bords.

Elle demeura une seconde figée, la main toujours en visière au-dessus de ses yeux. Un étranger à Twenty-Mile ? Et jeune, avec ça.

— Que puis-je faire pour vous ? Comme l'indique notre enseigne, nous avons tout ce dont une personne a vraiment besoin, dit-elle, avant de sourire et d'ajouter : notez bien qu'elle ne dit pas tout ce qu'une personne pourrait vouloir. Juste ce dont elle a vraiment besoin.

— Je suis content d'apprendre ça, parce que ce dont j'ai vraiment besoin, c'est d'un boulot. Mon nom est Matthew, dit-il en souriant.

— Ravi de vous connaître, Matthew. Je m'appelle Ruth Lillian Kane. Je suis la fille du patron.

— Je ne vous crois pas.

— C'est pourtant vrai. Pourquoi mentirais-je ?

— Non, je veux dire, je n'y crois pas quand vous dites que votre nom est Ruth Lillian.

— Qu'est-ce qui ne vous plaît pas dans mon nom ?

— Rien ! C'est juste que… (Il secoua la tête.) Ah ben ça alors !

— Ça alors quoi ? demanda Ruth Lillian.

— Eh bien, la véri… Ma mère s'appelait Ruth Lillian, croyez-le ou non !

— Y a des tas de femmes qui s'appellent Ruth. C'est un nom biblique.

— Si vous vous étiez toutes les deux appelées Ruth, ça, ça aurait été une coïncidence. Mais que vous ayez aussi le même deuxième prénom ! Là, c'est un peu plus qu'une coïncidence.

— C'est quoi ?

— Je trouve pas de mot pour ça, mais c'est quelque chose, c'est sûr. (Matthew se rendit compte que M. Kane, descendu dire à Ruth Lillian que le déjeuner était prêt, se tenait maintenant à l'autre bout du magasin.) Bonjour, monsieur. Je disais juste à votre fille que son nom et celui de ma mère…

— J'ai entendu, dit M. Kane sèchement.

— Il cherche du boulot, papa, expliqua Ruth Lillian en rougissant de colère à l'idée que son père ait pu croire qu'elle faisait quelque chose de mal.

— Y a pas de boulot par ici, jeune homme. Ni ailleurs non plus à Twenty-Mile, pour autant que je sache.

— Je sais, monsieur. M. Stone m'a dit la même chose à l'écurie. Mais ça fait un sacré bout de chemin pour rentrer à pied à Destiny. Et je suis déjà bien crevé. La vérité… Ce que je veux dire, c'est que je suis pas trop sûr de vraiment savoir quoi faire.

Il regarda M. Kane d'un air ouvert qui appelait un conseil.

— Tu as de l'argent ?

— Oui, monsieur, un peu.

— Bon, les Bjorkvist accepteront sûrement de t'héberger cette nuit. Tu pourrais te mettre en route demain matin.

— Oui, monsieur, c'est une idée, je vais y réfléchir. Merci.

— Je pense que Matthew n'a pas mangé depuis longtemps, papa, dit Ruth Lillian en ignorant le regard noir de son père.

— J'ai pas fait de déjeuner, dit M. Kane. J'ai juste sorti des restes.

— Ça m'irait très bien, monsieur, dit Matthew d'une voix gaie. Les restes, c'est ce que je préfère. C'est ce que ma mère disait quand on parlait de rata, que je pouvais manger n'importe quoi tant que ça courait moins vite que moi.

Ruth Lillian se força à lâcher un petit rire, puis regarda son père d'un air posément interrogateur jusqu'à ce qu'il hausse les épaules, tourne les talons et remonte les escaliers en disant :

— Bon, on ferait mieux de manger avant que ce soit complètement froid.

Pendant le repas, pour lequel Matthew félicita régulièrement et généreusement M. Kane, il mentionna que cela faisait des semaines qu'il n'avait pas mangé aussi bien, parce qu'il s'était mis en chemin le jour où sa mère et son père étaient morts à quelques heures d'intervalle l'un de l'autre.

— De quoi ? De la fièvre ? demanda Ruth Lillian.

— Bah, vous savez ce que c'est, Ruth Lillian, dit Matthew en la regardant droit dans les yeux. Parfois, la fièvre déboule et emporte toute une ville. D'autres fois, elle emporte certaines personnes et laisse les autres continuer à se débrouiller du mieux qu'elles le peuvent en ce monde.

— Et tu t'es retrouvé tout seul ? demanda M. Kane. Pas de frères ? Pas de sœurs ?

— Non, monsieur. J'étais leur fils unique.

Ruth Lillian hocha lentement la tête. Elle aussi était fille unique.

— Quel âge avez-vous, Matthew ?

— Dix-huit ans. Je vais sur mes dix-neuf. Mais bon, je suppose que tous les gars qu'ont dix-huit ans vont sur leurs dix-neuf. S'ils meurent pas avant !

Il sourit de sa blague.

— D'où viens-tu ? demanda M. Kane d'un ton sec.

— Eh bien, monsieur, la vérité, c'est qu'on a beaucoup bougé, mes parents et moi. On a fini dans une petite ville à la frontière du Nebraska. Mais le père a jamais eu beaucoup de veine pour trouver des boulots, et encore moins pour les garder, alors on était prêts à bouger encore quand la fièvre est venue et…

Il leva les paumes au ciel et fit un petit bruit d'aspiration entre ses dents.

— Comment tu t'appelles, déjà ?

— Chumms, s'empressa de répondre Matthew. Matthew Bradford Chumms. La mère m'a donné ce nom à cause de l'écrivain. Les livres sur le Ringo Kid, voyez ? Je suppose que c'est pour ça que la plupart des gens m'appellent Ringo. Sauf M. Stone, là-haut, à l'écurie. Lui et Coots, ils m'appellent Matthew.

— Tiens donc, tu connais B.J. Stone, hein ?

— Ben, je dirais pas vraiment qu'on est proches ou quoi. Mais on a parlé de Cuba et de livres et des Romains et de ce genre de choses. M. Stone admire tout particulièrement M. Anthony Bradford Chumms, donc on s'est tout de suite bien entendus. J'ai dit à M. Stone que je croyais pas que notre victoire à Cuba était si glorieuse que ça, entre la manière qu'on avait pris les îles aux Espagnols juste pour vendre des journaux, et eux qu'avaient plus de munitions pendant que Teddy Roosevelt se carapatait de la fièvre jaune et tout ça. Je crois qu'il était plutôt d'accord avec moi. Monsieur ? Pardonnez-moi, mais y a une chose qu'y faut vraiment que je vous dise.

— Ah ? Quoi donc ?

— Tout à l'heure, vous m'avez demandé si j'avais de l'argent, et j'ai dit que j'en avais un peu. Eh ben en fait, monsieur, c'était… (Il déglutit.) C'était un mensonge. En réalité, j'ai pas un sou vaillant. J'ai dépensé mon dernier cent pour m'acheter à manger hier soir, à Destiny. (Il baissa les yeux vers son assiette.) Je sais que c'est mal de mentir, monsieur. Ma mère me rabrouait souvent sur le mensonge, mais… Ben, mes parents et moi, on a toujours été pauvres. Et j'en ai toujours eu honte. Quand j'étais petit, je faisais croire que j'avais des choses que j'avais pas. Que je dépensais de l'argent. Pour des jouets. Je faisais même croire que j'avais des frères qui portaient le prénom des trois autres évangélistes. Je sais pas pourquoi. Peut-être que je croyais que ça me rendait intéressant. (Il regarda Ruth Lillian dans les yeux avec l'air de quelqu'un qui désire ardemment se faire comprendre.) Je crois que ce que j'ai toujours voulu plus que tout, c'est que les gens me respectent. Comme ils respectent le Ringo Kid. Mais on ne vous respecte pas si vous êtes pauvre comme la gale. (Il se tourna vers M. Kane.) Voilà pourquoi je vous ai menti comme quoi j'avais de l'argent, monsieur. Mais ce n'est pas bien de mentir à des gens qui ont assez de bonté pour vous inviter chez eux et vous offrir une chaise à leur table.

M. Kane se racla la gorge et grogna.

— Bah, y a des tas d'hommes de bien qu'ont été pauvres. Y a pas de honte à ça. Un homme peut garder la tête haute, tant qu'il est prêt à travailler pour ce qu'on lui donne, et à jouer franc jeu avec...

— Oh, je suis prêt à travailler, monsieur ! Vous en faites pas pour ça. Dites-moi juste ce que vous voulez que je fasse et je le ferai.

— Je t'ai dit qu'y avait pas de boulot ici.

— Oui, mais je vous parle pas d'un boulot permanent. Juste de quelques corvées, comme couper du bois, ou faire un peu de peinture, ou réparer des choses cassées, ou transbahuter des trucs d'un endroit à un autre. Des petits boulots comme ça.

— Y a des tas de choses qu'on trouve jamais le temps de faire, papa, avança Ruth Lillian en bravant le regard renfrogné de son père. Tu sais parfaitement que tu pourrais te faire aider pour les gros travaux.

Matthew avait remarqué que M. Kane avait mis du temps à gravir les escaliers et qu'il s'était arrêté en haut, le souffle court, une main appuyée sur le torse.

Mais M. Kane n'était pas homme à se laisser imposer une décision qu'il jugeait mauvaise.

— Je n'ai pas besoin d'aide. Même pas temporairement. Je suis désolé, fiston, mais c'est comme ça.

— J'entends bien ce que vous me dites, monsieur, reconnut raisonnablement Matthew. Écoutez, voilà ce que je vais faire. Je vais continuer à explorer la ville et vous laisser discuter de ça tous les deux, qu'en dites-vous ? (Il recula sa chaise de la table et se leva.) Je ne sais comment vous remercier pour ce bon repas, monsieur. Le Ringo Kid l'aurait trouvé "entre honnête et correct". Ça veut dire que c'était vraiment très bon. M. Anthony Bradford Chumms fait toujours parler le Ringo Kid comme ça. À dire que les choses sont moins que ce qu'elles sont. Comme de dire "qu'on a un peu fait la poussière" après une folle fusillade, ou de dire qu'il se sent pas vraiment guilleret quand il s'est pris une balle dans l'épaule et qu'il a perdu des barriques de sang. Donc quand je dis que ce déjeuner était "entre honnête et correct", ce que je veux dire en vrai, c'est que – bon sang, je sais pas pourquoi je vous bassine comme ça ! Sans doute que je suis nerveux parce que votre décision est cruciale pour moi. Alors je vais juste vous laisser parler de ça en privé. Je repasserai dans quelques heures, et vous me direz ce que vous avez décidé pour le boulot. (Il se tourna vers son hôtesse et fit le geste de soulever le rebord du chapeau qu'il avait laissé au magasin, sur le comptoir.) Mes respects, Ruth Lillian.

— Je vais vous accompagner pour vous ouvrir la porte.

— C'est sacrément gentil à vous.

Il s'écarta pour laisser Ruth Lillian le précéder dans l'escalier. Avant de la suivre, il passa la tête dans l'encadrement de la porte de la salle à manger, où M. Kane se reposait, coude sur la table, tête dans la main, yeux fermés.

— Et encore merci, monsieur.

Sans ouvrir les yeux, M. Kane lui fit signe de s'en aller.

— Le problème, monsieur, expliqua Matthew en tendant au Pr Murphy la brosse à long manche avec laquelle il récurait ses baignoires de bois après le passage des mineurs, c'est que M. Kane n'a pas assez de petits boulots pour m'occuper à plein-temps. Dieu sait qu'il se démène pour m'aider, vu que Ruth Lillian et ma mère étaient très proches et tout et tout.

Le barbier leva sa tête magnifiquement bouclée de la baignoire et lança un regard dubitatif au jeune homme.

— Vous êtes de la famille des Kane ?

— Oh, je ne dirais pas que nous sommes vraiment de la famille. Mais Ruth Lillian porte le même nom que ma mère. Vous savez ce que c'est, monsieur. Y a des petites villes dans l'Est où tout le monde est parent avec tout le monde. Le père, y disait même que les chiens étaient parents avec les chats !

Grognant pour faire passer son ventre au-dessus du rebord de la baignoire, le Pr Murphy n'offrit qu'un reniflement en réponse au rire d'autosatisfaction du jeune gars et continua à frotter le bois avec son savon Fels-Naphtha à l'odeur puissante.

— Écoute, j'ai bien peur qu'y ait pas de boulot pour toi ici, fit l'écho boisé de sa voix du fond de la baignoire.

— Oui monsieur, je comprends. Si je vous ai demandé, c'est seulement parce que le père de Ruth Lillian et le vieux B.J. Stone m'ont tous les deux dit que vous aviez peut-être besoin d'aide avec le sale boulot. Comme récurer ces baignoires, par exemple. Mais si vous avez pas les moyens, je leur dirai, c'est tout. Je suis sûr qu'ils comprendront.

Le Pr Murphy émergea de nouveau de sa bassine, ses splendides boucles poivre et sel un peu de travers.

— C'est pas la question de pouvoir payer, c'est la question d'avoir besoin d'aide ou pas !

— Vous avez parfaitement raison, monsieur. Et je vois bien que je vous fais perdre votre temps. Et comme disait mon père : le temps, c'est de l'argent. C'est vrai, quoi, à mon avis, moi, pour récurer vos quatre baignoires bien proprement, puis balayer toute la boutique, faire les fenêtres et ci et ça, il me faudrait bien… bah, deux heures, quelque chose comme ça. Et comme je pourrais pas décemment travailler pour moins de deux jetons de l'heure, y vous faudrait compter un demi-dollar pour le tout, et Dieu sait qu'un demi-dollar c'est pas rien. Pas quand les temps sont durs comme ça.

L'unique détaillant officiel du Régénérant capillaire breveté du chef Wapah de Twenty-Mile renifla.

— Si tu penses que tu peux faire tout ce boulot en deux heures, mon gars, c'est que t'as mâchouillé un peu trop d'herbe qui fait rire.

Matthew posa un regard appréciateur sur les bassines.

— Hmm, non, je suis plutôt sûr de pouvoir faire ça en deux heures… Trois maximum. J'vais vous dire. Je vous fais le boulot pour six jetons, et si je dois y passer la journée, eh ben c'est pour ma pomme. Honnêtement, Monsieur, je vois pas quelle proposition plus honnête on pourrait vous faire, hein ?

— Six jetons ? Quatre baignoires, récurées bien propres comme moi je les veux ? Et ma boutique balayée ? Et mes fenêtres lavées ? Et les ordures balancées dans le ravin, de l'autre côté de la voie ferrée ? Et l'évier récuré ? Tu me dis que tu ferais tout ça pour six jetons ?

— Oui monsieur, c'est mon prix pour les deux premières semaines. Après, si vous trouvez que c'est pas juste, ou si moi je trouve que c'est pas juste, eh ben on se mettra d'accord sur un autre arrangement.

— Hmm, hmm. Ouais. Mais même pour six jetons, ça change rien au fait que j'ai pas besoin d'aide.

— ... plus des conseils.

— Pardon ?

— Mon prix, ça serait six jetons plus des conseils.

— Des conseils ? Quel genre de conseils ?

— Eh bien, monsieur... commença Matthew en souriant mollement et en tournant les yeux d'un air gêné. C'est mes cheveux, j'ai l'impression que je commence à les perdre.

— Toi ? fit le professeur en examinant avec un mélange d'agacement et de jalousie la tignasse brun chêne du jeune homme, aux mèches rendues luisantes par le soleil. C'est l'esprit, que tu perds, mon gars, pas les cheveux. T'auras encore tes cheveux quand l'enfer sera tout froid.

— J'aimerais vous croire, monsieur. Mais le père, il avait que quarante-deux ans quand il est mort, et il avait le front déjà pas mal dégarni. Y disait que quand on devenait chauve jeune, c'était signe qu'on était fort avec les femmes. La mère, ça la rendait folle quand y disait ça, parce qu'il avait la réputation d'être... bah, vous voyez ce que je veux dire. C'est pour ça qu'en sus des six jetons pour faire votre boulot, je vous demanderai des conseils sur comment je dois m'y prendre pour avoir des cheveux comme vous quand j'aurai votre âge.

— Tu veux des cheveux comme moi, hein ? Alors tiens ! Prends-les ! répondit-il en arrachant sa perruque et en la poussant violemment contre le torse du gamin, qui recula dans un sursaut, stupéfait.

Car il fut réellement un peu surpris de voir que le professeur faisait deux bons pouces de moins que lui sans ses boucles poivre et sel.

Le professeur lâcha un rire chargé de postillons, et Matthew demeura coi, les yeux écarquillés.

— Ah, là, monsieur, vous m'avez bien eu, pour sûr ! Jamais j'aurais deviné !

Le Pr Murphy remit sa perruque et, sans cesser de glousser de sa bonne blague, il convint de donner sa chance au jeune homme.

— En fait, tu peux commencer tout de suite, dit-il en lui lançant la brosse à long manche. Tu peux me rappeler ton nom ?

— On m'appelle le Ringo Kid. Pardon monsieur, mais est-ce que ça vous embête si je commence que demain matin ? Là, je dois aller parler avec le patron de l'hôtel. Y s'appelle comment, déjà ?

— Delanny. Et c'est pas un hôtel. Il se donne des airs, à appeler hôôôtel ce bordel à trois box.

— Ah oui ? Bah, y a vraiment des gens qu'aiment se donner des airs. Mais y faut aussi que je me trouve un peu de travail chez M. Delanny. Le vieux B.J. Stone m'a confié qu'y avait pas un seul vrai boulot à prendre dans toute la ville, alors j'me dis qu'il me reste plus qu'à m'en faire un avec les p'tits morceaux qui traînent par-ci, par-là. Je serai là tôt demain, frais et dispos, et soixante-quinze cents plus tard, vos bassines seront propres comme… comme… Ah ben merde, je sais pas comment on dit quand les choses sont propres.

— Propres comme un sou neuf.

— Un sou neuf ? J'croyais que les choses étaient *neuves* comme un sou neuf.

— J'ai toujours entendu dire *propres* !

— Savez quoi, monsieur ? Je crois bien que vous dites vrai. Je crois bien que les gens qu'ont de l'éducation disent propres comme un sou neuf, et que c'est juste nous autres de la cambrousse qui disent neuves comme un sou neuf. Allez, on se revoit demain matin.

M. Delanny était assis à sa table, occupé à disposer les cartes pour son habituelle réussite, quand il fut interrompu par la demande contrite du jeune homme d'échanger quelques mots avec lui. Le joueur leva lentement les yeux sous le rebord du chapeau noir consciencieusement brossé qu'il portait bien à l'horizontale sur son chef et étudia le jeune homme d'un air cynique. Mais c'est avec un plaisir ironique qu'il l'écouta "jouer ses atouts" et lui expliquer que tous les habitants de la ville se mettaient en quatre pour lui dégotter un peu de travail. Derrière le bar désert, Jeff Calder s'affairait en boitillant sur sa jambe de bois, rangeant des bouteilles et des verres qui n'avaient pas besoin qu'on les range, et de chacun de ses mouvements irradiait l'irritation que lui causait cet étranger venu quémander du boulot. À l'étage, à peine audible d'en bas, une femme chantonnait d'une voix de contralto voilée. Reconnaissant un negro spiritual, Matthew interrompit son histoire pour dire à M. Delanny que ce chant lui rappelait la fois où sa mère l'avait emmené dans la tente d'un groupe de revivalistes itinérants, une "cathédrale de toile", où un homme entièrement vêtu de soie jaune prêchait et sanglotait et enjoignait Dieu de descendre guérir les croyants et punir les mécréants, tandis que trois Négresses en toges blanches ondulaient derrière lui en chantant exactement le même air. Sa mère avait mis un billet de deux dollars (un qui portait chance, avec le coin déchiré) dans le panier de la quête, et son père s'était mis dans une telle colère lorsqu'il l'avait appris qu'il avait pas mal corrigé sa mère. C'était pas plus tard que l'an passé, et maintenant son père et sa mère étaient tous les deux… partis.

— Plutôt finaud, dit M. Delanny de sa voix à la fois douce et grasseyante de flegme.

— Monsieur ?

— Tu sais ce que tu es, jeune homme ? Tu es un arnaqueur né. C'était plutôt finaud, la manière que t'as eue de rebondir sur le chant d'une de mes filles, en haut, et de m'emballer ça dans une histoire comme quoi ta mère était pieuse, tes parents morts, et toi abandonné tout seul dans ce vaste monde cruel.

— Holà, m'sieur, je comprends rien à ce que vous me dites. Je veux dire… Mes vieux sont morts pour de vrai !

M. Delanny gloussa, ce qui déclencha une quinte de toux à laquelle il mit fin en crachant dans un grand mouchoir blanc, dont il examina le contenu d'un œil clinique avant de le replier pour cacher le sang.

— Oh, je ne doute pas que tes parents soient morts. Ni que ta mère était pieuse. C'est la manière dont tu utilises ces faits qui montre que tu es un arnaqueur né. (M. Delanny parlait lentement, avec une diction précise. Tout en lui – ses gestes, ses vêtements, sa parole – respirait une sorte de théâtralité précieuse.) Un bon arnaqueur ne prend pas le risque de mentir, sauf en dernier recours. Il utilise la vérité avec finesse – par petits morceaux bien choisis. C'est une tournure d'esprit qui ne s'apprend pas. Faut être né avec. Le monde se divise en deux catégories de gens : les pigeons et les arnaqueurs. Et tous les rapports humains – en politique, en affaires, en amour – peuvent se décrire en termes de qui sont les pigeons et qui sont les arnaqueurs. Et toi, mon gars, tu es un de ces authentiques arnaqueurs que Mère Nature a fait naître.

— Ah, euh… merci, monsieur… je crois.

— Mais y a une chose dont tu ferais bien de te souvenir.

— Et c'est quoi, monsieur ?

— N'essaie jamais d'arnaquer un arnaqueur.

— Je comprends pas, monsieur.

— Oh, je crois que si. Ça me dérange pas que tu te pointes ici et que tu testes ton petit bla-bla sur moi. À vrai dire, c'est plutôt amusant de voir comment tu joues tes cartes. Mais je voudrais surtout pas que tu penses que t'as marqué des points chez moi. Question de fierté professionnelle, tu vois.

— Oui monsieur. Je m'y connais en fierté. C'est pour ça que je peux pas laisser les gens me materner et que je dois trouver un moyen de gagner ma vie.

M. Delanny rit – et toussa – de nouveau. Lorsqu'il eut repris sa respiration, il dit :

— T'es une sacrée tête de mule. Tu sais parfaitement que je t'ai percé à jour, mais t'essaies tout de même de m'embobiner. De m'arnaquer d'un boulot.

Matthew sourit.

— C'est-à-dire que j'en ai vraiment besoin, monsieur.

M. Delanny le considéra longuement par-dessous le rebord de son chapeau noir ; une lueur de plaisir madré faisait briller ses yeux fiévreux au fond de leurs orbites hâves. Il acquiesça.

— C'est bon. Je te prends à l'essai. Comment tu t'appelles ?

— Je m'appelle… (Matthew camoufla son hésitation en se raclant la gorge.) Dubchek, monsieur. Matthew Dubchek.

— C'est ton vrai nom ?

— Oui monsieur.

M. Delanny le jaugea en plissant les yeux.

— Tu sais quoi, c'est bien possible que Dubchek soit ton vrai nom. C'est pas un nom qu'un arnaqueur né inventerait. Trop étranger. Bon, Matthew Dubchek, et si tu commençais demain matin, hein ? Tu pourras donner un coup de main à notre Calder, là.

— J'ai pas b'soin de coup de main.

M. Delanny ignora sa remarque et dit à Matthew qu'il pouvait aider Jeff Calder à préparer le petit déjeuner des filles, et…

— Mais j'vous dis que j'ai pas besoin d'aide.

… qu'il pourrait ensuite faire toute autre corvée que Calder jugerait bon de lui confier. Laver la vaisselle, ou aller faire la lessive là-haut, à la source, ou balancer les ordures au fond du ravin, ce genre de choses. Tout ce que Calder lui demanderait.

Matthew se leva de table et marcha jusqu'au bar.

— Eh bien, monsieur Calder, je crois que ça fait de vous mon patron.

— Ouais, mais j'ai pas besoin…

— J'vais être honnête avec vous, monsieur Calder. Je suis pas un génie en cuisine, mais j'apprends vite !

Matthew sourit et le vétéran à la jambe de bois grogna et marmonna qu'il avait foutument intérêt à apprendre vite, parce qu'il avait pas le temps d'expliquer plus d'une fois à quelqu'un comment s'y prendre !

— Je comprends ça, monsieur. Et je serai là tôt demain matin, frais et dispos !

— Pas trop tôt, et pas trop dispos, dit Jeff Calder pour montrer d'emblée qui était le chef.

Matthew hocha la tête et mit le chapeau qu'il tenait des deux mains par le rebord. Son large sourire masqua la nausée que le mélange d'odeur de cigare froid et de bourbon lui faisait monter à la gorge. Surtout l'odeur du bourbon. Celle-là, il la détestait ! Il avait tourné les talons pour partir lorsque, d'un petit geste du doigt, M. Delanny le fit revenir à la table de jeu, où il prit place en enlevant son chapeau.

— Dis-moi, jeune Dubchek, comment tu t'es débrouillé pour arriver…

— Excusez-moi, monsieur. Je suis désolé de vous couper la parole, mais j'aimerais autant que vous m'appeliez pas Dubchek parce que… eh ben, le truc, c'est que M. Kane s'est bizarrement mis en tête que je m'appelais Matthew Bradford Chumms – comme l'écrivain, voyez ? – et que j'ai pas pris la peine de le corriger parce que, ben, parce que je savais pas que j'allais rester à Twenty-Mile suffisamment longtemps pour que ça change quoi que ce soit. Mais si je lui dis maintenant que Chumms n'est pas mon vrai nom, il croira que je lui ai menti, et… (Matthew s'arrêta net et posa ses yeux sur le regard amusé de M. Delanny. Il baissa tout de suite le sien vers ses genoux.) Tout ce que je viens de vous dire, c'est des mensonges. En fait, j'ai bel et bien dit à M. Kane que je m'appelais Chumms.

M. Delanny gloussa par le nez sans sourire.

— C'est une ruse éculée, mais souvent efficace : tu comprends que l'autre t'a pris la main dans le sac, alors tu avoues avoir menti dans l'espoir de finir par paraître honnête pour avoir avoué être un menteur.

— Je ne mens pas, monsieur Delanny, dit Matthew sans lever les yeux. C'est pas vraiment ce qu'on appelle mentir. C'est juste que… je dis aux gens ce qui leur fera plaisir, ou les intéressera, ou les poussera à me respecter.

— C'est ça que tu attends des gens ? Le respect ?

— Plus que tout, monsieur. Mais c'est pas facile de se faire respecter quand on s'appelle Dubchek et que tout le monde sait qui est votre père. Et ce qu'il est.

— Je vois. Donc il ne faut pas t'appeler Dubchek.

— Non, monsieur. Matthew tout seul, ça ira. Ou bien Ringo, si vous voulez. C'est comme ça que le Pr Murphy m'appelle.

M. Delanny ne rit pas parce qu'il ne pouvait pas se permettre de déclencher une nouvelle quinte de toux, mais ses yeux scintillèrent.

— Ce serait dommage que tu gâches un tel talent pour la duplicité à Twenty-Mile. Y a rien pour toi ici, mon gars. Pas même du respect qui vaille la peine. Les habitants de cette ville, c'est des épaves apportées ici par le raz-de-marée de la ruée vers l'argent et que le reflux a laissé échouées sur le rivage parce qu'elles avaient pas la force et le courage de replonger dans le courant.

Matthew lâcha un petit sourire narquois.

— Même vous, monsieur ?

— Même moi.

— Pourquoi vous restez là, si c'est si terrible ?

La bouche de Delanny se tordit en un rictus ironique qui n'illumina pas ses yeux.

— Je suis ici pour l'air de la montagne. C'est bon pour mes poumons. Ça me tient en vie – si on peut appeler vivre le fait de ranger des cartes en colonnes et en tas sur une table, en regardant les jours passer les uns après les autres. Entendu, donc ! Tu peux commencer demain matin. Les filles dorment et mangent ici à l'hôtel parce que Mme Bjorkvist veut pas les voir dans son auberge. Elle prend l'argent des mineurs qui utilisent les filles, mais elle ne veut pas les voir chez elle. Bondieusarde typique qui croit que l'argent qu'elle a à la banque est un signe d'élection divine.

— Ça, pour sûr ! approuva Matthew en lâchant un petit rire complice.

— Ah ? Alors comme ça, tu connais Mme Bjorkvist, hein ?

— Euh, non, pas vraiment. Mais si vous me dites que c'est une bondieusarde, je vous crois sur parole, monsieur.

M. Delanny renifla et secoua la tête.

— T'es un vrai caméléon, petit.

Matthew se leva.

— Bon, j'ai promis à M. Kane que je repasserais le voir pour qu'on se mette d'accord sur les tâches qu'il pourra me confier. (Il leva la voix.) Au revoir, monsieur Calder. Je serai là demain matin… mais ni trop tôt, ni trop dispos, comme vous avez dit.

M. Delanny, qui s'était replongé dans sa partie de réussite, leva les yeux lorsque Matthew demanda :

— Monsieur ? Pardonnez-moi, mais c'est quoi au juste, un calé… un canéléo, le truc que vous avez dit, là ?

— Un caméléon est un lézard qui se protège en changeant de couleur pour se fondre dans son environnement.

— Je vois, dit le jeune homme en opinant lentement du chef. Sur ce…

Il fit un salut de la main et sortit sous le soleil éclatant.

MATTHEW N'EUT AUCUN SUCCÈS AUPRÈS DES BJORKVIST, bien qu'il trouvât le moyen de mentionner d'emblée que sa mère, rappelée à Dieu tout juste une semaine auparavant, lisait la Bible tous les soirs, et que pour sa part, il trouvait que c'était le plus beau livre au monde, meilleur même que ceux avec le Ringo Kid, écrits par M. Anthony Bradford Chumms, à qui il devait son nom – sauf son premier prénom, qui était Matthew… comme le Matthieu qu'avait aidé à écrire la Bible, voyez ?

Il se tenait dans l'embrasure de la porte de la grande salle à manger, toute pénétration plus avant dans l'espace de l'auberge lui étant interdite par Mme Bjorkvist, debout devant lui, les bras fermement croisés sous la poitrine. Son mari était assis à une des tables du fond, impassible et silencieux, vêtu d'une chemise rouge à manches longues délavée par la sueur sous les aisselles. La curiosité avait attiré l'épaisse Kersti Bjorkvist jusqu'à la porte de la cuisine fumante, où elle s'épongeait le cou avec un torchon frais, tandis qu'Oskar, son frère au regard flasque, se tenait adossé au mur et le jaugeait des pieds à la tête en se demandant qui aurait le dessus en cas de bagarre.

Non, Mme Bjorkvist n'avait aucun travail à confier à personne – surtout pas à quelqu'un qui venait tout droit chez elle depuis cet antre de stupre qu'était l'hôtel de Delanny, après avoir passé du temps là-haut à l'écurie avec ce B.J. Stone et son *Coots* ! Ignorait-il que ce *Coots* avait été homme de main dans quelques affreuses villes fluviales, à protéger parieurs et Jézabel de la corde bien méritée que leur réservaient les bons citoyens ? Non, elle n'avait pas besoin d'aide, merci beaucoup, mais si Matthew souhaitait séjourner dans son auberge, ça lui coûterait un dollar pour deux repas plus le gîte. Matthew dit qu'il ne doutait pas que ce fût un prix honnête, mais la véri… mais il n'était même pas sûr de pouvoir gagner un dollar par jour, peut-être qu'il pourrait gagner le gîte et couvert en faisant quelques petits boulots dans… Il était sourd ou quoi ? Elle avait dit qu'elle n'avait aucun petit boulot à confier à personne ! Elle avait ses hommes à elle pour ça. Et c'était un dollar par jour, à prendre ou à laisser.

— Eh bien, madame, je crois que je vais devoir réfléchir. Rien ne me ferait plus plaisir que de devenir l'hôte régulier d'une famille qui vit selon les bons préceptes des Saintes Écritures, mais un dollar par jour… Bon, madame, je veux vous remercier pour votre aide et vos conseils et je… euh… je crois que je vais y aller.

— DIS PAS QUE JE T'AVAIS PAS PRÉVENU, dit B.J. Stone en levant les yeux du journal de Laramie vieux d'un mois qu'il avait intégralement lu, agenda social et petites annonces compris.

Il avait dévoré le dernier journal livré par le train et en était maintenant réduit à fouiller dans sa pile de vieux numéros en quête de quelque page qu'il n'eût pas lue jusqu'à l'os.

— Je t'avais bien dit qu'y avait pas de boulot en ville.

— Oui monsieur, vous me l'aviez dit. Mais vous savez, c'est fou comme les gens peuvent être serviables. Tout le monde m'a trouvé un petit truc à faire. Tout le monde, sauf Mme Bjorkvist.

— Ça me surprend pas le moins du monde, dit Coots en continuant à aiguiser un couteau sur une meule qui n'était plus ronde et qu'il fallait "coller" pour y maintenir la lame. Cette femme vous donnerait même pas l'heure. Elle vous la vendrait à tant de cents la minute, mais la donner ? Certainement pas.

— Elle a dit que vous aviez été homme de main dans des villes fluviales.

— Ah oui ?

— Oui, et elle a dit que vous abattiez des gens et dispersiez les groupes de lyncheurs et tout ça.

— Voyez-vous ça ! Je devais être un sacré agent du diable.

— Pourquoi tu sers pas une tasse de café à notre jeune invité, Monsieur l'Agent du Diable ? lança B.J. Stone.

— Tu t'es cassé les jambes ? répliqua Coots sans cesser d'aiguiser son couteau.

B.J. poussa un profond soupir, se leva de sa chaise en grognant, et partit vers la cuisine.

Coots testa le tranchant de sa lame sur son pouce puis, satisfait du résultat, éteignit la meule et coupa son goutte-à-goutte.

— Oui, tu peux toujours y aller pour obtenir du boulot de cette grippe-sou de mère Bjorkvist. Elle te serre les pièces de cinq si dur que l'bison se chie dessus*.

— Monsieur Coots ?

— Hmm ?

— Comment vous êtes devenu homme de main ?

— Comment un crétin fait-il des crétineries ? Après la guerre, j'étais comme plein d'autres hommes : j'avais nulle part où aller, rien à faire, et je savais rien faire d'autre que me battre. J'étais jeune, et j'avais beaucoup de colère en moi.

— Vous avez fait la guerre de Sécession ?

— Tout juste. Je me suis enrôlé dans un régiment de l'Arkansas.

— Vous vous êtes battu pour les Sudistes ?

— La plupart des Cinq Tribus étaient avec les Confédérés. Après tout, la majorité d'entre nous possédait aussi des esclaves. Le Sud nous promettait des droits tribaux et des terres plus vastes après la guerre. Et tu sais comment sont les Indiens avec les promesses des Blancs. Ils peuvent pas s'empêcher de mordre à l'hameçon, encore et encore et encore.

— J'ignorais que les Indiens avaient des esclaves.

— Il se pourrait bien qu'y ait des tas de choses que tu sais pas.

— Et vous en étiez ? Je veux dire, vous étiez un esclave ?

— Non, j'ai jamais été esclave. Les Indiens font pas de bons esclaves. Soit ils se révoltent et tuent leur maître, soit ils se flétrissent et ils meurent.

— Mais vous êtes…

— Noir ? Oui. Il y avait deux sortes de nègres chez les Cherokees. Les esclaves des champs, que les Indiens achetaient et utilisaient tout

* À cette époque, un bison figurait sur les pièces de cinq cents. (NdT)

comme les Blancs. Et les Noirs qui trouvaient refuge chez les Indiens après s'être enfuis... en général parce qu'ils avaient fait quelque chose à un Blanc et qu'ils savaient ce qui les attendait s'ils se faisaient prendre. Mon père, lui – Hé, mais qu'est-ce qui me prend de te parler comme ça, nom de Dieu, alors qu'y a du travail qu'attend !

— Oh, continuez monsieur Coots. Votre père était un fugitif, c'est ça ?

— Oui. La plupart des Indiens sont prêts à vous accueillir si vous acceptez de vivre comme eux. Ils ne voient pas les races comme les Blancs. Ou les Noirs, en fait. Ma mère était pur sang. Donc je suis trois quarts noir... et en même temps complètement Cherokee.

— C'est comment, la guerre, en vrai, monsieur Coots ? Ça a dû être une sacrée aventure.

— La guerre ? La guerre, c'est surtout chiant. T'es toujours trempé, t'as toujours froid. Et t'es crevé. Et t'as des piqûres d'insectes qui te grattent de partout. Puis tout d'un coup tout le monde se met à tirer, à crier, à courir dans tous les sens et ça te fout tellement les pétoches que tu peux plus avaler. Et puis c'est fini, et dans ton groupe y en a qui sont morts, y en a qui sont blessés, et les autres se remettent à se gratter et à se faire chier. C'est ça, la guerre.

— Et pour finir, c'est votre camp qui a perdu.

— N-non, pas vraiment. À la fin, je me battais pour le Nord. Quand les guerriers des Choctaws et des Chickasaws se sont fait massacrer à Pea Ridge et à Wilson's Creek, le chef John Ross a décrété que c'était sacrément con de se battre comme ça pour des Caroliniens et des Géorgiens qui nous avaient expulsés de nos terres, alors il a pris la tête d'une troupe d'Indiens d'Upper Creeks et de métis Cherokee comme moi et il est passé chez les Nordistes. C'est comme ça que, du jour au lendemain, je me suis retrouvé à me battre sous l'uniforme du 2nd Cherokee Rifles.

— Vous vous êtes battu dans les deux camps ? Et moi qui savais même pas qu'y avait des Indiens qu'avaient fait la guerre !

— Les Cinq Tribus ont subi des pertes bien plus lourdes que n'importe quel État américain, que ce soit du Nord ou du Sud.

— Pfiou, on nous a jamais appris ça, à l'école.

— Y a des tas de trucs sur les Indiens qu'on vous apprend pas à l'école, fiston. Et sur les Blancs aussi.

— Zavez sans doute raison, dit Matthew, puis il se tut un instant pour digérer tout ça avant de reprendre : Je peux vous demander autre chose ?

— Non.

— Bon, comme vous voudrez.

— Ma bouche est fatiguée de parler.

— Je comprends… Mais si je pouvais vous demander autre chose, monsieur Coots, je vous demanderais comment ça se fait que vous et M. Stone vous m'avez pas donné de boulot. Je veux dire, je comprends pourquoi Mme Bjorkvist l'a pas fait. Elle est rapiate comme pas possible. Mais vous deux… Enfin, j'imagine que c'est pas vous qu'avez le pouvoir de décider, monsieur Coots. Faudrait d'abord que vous demandiez à M. Stone, et il dirait probable…

— Je demanderais peau de balle à B.J. Je l'informerais, c'est tout.

— Tu m'informerais de quoi ? demanda B.J., de retour avec la cafetière et la tasse dans laquelle Matthew avait bu ce matin-là, qu'il vida par terre d'un geste vif.

— On va donner des petits boulots au gamin.

— Ah ouais ?

— Oui. Quelques heures par-ci, par-là. Et on va le payer quinze cents de l'heure. Ça lui fait pas peur de bosser dur. Contrairement à certaines personnes auxquelles je pense.

B.J. Stone tendit sa tasse à Matthew.

— Bon, ben te voilà dans mon équipe, apparemment. Même si ça me la coupe de voir un jeune homme brillant et en pleine forme vouloir s'enraciner dans ce foutu trou paumé qui prétend s'faire passer pour une ville.

— Merci, monsieur, dit Matthew en acceptant le café brûlant.

Il en aspira une longue gorgée, avec beaucoup d'air. Il était encore plus fort que tout à l'heure, mais il ne grimaça point.

— Je ne comprends pas pourquoi vous dites tant de mal de Twenty-Mile, monsieur Stone. Moi, je trouve que c'est une chouette ville pleine de gens serviables.

— Détrompe-toi, fiston! Twenty-Mile est moribonde. Et ses habitants sont la lie de l'humanité: les paresseux, les poissards, les perdants, les perdus, les piteux, les péteux, les petits. Et là, je te fais que les *P*, nom de Dieu!

La bouche de Matthew s'était lentement mise à béer d'effarement face à ce flot de mots. Il tourna la tête vers Coots, qui haussa les épaules et dit:

— Il a été instituteur. Y a des métiers comme ça qui vous marquent leur homme pour toujours, comme les petites brûlures sur les bras des forgerons, ou les crachats noirs des mineurs. L'enseignement, ça vous refile une incurable maladie du clapet fou.

— Je donnerais tout pour être capable de parler aussi joliment et aussi finement que ça. Vous utilisez les mots presque aussi bien que M. Anthony Bradford Chumms.

— Qui ça? Ah oui, l'écrivaillon angliche qui te plaît tant. Celui qui… Comment t'as dit, déjà? "… sait insuffler une grande richesse culturelle et stylistique aux histoires du Far West les plus passionnantes"?

Piqué au vif par cette moquerie à l'encontre de l'homme qui créa le Ringo Kid, Matthew dit:

— Vous pouvez bien dire ce que vous voulez, monsieur Stone, moi je trouve pas qu'y ait que des perdants, des poissards, des petits et tout ça. Prenez M. Kane, par exemple. Lui et sa fille, ça semble être des gens bien.

— C'est pas la question d'être bien ou pas bien, c'est la question d'être sain ou cassé. Quand Twenty-Mile a commencé à mourir, seuls les handicapés et les égarés sont restés. Tous ceux qui avaient un tant soit peu d'éclat, d'espoir ou d'énergie…

— Et il nous fait que les *E*, le coupa Coots, agacé.

Il avait l'habitude des débordements de misanthropie de B.J., mais il jugeait qu'il ne devrait pas faire ainsi étalage de sa bile peu amène devant un étranger.

— Cela dit, tu as raison à propos des Kane, Matthew, poursuivit B.J. en serrant bien le mors entre ses dents. Kane n'est pas un mauvais bougre, il est juste faible. Il a laissé l'amertume et l'autoapitoiement le ronger presque jusqu'au cœur. Et sa fille…?

Eh bien ça me fait pitié de la voir grandir comme ça à Twenty-Mile. Mais elle a du cran, elle trouvera le moyen de s'en aller un de ces jours, j'en suis sûr. Quant à nous autres, le reste… (Il fit un geste du revers de la main, comme s'il eût voulu envoyer valser tout ce fatras). Tu as rencontré les Bjorkvist. En voilà, une jolie famille qui tient debout comme tu les aimes ! Une rapiate qui pompe tout l'argent des mineurs. Et son espèce de brute épaisse de mari ! Ah, et n'oublions pas ce benêt de fils qu'a un seau à pâtée à la place du cerveau. Et Kersti, pauvre bête de somme cruellement flouée d'abord par la nature, qui l'a faite laide, puis par le destin, qui l'a jetée dans ce résidu de trou paumé. On pourrait avoir de la pitié pour Kersti, si elle n'allait pas un jour produire une portée bien à elle, une portée chargée du mortel alliage de cupidité et de stupidité légué par ses parents.

— Et voilà qu'il nous fait que les *-idités*, marmonna Coots, le regard tourné vers le nord-ouest, où les rayons bas du couchant faisaient ressortir la texture des montagnes.

— Les Bjorkvist ont quitté la Suède avec une secte qui trouvait l'Église *lutté-riante* trop clémente et trop doucereuse à son goût avec les pécheurs, alors ils ont monté une colonie religieuse par là-bas, dans l'Iowa ou ailleurs. Mais ils en ont expulsé les Bjorkvist. T'imagines ? Se faire jeter par une secte fondamentaliste ? Jusque dans quels tréfonds de l'esprit peut-on choir !

— Ils se sont fait expulser pour quelle raison ?

— Qui sait ? Le cerveau jette l'éponge ! L'imagination défaille ! L'estomac se retourne ! La peau tressaille ! Et le Pr Murphy, notre entrepreneur capillaire ! Il est arrivé en ville en traînant derrière lui un sillage de rumeurs aussi puantes que sa lotion.

— Quel genre de rumeurs ?

— Les pires qu'on puisse imaginer, fiston. La seule raison qui fait qu'il reste ici, c'est qu'il y a dans les plaines des gens qui l'abattraient et le laisseraient pourrir dans le caniveau s'ils le croisaient.

— Eh ben.

— Et les résidents de l'Hôtel des Voyageurs ? Eh bien tu as rencontré Jeff Calder, le seul authentique estropié de la ville. Et Delanny, notre théâtral grand maître des putes ? Il crache ses poumons par petits bouts, mais il continue à jouer les grands tragiques mystérieux avec conviction. Tout homme doté d'un tant soit peu de dignité mettrait fin à une vie qui vaut plus la peine d'être vécue. Mais lui, il s'accroche à chaque seconde qui passe en espérant que l'air sec des montagnes prolongera sa vie. Mais c'est faux ! Ça ne prolonge que son agonie. Y a un truc que je dirais à son crédit, cependant. C'est pas un maquereau. Il se contente du profit qu'il tire de la boisson et il pousse ses filles à mettre l'essentiel de leurs gains à l'abri à la banque, à Destiny. À propos des filles, tu les as vues ?

— Non monsieur, pas encore. Mais je suppose que je les verrai demain matin, quand j'irai aider là-bas pour le petit déjeuner.

— Alors on peut dire qu'y a du bon qui t'attend. Voilà un savoureux trio de courtisanes comme on en voit peu. Frenchy, la Noire, a une grosse cicatrice qui lui strie le visage du coin de l'œil au coin de la bouche. Ça lui a été fait par un tesson de bouteille, et c'est un vrai crève-cœur, d'une part parce que la peau noire cicatrise moins bien que la blanche, et d'autre part à cause de la surprise que ça te fait quand elle tourne la tête. D'un côté, elle est normale, et puis elle tourne la tête et – Attention les yeux ! Accroche-toi à la rampe ! À côté, t'as Chinky, la petite Chinoise. Delanny l'a achetée à deux prospecteurs chinois qui se la partageaient mais qu'ont eu besoin d'argent. Delanny lui a proposé de la laisser partir, mais elle est arriérée et connaît pas plus de douze mots d'anglais, alors où elle irait ? De quoi elle vivrait ? Et Queeny ? Bah, la pauvre vieille Queeny retrouvera plus jamais la jeunesse de ses cinquante ans. Ou soixante. La moitié de son corps est flasque, et l'autre ballotte. La teinture rousse qu'elle se verse sur les cheveux arrive jamais tout à fait à cacher ses racines blanches. Et le bourbon qu'elle se verse dans le gosier arrive jamais tout à fait à cacher le fait qu'elle ressemble à une grand-mère qu'a abusé du vin de sureau et qui s'est déchaînée sur sa boîte à maquillage. Alors les filles restent à Twenty-Mile parce qu'y a pas d'autre endroit où elles trouveraient du boulot. Ça fait peine, c'est sûr. Et c'est pas les pires de nos concitoyens ! Loin de là. Le plus vil sac d'ordures de la ville, c'est le "révérend" Leroy Hibbard. À lui seul, ce type suffit à te faire regretter que l'arche de Noé ait pas coulé corps et biens. C'est le plus méprisable…

— Bon ! fit Coots en se levant et en s'essuyant les mains sur le derrière de son pantalon. Je crois que ça suffit pour aujourd'hui. Tu dois te sentir mieux, maintenant que tu as évacué toute cette merde de ton organisme. (Il se tourna vers Matthew.) Ces bouffées de mauvaiseté le prennent de temps à autre. Dieu seul sait pourquoi je le supporte, et Il garde ça pour lui.

Matthew jugea que la meilleure stratégie était d'imiter le ton railleur de Coots.

— Alors comme ça, à Twenty-Mile, tout le monde est petit, vil et méprisable, hein, monsieur Stone ?

Il sourit et lança un clin d'œil complice en direction de Coots.

— Et vous et monsieur Coots, alors ? Vous aussi, vous êtes vils et méprisables ?

— La plupart des gens d'ici pensent qu'on est les plus vils des plus vils et les plus petits des plus petits. Et en ce qui concerne Coots, ils ont pas complètement tort. T'as goûté son café ? Y a rien de plus vil et de plus méprisable que ça, et tu peux m'*experto crede*, comme disait Virgile.

— Et vous, monsieur Stone ? dit Matthew en redoublant d'ironie dans le sourire, est-ce que vous êtes vil et méprisable vous aussi ?

— Certainement pas ! C'est moi qui raconte les histoires, et le satiriste fait toujours plus propre et plus noble que ses victimes. Bon, je peux pas traîner comme ça à railler mes contemporains pour ton bon plaisir. C'est l'heure du dîner, et je ferais mieux de me dépêcher de mettre un truc à brûler dans la poêle, sans quoi Coots va encore faire son méchant, son mauvais, son vil, son petit et tout et tout. (Il partit vers la cuisine, puis s'arrêta.) Tu as faim, fiston ?

— J'ai pour ainsi dire toujours faim, monsieur. Mais je dois manger avec Kane… Enfin, je crois.

— Comme tu voudras.

Coots s'était rassis et regardait l'horizon lointain, l'esprit apparemment à la dérive.

— Désolé pour cette scène, dit-il à moitié pour lui-même. De temps à autre, il a ces bouffées de mauvaiseté et y se met à dire pis que pendre de tout le monde et de leurs oncles.

— Oh, je sais bien que les gens de Twenty-Mile sont pas si mauvais qu'il le dit. Il exagérait, il disait ça pour rigoler, c'est tout.

Coots effaça d'un clin d'œil la question qu'il tournait et retournait dans son esprit et regarda Matthew en fronçant légèrement les sourcils.

— Non, il disait pas ça pour rigoler.

Il se leva.

— Et il exagérait pas non plus.

LE SOLEIL S'ÉTAIT POSÉ SUR LES MONTAGNES DE L'OUEST, liseré bas couleur fer rouge et métal en fusion ; et le soir s'étendait depuis le nord-est, où de longues dalles de nuages viraient au rose, puis brièvement au mauve, avant de s'effacer dans les gris.

À l'intérieur du Grand Magasin, M. Kane leva les yeux de son livre de comptes, posa son stylo et passa les doigts sous ses lunettes pour masser les marques rouges sur l'arête de son nez.

— Il est encore là ? demanda-t-il d'une voix lasse.

Au comptoir, Ruth Lillian se pencha en arrière pour regarder par la fenêtre, bien qu'elle sût parfaitement qu'il était encore là, car elle avait levé les yeux de son catalogue de patrons Singer une bonne demi-douzaine de fois pour jeter des petits regards en biais vers le profil de Matthew, un peu flou à travers la frange de ses cils, assis sur l'escalier de bois, son sac posé à côté de lui, son vieux fusil lourd sur les genoux. Il regardait au-delà de la cuvette de Twenty-Mile, vers la dernière lueur du couchant sur les contreforts des montagnes. En réalité, il n'observait pas vraiment les contreforts ; il laissait ses yeux se détendre pendant que son esprit vagabondait ailleurs. Sentant le regard de quelqu'un se poser sur sa nuque, il tourna la tête vers Ruth Lillian et lui sourit, puis s'accouda de nouveau sur son sac, patient, inébranlable.

Ruth Lillian se retourna vers l'intérieur de plus en plus sombre du magasin.

— Il est encore là, papa. Assis à attendre, c'est tout. Pourquoi tu n'allumes pas ta lampe ?

Il grogna.

— Tu vas t'abîmer les yeux, à faire tes comptes comme ça dans le noir.

— J'ai pas besoin qu'on me dise quand je peux voir et quand je peux pas voir ! répliqua-t-il, mais ce n'était pas la sollicitude de sa fille qui l'irritait. Ça fait une heure que ce gars est assis là-bas !

— Plutôt deux.

— Eh ben qu'il espère pas me forcer la main, même en y passant la nuit.

— Je ne crois pas qu'il veuille te forcer la main, papa. Il a dit qu'il nous laisserait le temps d'en discuter, et c'est exactement ce qu'il fait. Il attend ta décision.

— Ma décision est qu'on n'a pas besoin de lui. Je vais pas passer la moitié de mon temps à me creuser la tête pour inventer des tâches à donner à je ne sais quel vagabond, et perdre l'autre à le surveiller pour m'assurer qu'il fait les choses correctement. Des choses qu'avaient déjà pas besoin qu'on les fasse !

— Alors appelle-le et dis-lui. C'est pas bien de le laisser attendre comme ça dans la nuit.

— Ah, alors maintenant c'est ma faute s'il traîne toute la journée au lieu de s'en retourner à Destiny ? J'imagine que tu penses que je devrais le nourrir. Et peut-être bien l'héberger pour la nuit, avec ça ?

— Personne a jamais parlé de le nourrir ou de l'héberger. Mais tu pourrais avoir la décence de ne pas le laisser attendre là, à espérer vainement qu'on lui donne du travail.

— Pourquoi il va pas chez les Bjorkvist ?

— Parce qu'il a pas d'argent, papa ! Et tu connais Mme Bjorkvist, c'est pas elle qui l'hébergera gratis.

— Et tout ça, c'est de ma faute, hein ?

— Personne a dit que c'était de ta faute.

— La manière dont tu parles, tu sous-entends que c'est de ma faute.

— Je sous-entends rien du tout… D'accord, d'accord ! Je vais lui dire, moi, qu'on n'a pas besoin de lui. (Elle marcha jusqu'à la porte et l'ouvrit d'un geste vif, faisant violemment tinter le carillon.) Matthew ? Vous pouvez venir une minute ?

Arborant une expression à la fois humble et pleine d'espoir, le jeune homme entra dans le magasin après avoir laissé son sac et son fusil à la porte.

— 'Soir, Ruth Lillian, la salua-t-il en ôtant son chapeau. 'Soir monsieur Kane. Je regardais le coucher du soleil. Bon sang, c'est vraiment beau par ici ! Et dire que vous avez droit à ce spectacle tous les jours.

— Oh, on a plus que notre part d'averses et d'orages, vous inquiétez pas pour ça, dit Ruth Lillian. Des fois, la première neige arrive dès le mois d'octobre. Et quand le blizzard bloque la voie ferrée, on peut rester coupé du monde pendant des semaines d'affilée. Et des fois, on se prend une arracheuse. Ça, c'est quelque chose.

— Une arracheuse ?

— C'est comme ça que les gens du coin appellent les violentes tempêtes qui nous tombent dessus presque chaque automne et qui font de leur mieux pour nous arracher de cette montagne.

— Y a bien que toi qui les appelle comme ça, grogna M. Kane.

— C'est quelque chose, ces arracheuses, dit-elle à Matthew. D'abord, l'air se met à bourdonner d'électricité, et puis vlan, elles arrivent. Avec du vent qui hurle de partout à la fois, et la pluie qui fouette, et le tonnerre qui gronde à faire trembler les montagnes, et les éclairs qui claquent et qui sentent comme si l'air venait de frire. J'adore !

— Je suis sûr que moi aussi j'adorerai. J'aime beaucoup cet endroit, entre les couchers de soleil, les gens aimables. À part les Bjorkvist, tout le monde s'est mis en quatre pour me dépanner.

Ruth Lillian lança un coup d'œil vers son père, qui se racla la gorge et dit :

— Écoute, fiston. J'y ai bien réfléchi, mais je crains vraiment de pas avoir besoin d'aide.

— Même pas un tout petit peu, monsieur ?

— Non, même pas un tout petit peu.

— … Je vois…

Matthew laissa le silence s'installer jusqu'à ce que M. Kane se sente obligé d'ajouter quelque chose :

— Bon, comme je le disais à Ruth Lillian, c'est vrai qu'il y a peut-être deux ou trois choses qu'ont besoin d'être réparées ou arrangées. Mais j'ai tout simplement pas le temps de voir quoi, et quand, et comment. Donc c'est non.

Comme pour ponctuer sa décision, il craqua une allumette pour allumer sa lampe, mais la tête se brisa et fila en flammes se poser sur la pile de factures qu'il était en train d'entrer dans son livre de comptes. Il sursauta et l'éteignit d'une claque en se faisant une douloureuse petite brûlure.

— J'ai pas les moyens ! J'ai pas les moyens de me payer de l'aide. Et y a rien d'autre à dire.

— Je comprends, monsieur. (Matthew acquiesça d'un air sérieux, sourcils froncés, comme s'il eût cherché mentalement une solution au problème de M. Kane.) Que diriez-vous si je regardais un peu les choses pour voir moi-même le boulot que je pourrais faire ? Comme ça, vous auriez pas à perdre de temps à faire une liste ou quoi que ce soit, vous pourriez juste venir voir quand le boulot est fini et me dire si ça vous convient. Et pour ce qui est la paye… Ben, je ferais le travail, et vous me payeriez ce que vous jugez que ça vaut. Et si vous avez pas de quoi sous la main, ben j'attendrai et puis voilà. Voyez, je sais pas comment je pourrais vous faire une proposition plus honnête, monsieur, mais si vous pensez à une autre manière d'organiser les choses, ça m'ira aussi.

Il attendit respectueusement d'entendre ce que cette autre manière pourrait être.

Ruth Lillian prit son air le plus soucieux et attendit elle aussi, observant son père avec une lueur d'amusement dans les yeux.

M. Kane porta son doigt brûlé à sa langue et souffla dessus pour rafraîchir la zone humide. Puis il poussa un long soupir.

Plus tard, il allait se rendre compte avec quelque irritation qu'il n'avait jamais embauché Matthew. Pas verbalement, en tout cas. Il avait juste grogné avant de se replonger dans son livre de comptes.

Ruth Lillian craqua une allumette et alluma la lampe pour lui ; Matthew lui demanda s'ils n'avaient pas du saindoux en cuisine, parce qu'il n'y avait rien de mieux que le saindoux pour les brûlures.

Sinon, du beurre, ça ferait aussi l'affaire.

Juste une lichée.

Après avoir partagé le dîner des Kane, Matthew insista pour aider Ruth Lillian à faire la vaisselle. Depuis l'évier, il expliqua à M. Kane qu'il faisait toujours la vaisselle pour sa mère quand elle était fatiguée ou quand elle s'était fait... euh, quand elle se sentait pas trop bien.

Plus tard, alors qu'ils étaient assis autour de la table, avec une tasse de café dans les mains et la lampe à pétrole au milieu qui leur éclairait le visage en aplat et projetait leurs ombres sur les murs derrière eux, Matthew posa à M. Kane des questions pertinentes et perspicaces sur la gestion d'un grand magasin. Le ton pénétré de ses questions et l'air passionné avec lequel il buvait les réponses lui permirent de tirer le meilleur de M. Kane qui, avant que l'amertume ne l'aigrisse, n'aimait rien tant que de discuter avec des copains jusqu'à point d'heure. De temps à autre, Matthew tournait le regard vers Ruth Lillian, qui n'écoutait qu'à moitié les explications erratiques et excessivement détaillées de son père. Les paupières mi-closes, elle semblait partie dans quelque rêve éveillé. La lumière de la lampe donnait des reflets dorés à ses cheveux de cuivre, et Matthew était certain qu'il n'existait pas fille plus belle au monde. Elle était le genre de fille que le Ringo Kid aidait en cas de problème, sans jamais rien demander en retour parce qu'il ne faisait que ce que tout homme digne de ce nom eût fait en pareilles circonstances.

Cette nuit-là, Matthew dormit sur le comptoir, au magasin, sous une couverture Hudson Bay que Ruth Lillian était allée lui chercher dans la réserve. Il se réveilla deux fois pendant la nuit, avec la conscience acérée de la fille dormant au-dessus de lui.

Bien avant que M. Kane ne commence à préparer le petit déjeuner pour lui et sa fille, Matthew avait plié et rangé sa couverture Hudson Bay, puis était sorti sans faire de bruit pour aller explorer les bâtiments abandonnés de la ville endormie avant de se rendre à l'Hôtel des Voyageurs, où il trouva Jeff Calder qui s'activait en clopinant dans la cuisine. Il s'était levé plus tôt que d'habitude pour faire le petit déjeuner des filles et de M. Delanny: on verrait bien ainsi qu'il n'avait pas besoin d'aide ! Matthew prit garde de ne pas se mettre dans le passage de son contremaître tout en l'aidant avec entrain. Préparer le petit déjeuner n'aurait pas dû être chose compliquée, car il ne consistait qu'en café, bacon et haricots en boîte ; mais le premier bouillit et déborda de la cafetière, le deuxième brûla, quant aux troisièmes, ils durent être servis tièdes, parce que malgré toutes les années que Jeff Calder avait passées à se battre avec le vieux poêle Dayton Imperial, il n'avait jamais réussi à maîtriser ce foutu putain de bazar à la con. Matthew savait comment empêcher le poêle de fumer en réglant l'arrivée d'air, parce qu'il devait souvent faire la cuisine quand sa mère n'était pas trop en forme, mais il savait aussi que ç'aurait été une erreur que de frimer devant Jeff Calder, alors il se contenta de regarder le vieux soldat s'agiter, gesticuler et jurer. De temps à autre, Matthew marmonnait des choses comme : "Ah, alors c'est là que vous rangez les tasses", ou "Oui, m'sieur, je crois bien que j'ai compris", ou "Je m'en souviendrai, comme ça je saurai où tout trouver demain matin."

Observant les instructions laconiques de Jeff Calder, Matthew dressa trois couverts pour les filles dans la salle du bar, et un autre pour M. Delanny à une table bien éloignée, car il tenait à garder ses distances et sa dignité. Il ressentit de nouveau la viscosité crasseuse que les miasmes de bourbon lui collaient toujours au fond de la gorge, mais elle fut rapidement supplantée par l'odeur du bacon carbonisé, qui fit descendre les filles plus tôt que prévu. Matthew se dépêcha de leur apporter leur petit déjeuner, leur offrant, chacune à son tour, un bonjour enjoué en même temps que leur assiette de bacon aux haricots. Elles avaient juste pris la peine d'enfiler un peignoir et de passer un peu d'eau sur leurs yeux gonflés de fatigue.

— Hé, regardez ce que le chat nous a ramené, marmonna Queeny avant de partir d'un rire rauque qui s'accrocha dans sa gorge et la fit tousser gras sur son premier cigare de la journée.

— Je suis le nouvel employé, dit Matthew en détournant si vite les yeux de la poitrine à demi révélée de Queeny qu'ils se posèrent maladroitement sur Frenchy et ses – Oups – de sorte qu'il dut vite relever le regard vers son visage, mais il ne voulait pas qu'elle crût qu'il fixait la vilaine cicatrice qui lui tirait l'œil droit vers le coin de la bouche, alors il le rabaissa vers sa poitrine – Oups – puis le tourna vers Chinky, dont la poitrine (Dieu soit loué) était menue et ne débordait pas du peignoir à peine noué. Ayant suivi cette scène balourde de ses yeux jaunes glissants, Frenchy renifla et secoua la tête avec mépris.

— Alors ? demanda Queeny, tu vas nous apporter notre café, ou tu vas juste continuer à reluquer nos mamelles ?

Matthew déglutit mais ne perdit pas contenance.

— Le café arrive tout de suite, madame. (Il s'arrêta au niveau de la porte et se retourna vers les filles avec un sourire malicieux.) Mais des belles mamelles comme ça, c'est tout de même une sacrée attraction pour un pauvre gars de la campagne.

Queeny hurla de rire, Frenchy sourit et Chinky se demanda de quoi ils parlaient.

M. Delanny, qui était descendu de la salle de bain en cours d'échange, secoua la tête en souriant légèrement. Un vrai arnaqueur né, ce petit gars.

Une fois la vaisselle faite et la cuisine balayée, Matthew trouva Jeff Calder qui faisait mine de s'activer derrière le bar et M. Delanny en train de disposer ses cartes pour une partie de réussite.

— Bon, je crois que j'ai fini, monsieur Calder. Merci de m'avoir montré vos trucs. Je pense que je pourrais me débrouiller tout seul pour le petit déjeuner demain.

— Je suis pas sûr de vouloir que tu te débrouilles pour…

— Oh, excusez-moi monsieur, y a une chose qu'il faut que je vous demande avant d'oublier. Demain, vous préférez que je vous installe avec M. Delanny, ou à une table rien qu'à vous ?

— Comment ? Ah, eh ben… ah… ben, j'pense qu'une table rien qu'à moi ça s'rait convenable.

Il n'avait pas envisagé qu'il se ferait dorénavant servir son petit déjeuner à table. Sur ce…

— Bonne chance pour votre partie, monsieur Delanny, dit Matthew d'une voix gaie en partant.

Le joueur hocha la tête sans lever les yeux de ses cartes.

— Toi aussi, fiston.

Il était midi passé quand il eut récuré toutes les baignoires jusqu'à ce que le bois soit feutré, et Matthew était trempé d'eau savonneuse et de sueur. Après s'être lavé et avoir remis sa chemise, il entra dans le salon de coiffure pour dire au Pr Murphy, qui somnolait sous un puits de soleil, qu'il reviendrait passer le balai plus tard dans l'après-midi.

— Entre-temps, monsieur, ça vous ennuierait d'aller jeter un œil aux baignoires – quand vous trouverez un moment, bien sûr ? Dites-moi si je les ai faites bien comme il faut.

Lorsqu'il descendit pour ouvrir le magasin après le déjeuner, M. Kane trouva Matthew assis sur le porche.

— 'jour m'sieur.

M. Kane produisit un hybride de murmure et de ronchonnement.

— Dites-moi, monsieur, est-ce que M. Delanny a une ardoise chez vous ?

— Oui. Il paie tous les mois.

— C'est parfait, parce que je voudrais prendre de la farine sur son compte. Et de la levure. Ah, et vous avez du miel ?

— Non.

— De la mélasse alors ?

— J'ai du sirop de maïs.

— Et du beurre ?

— Personne utilise de beurre ici en été. On reçoit tout de Destiny, et le beurre fondrait en route.

— Ah, je vois. Bon, eh bien je vais juste prendre la farine, la levure et le sirop de maïs.

M. Kane était monté sur son échelle pour attraper une boîte de sirop de maïs lorsque Ruth Lillian descendit de la cuisine.

— J'ai cru entendre des voix et… Papa, tu sais que tu ne devrais pas monter aux échelles ! Comment ça va, Matthew ?

— Très bien, merci, Ruth Lillian.

— Vous avez bien dormi cette nuit ?

— Mieux que jamais. Mais c'est drôle, vous savez quoi ? Je crois que je vous ai vus dans mes rêves, vous et M. Kane.

— Vous croyez ? Vous êtes pas sûr ?

— Pas vraiment. Quand je me suis réveillé, mon rêve était clair comme de l'eau de roche, mais dès que j'ai essayé d'y penser il a commencé à se désagréger, et plus j'essayais de m'en souvenir, plus il se désagrégeait vite. Vos rêves vous font ça aussi ? Mais je me souviens que dans mon rêve M. Kane était aimable et gentil, à me dire des tas de choses intéressantes sur comment gérer un magasin et tout ça. Et vous, vous étiez douce et souriante, et vous aviez vos cheveux coiffés en chignon, comme là. (Il lâcha un petit rire.) C'est drôle comme les bons rêves s'effacent avant même qu'on les attrape, alors que les mauvais rêves... des vrais rapaces ! Une fois qu'ils ont planté leurs serres en vous, ils vous lâchent plus jamais. Tiens, monsieur Kane, à propos de rêves et de nuit et tout ça, vous voyez les bâtiments abandonnés qu'y a entre ici et la voie ferrée ? Ils appartiennent à quelqu'un, ou bien ? Vous pensez qu'un gars pourrait s'y installer juste comme ça ?

— Je vois pas ce qui l'empêcherait, dit Ruth Lillian. C'est ce que le révérend Hibbard a fait en arrivant. Il a repris le dépôt du chemin de fer abandonné.

— Le révérend ? J'ai rencontré personne qui ressemble à... Ah, si ! Je me souviens que B.J. Stone m'a parlé d'un révérend Quelque-chose.

— Non, vous avez pas pu le voir. Le dimanche, il dort là-haut, au Filon. Il sera de retour que ce soir.

M. Kane posa la conserve de sirop de maïs, le paquet de farine et la boîte de levure Calumet sur le comptoir.

— Le seul endroit où vivre est l'ancien bureau du marshal. Le toit est en bon état, et les mineurs ont pas tiré sur les fenêtres.

— C'est lequel, le bureau du marshal ?

— Du même côté de la rue qu'ici, après le grand bâtiment brûlé en face de l'hôtel.

— Ah ben ça alors ! C'est justement çui-là que j'avais plus ou moins choisi en faisant ma petite balade matinale. Il a un vieux poêle qu'a l'air de pouvoir encore servir. Et j'ai vu quelques meubles abandonnés dans d'autres maisons. Ils sont à quelqu'un ?

— Je dirais qu'ils sont à vous, si vous les voulez, dit Ruth Lillian.

— Ça va être chouette de me faire mon petit nid à moi.

Cette pensée avait traversé l'esprit de Ruth Lillian exactement au même instant. Ce serait comme de jouer à la poupée.

— Vous savez quoi ? Dès que je me serai installé, je vous inviterai tous les deux à dîner pour vous remercier de votre gentillesse.

— Nous serions honorés de venir, dit la jeune fille d'un ton qui mettait son père au défi de la contredire. À Twenty-Mile personne ne fait jamais rien de civilisé, comme d'inviter des gens chez eux. Ils sont tous si… *petits*. Je trouve ça bien, d'inviter des gens à dîner.

— Je ne pourrais pas accepter, Ruth Lillian. Merci, mais je pourrais vraiment pas. La seule possibilité, pour que je prenne mes repas avec vous, ça serait que vous me laissiez vous payer pour mon couvert. Évidemment, j'imagine que vous pourriez déduire mes repas de ce que vous me payez pour le travail que je fais chez vous. Comme ça, vous économiseriez de l'argent et j'aurais le plaisir de votre compagnie. Mais ça serait que pour deux repas par jour. Midi et soir. Vu que je prendrai le petit déjeuner là-bas à l'hôtel, après avoir servi ces gens.

M. Kane clignait des yeux pour essayer de suivre depuis un petit moment. Là, il se racla la gorge de manière très sonore.

— Nous ne faisons pas auberge.

— Bien sûr que non, monsieur. Où avais-je la tête ? Y a rien de plus naturel au monde qu'un père et sa fille qu'ont envie d'être ensemble pour les repas. Histoire de parler un peu, tout ça.

— Des clous ! dit Ruth Lillian. On passe des repas entiers sans rien se dire d'autre que "passe-moi le sel".

— Mais hier soir, on a parlé, parlé, parlé.

— Vous voulez dire que Papa a parlé, parlé, parlé.

— Tout ce que je sais, c'est que c'était sacrément intéressant et que j'ai appris des tas de choses. Bon, écoutez, faut vraiment que j'y aille, là. (Matthew prit ses commissions sur le comptoir et se dirigea vers la porte.) Je vais demander à M. Murphy qu'il me paye mon travail d'aujourd'hui, comme ça je pourrai repasser vous acheter de quoi me faire mon rata pour ce soir.

— C'ÉTAIT BON, MONSIEUR. Diablement bon. (Matthew recula sa chaise de la table et se passa une main sur le ventre d'un air faussement délicat, comme si en appuyant trop il eût risqué de faire exploser son estomac.) Quand vous m'avez dit que vous vouliez bien me prendre en pension, vous auriez pu me faire tomber à la renverse rien qu'en me soufflant dessus. Même si c'est juste pour quelques jours. Le temps de voir comment je m'en sors.

— C'est plutôt Ruth Lillian qu'il faudrait remercier, corrigea M. Kane.

— Dans ce cas, laissez-moi vous remercier vous aussi, Ruth Lillian. Comment ça se fait que vous êtes si bon cuisinier, monsieur Kane ?

M. Kane balaya le compliment d'un geste.

— Je ne suis pas bon cuisinier. Je sais juste faire quatre ou cinq plats, et on les mange l'un après l'autre. Rien de folichon.

— Eh ben c'est folichon comme y faut pour le p'tit gars que vous avez en face de vous, pouvez me croire ! Est-ce que ça vous arrive d'aider à la cuisine, Ruth Lillian ?

— Seulement quand papa est malade. Et il essaie toujours de se remettre vite, pour pas avoir à manger ce que je cuisine plus longtemps que nécessaire.

— Je n'en crois pas un mot, dit Matthew.

— C'est pourtant vrai, confirma M. Kane. Ma fille n'a jamais montré le moindre intérêt pour l'économie domestique, à part se coudre des robes d'après les images des catalogues. Elle aime pas non plus le ménage. Mais comme elle préfère faire le ménage plutôt que la cuisine, je fais la cuisine et elle fait le ménage.

Cela aurait pu être le bon moment pour poser une question sur Mme Kane, mais quelque chose disait à Matthew qu'il valait mieux éviter ce sujet. Il préféra donc dire que cela devait demander des tonnes de savoir-faire que de coudre une robe à partir d'une image, et Ruth Lillian dit que ce n'était pas si difficile que ça, une fois que vous aviez pris le coup, et Matthew dit que des clous, rien n'était difficile une fois qu'on en avait pris le coup, la difficulté, c'était de prendre le coup ; puis il se tourna vers M. Kane et lui demanda comment il s'était lancé dans les affaires, mais M. Kane secoua la tête en disant que c'était pas vraiment intéressant, toutefois Matthew attendit, un grand sourire aux lèvres, le visage ouvert et impatient d'écouter, jusqu'à ce que M. Kane hausse les épaules et dise à contrecœur qu'il était né en Allemagne – dans le vieux ghetto d'une grande ville – et que les seuls souvenirs qu'il en avait étaient des odeurs de cuisine riche – ah, et il se rappelait aussi une horloge en bois curieusement sculptée qui ressemblait à un oiseau dont la queue multicolore se balançait au rythme des secondes. Ils étaient arrivés dans le port de New York pile le jour de ses cinq ans, et il avait grandi en jouant par terre dans le deux pièces en sous-sol où son père et sa mère trimaient du matin au soir, à faire de la "sous-traitance" sur des vêtements qu'ils livraient ensuite dans les ateliers grands comme des granges du Lower East Side. Le bien le plus précieux de son père était une superbe paire de ciseaux de tailleur de Westphalie – pas un de ces trucs américains minables. Vous voulez faire du bon boulot ? Y vous faut de bons outils. La seule fois où son père l'avait vraiment frappé, c'était quand il l'avait pris en train de couper du papier avec ses chers ciseaux. Et c'était juste une petite claque derrière la tête. Sa mère avait jamais vraiment réussi à surmonter le mal du pays. Elle se demandait souvent s'ils avaient fait le bon choix en quittant le confort de l'Allemagne pour tenter leur chance dans le Nouveau Monde. Parfois elle soupirait d'envie en pensant à ceux qui étaient restés. Mais après des années de rude labeur et d'épargne sérieuse, ils réussirent à avoir suffisamment d'argent de côté pour se lancer dans le commerce des boutons, du fil et de la fausse dentelle pour des entreprises de couture tenues par des immigrants arrivés quelques années avant eux.

— C'était comme ça. Quand vous arriviez, vous vous faisiez exploiter par ceux qui étaient arrivés avant vous. Puis, si vous étiez malin et travailleur – et chanceux, faut pas oublier chanceux ! – vous pouviez devenir des exploiteurs à votre tour. C'était la Grande Promesse de l'Amérique !

M. Kane se resservit une tasse de café.

— … la Grande Promesse de l'Amérique, répéta Matthew pour lui-même, en savourant chaque mot.

— Je me souviens du jour où mon père a accroché notre enseigne en haut de la vitrine. Peinte en jolies lettres rouges, blanches et bleues. *Compagnie Américaine de Mercerie de Luxe (Service Garanti, Prix Attractifs)*. Mon père, il était très fier de cette enseigne. Que voulez-vous, après tout, il avait payé deux dollars pour la faire faire. En liquide ! (Il lâcha un petit rire nostalgique puis resta un instant silencieux, le regard posé sur la flamme de la lampe.) Et puis… (continua-t-il de la voix douce de celui qui feuillette les vieilles pages de ses souvenirs), et puis, juste au moment où mes parents commençaient à voir un peu de lumière au bout du tunnel, le choléra s'est abattu sur le quartier et mon père… (Il haussa les épaules.) Il est mort un matin de grand soleil – je sais pas pourquoi, mais ça semble bizarre de mourir par un matin de grand soleil, c'est la nuit que les gens devraient mourir. Comme ma mère, juste la nuit d'après. Et le lendemain matin, pendant que les voisins s'occupaient des corps, moi… (Il plongea les yeux au fond de sa tasse et ses maxillaires se contractèrent ; revivre ces moments douloureux lui était pénible.) Je suis parti livrer leur dernière commande. Quatre cartons de boutons – imitation nacre, à quatre trous, bombés. C'est drôle que je me souvienne de ces détails après toutes ces années. La livraison était prévue pour ce matin-là, voyez, et mon père mettait un point d'honneur à toujours livrer les clients en temps et en heure. "Service garanti, prix attractifs." C'était nous.

Ruth Lillian, qui avait gardé le regard fixé sur la lampe, leva la tête et étudia le visage de son père en s'efforçant de voir au-delà du point aveugle que l'éclat de la flamme avait imprimé sur sa rétine. C'était la première fois qu'il parlait de cette livraison de quatre cartons de boutons pendant que ses parents gisaient à la maison, morts.

— Enfin ! dit M. Kane d'un ton bourru en laissant ses souvenirs douloureux derrière lui. Au début de cet automne-là, je suis parti sur les routes avec un vieux commis voyageur yankee qui allait de ferme en ferme pour vendre des aiguilles, des dés, des casseroles, des poêles, des rubans, des balais, des almanachs, des remèdes – toutes sortes de choses. Il vendait ça à l'arrière de son chariot. Mais, pour l'essentiel, il se vendait lui-même : son bagout, son entrain, ses histoires. Côté histoires, il avait deux parfums. Sucré pour les femmes, salé pour les hommes. Les gens lui achetaient des trucs dont ils n'avaient pas vraiment besoin, juste pour le plaisir de sa compagnie. "Y a des milliers de commis voyageurs dans le pays, me disait-il, et ils se creusent tous la tête pour trouver comment vendre plus. Mais ce qui compte, c'est pas comment tu vends, c'est ce que tu vends. Si tu veux vendre du fil à une femme, tu ne feras ta vente que s'il se trouve qu'elle a besoin de fil au moment où tu passes. Mais si tu lui vends le rêve d'une nouvelle robe… ah! Ou mieux, l'image de sa fille portant cette robe à son mariage… a-ah! Elle t'achètera ton fil parce qu'il est tout embrouillé dans des rêves de nouvelles robes et de mariages." Il m'a raconté comment il s'était lancé avec un stand de saucisses grillées qu'il transbahutait de foire en foire, dans le Vermont, et que ça ne marchait pas très fort jusqu'à ce qu'il comprenne que ce n'est pas des saucisses qu'on vend, c'est le grésillement du gril. "Tu dois être un marchand de rêve", disait-il.

Un marchand de rêves. Matthew aimait ça. *Le Ringo Kid, marchand de rêves.*

— Un jour, nous nous sommes pris une très grosse averse sur la route, et le vieux camelot est mort de pneumonie. Moi? Eh bien j'avais à peu près ton âge, jeune homme. Alors, évidemment, je suis parti chercher fortune vers l'ouest. Tu parles d'une fortune. Regarde autour de toi.

— Mais vous avez Ruth Lillian, comme trésor.

— C'est vrai, c'est vrai. C'est une enfant si gentille, si obéissante! Et sacrée cuisinière, avec ça!

De l'autre côté de la table, Ruth Lillian adressa une grimace à Matthew, qui sourit.

— Oui, j'ai décidé de partir vers l'ouest et de faire fortune dans les ruées vers l'or et les filons d'argent, mais pas en prospectant. Mon vieux commis yankee m'avait un jour raconté comment des flots et des flots d'humains filaient vers l'ouest, pelle et pioche à l'épaule, des rêves d'or et d'argent plein la tête. "Cap à l'ouest, toute! C'est là que tu te feras ton magot, petit", me disait-il. "En cherchant de l'or?" je lui fais. "Sûrement pas! En vendant des pelles et des pioches!" Et il m'a expliqué que pour un prospecteur qui touchait le gros lot, t'en avais cent mille qui récoltaient que des ampoules, des engelures et deux ou trois histoires pour faire suer leurs petits-enfants. Mais que chacun d'eux avait eu besoin d'une pelle et d'une pioche, d'une salopette, de haricots et de tabac. "Oui, disait-il, si j'étais plus jeune, moi aussi j'irais vers l'ouest." "Avec un chariot plein de pelles et de pioches", j'ai dit. Il est resté silencieux un moment, puis il a dit : "Non, non. Je chercherais probablement de l'or avec tous les autres. Je serais comme tout le monde, assez stupide pour imaginer que l'homme sur cent mille qui toucherait le gros lot, ce serait moi. Non, j'ai bien peur que je m'en irais à la chasse au rêve, parce que c'est vrai que dans cette vie, ce qui compte, c'est pas la saucisse, c'est son grésillement."

Les yeux de Matthew se plissèrent tandis qu'il opinait du chef pour lui-même. Oui, c'était tout à fait ça : le grésillement.

Quand ils eurent fini leurs assiettes, Matthew dit au revoir à M. Kane, et Ruth Lillian alluma une bougie pour descendre avec lui dans le magasin plongé dans l'obscurité, où il prit la nourriture, le savon, la lampe et l'huile de lampe qu'il avait achetés à crédit.

— Vous vous rendez compte : ce soir, je dors chez moi. Dans le bureau du marshal ! C'est quelque chose, hein ? Ça fait que je suis un peu le marshal de Twenty-Mile.

Il lâcha un rire forcé, pour montrer qu'il plaisantait.

— Ça fait des lustres que Twenty-Mile a pas eu besoin de marshal, alors… (Elle ouvrit un tiroir et y chercha quelque chose à tâtons.) S'il y a des revenants dans le bureau du marshal, vous avez qu'à les arrêter et… Bon sang, où est passée cette fout… Ah, la voici.

Elle exhuma une étoile à six branches. Matthew la prit et la soupesa. Elle était plus lourde qu'il ne l'aurait cru et, à l'extrémité de chaque branche, chacune des six petites boules arboraient le reflet d'une minuscule flamme de bougie.

— Je ne crois pas que ce serait très utile de jeter des revenants en prison, dit-il. Ils auraient aucun mal à passer à travers les barreaux.

— Y a jamais eu de prison à Twenty-Mile. Lorsqu'un mineur faisait des siennes parce qu'il avait trop bu, ils l'enfermaient juste dans notre entrepôt jusqu'à ce qu'il dessoûle.

— Alors comme ça, c'était votre père qui faisait le marshal ?

— Le marshal ? Vous imaginez mon père avec un colt à la ceinture ? Non. Mais il a été maire. Enfin, plus ou moins. Il a jamais été élu, ni quoi que ce soit. C'est juste un groupe d'hommes qui s'est réuni au club social du Double-Six pour décider que la ville avait besoin d'un maire et que le vieux Kane ferait bien l'affaire.

— Le club social du Double-Six ?

— Voyez le bâtiment brûlé en face de l'Hôtel des Voyageurs ? C'était le Double-Six, où M. Delanny tenait sa table. Mais y avait pas de concurrence entre les deux affaires. L'une faisait dans le jeu, l'autre dans les femmes. Alors les mineurs – ils étaient bien deux cents, à l'époque –, ils traversaient la rue en titubant pour aller d'un endroit à l'autre, et ils se serraient la main en se croisant au milieu.

— Qui l'a brûlé ?

— Dieu.

— … Dieu ?

— Il a pris un éclair pendant la pire des arracheuses qu'on n'ait jamais eue. J'oublierai jamais cette nuit-là, même quand j'aurai quatre-vingt-dix-huit ans. La foudre est tombée en craquant monstrueusement, quatre ou cinq fois, un éclair après l'autre. Et le tonnerre a fait trembler toute la montagne. Mme Bjorkvist courait sous la pluie en hurlant que la fureur divine s'était abattue sur Sodome et Gomorrhe. Papa avait peur que le vent arrache le toit du magasin, alors il était en train de m'emmitoufler dans une couverture (j'étais toute petite) quand il y a eu ce craquement effroyable, et juste après le Double-Six brûlait comme rien, et le vent faisait voler des flammèches, mais elles ont rien incendié d'autre parce que la pluie ruisselait sur les murs et tombait des toits en cascades continues. Papa m'a portée sur la terrasse enveloppée dans mes couvertures et nous avons regardé le Double-Six brûler. C'était la chose la plus fascinante que j'avais jamais vue. Ça faisait sacrément peur. Au bout d'un moment, les murs ont cédé, mais on n'entendait rien à cause du hurlement du vent et du crépitement de la pluie sur le toit de la terrasse, et vous connaissez le dicton comme quoi la foudre frappe jamais deux fois au même endroit ? Eh ben c'est n'importe quoi, parce que pendant qu'on regardait, y a eu encore un craquement monstrueux et la foudre a frappé encore pile au milieu des flammes en faisant valser des étincelles et des langues de feu dans tous les sens ! C'était magnifique. Vraiment magnifique.

— J'imagine. À la manière dont vous le décrivez, j'imagine comme ça devait être magnifique, Ruth Lillian. Vous décrivez ça aussi bien que dans un livre.

— Vous trouvez ?

— Pour sûr ! C'est sûr qu'on dirait bien que Dieu voulait la peau du Double-Six, à le frapper de la foudre comme ça deux fois de suite.

— Sans doute.

— Et ils ont pas voulu le reconstruire ?

— Non. M. Delanny a juste déménagé de l'autre côté de la rue. La grande ruée commençait déjà à toucher à sa fin et la plupart des prospecteurs s'en étaient allés vers l'ouest. Pas longtemps après, y restait plus que la troupe hebdomadaire des mineurs du Filon Surprise. De toute façon, poursuivit-elle en fronçant les sourcils tandis que sa voix descendait dans des tons graves et solennels, il n'est pas sage de reconstruire une maison que Dieu a choisi de détruire.

Matthew opina lentement du chef.

— Ouais, je suppose que vous... Hé, vous me faites marcher, hein ?

— Évidemment que je vous fais marcher ! Pfiou !

Il resta silencieux quelques instants, puis se remit à parler d'une voix vive pour masquer sa gêne.

— Alors comme ça, votre père était maire ? Oh oh, regardez-moi, regardez-moi tous ! Je parle avec la fille du maire.

— Comme je l'ai dit, c'était pas officiel ni légal ni rien. Le seul boulot de maire qu'il ait jamais fait, c'était de marier des gens de temps en temps, et ça lui causait toujours du souci parce qu'il croyait pas qu'il avait la compétence pour ça. Et puis quand les hommes du Double-Six ont décidé que la ville avait besoin d'un marshal pour mettre un peu d'ordre dans le gros bazar du samedi soir, c'est papa qu'a dû accrocher l'étoile sur la chemise de l'homme qu'ils ont choisi. Et puis plus tard, quand... (Elle se tut brusquement et baissa les yeux.) Plus tard, quand ce marshal a quitté la ville, il a rendu l'étoile à papa. Il l'a rendue comme on donne une gifle.

— Une gifle ?

Elle le regarda longuement et posément en se demandant s'il était judicieux de lui raconter cette histoire, et il voyait une flamme de bougie miniature dans chacun de ses yeux, comme sur les boules de l'étoile.

— Je crois que vous feriez mieux de rentrer, dit-elle.

— Entendu. À demain soir pour le dîner, donc. Ah, tenez. Faut que je vous rende votre étoile.

— Non, gardez-la.

— Bon... merci ! Ouah. Allez, il est temps de vous dire bonne nuit, Ruth Lillian.

— Bonne nuit, Matthew.

À LA LUMIÈRE DE SA LAMPE qui brûlait avec cette odeur âcre que dégagent les lampes neuves, il commença à défaire son sac et à ranger ses affaires. Il avait pris presque tous les objets de valeur qu'il y avait chez lui – ce qui ne faisait pas tant de choses que ça, à vrai dire. En plus de ses vêtements et d'une couverture, il avait une bouilloire, une poêle à frire, une cafetière, le miroir à main et le peigne de sa mère (en corne d'animal authentique), un assortiment varié de tasses, couteaux et fourchettes, trois assiettes en émail ébréchées, ainsi qu'une cuvette à vaisselle et un broc en fer-blanc. Il posa tout cela sur une étagère à côté du poêle pour s'aménager une sorte de cuisine.

Tout de même, quand on y pense... Vivre dans le bureau du marshal ! Le Ringo Kid : Marshal. You-ouh !

En cherchant dans les autres maisons abandonnées, il avait glané un lit, deux tables (une grande et une petite), trois chaises à dossier droit et un rocking-chair qui grinçait comme grinçait celui de sa mère – pas sur la même note, mais presque exactement au même angle de balancement arrière. Il ne savait pas trop quoi faire du vieux fusil encombrant qu'il avait tant sué à transporter tout au long de son long chemin. Le mieux serait de s'en débarrasser, c'est sûr. C'est ce qu'il avait pensé dès le début. Peut-être devrait-il l'enterrer. Mais il faisait noir dehors, alors il le posa sur deux gros clous coudés au-dessus de la porte d'entrée. Ce faisant, il songea que c'était probablement le marshal qui avait planté ces deux clous pour son propre fusil, à un endroit où il serait facile à saisir en cas de troubles dans la rue. Il sortit de son sac la pochette de toile contenant les douze cartouches artisanales ainsi que ses autres trésors : une petite bouteille de verre bleue qu'il avait trouvée enterrée dans le jardin d'un de leurs nombreux logis temporaires (Qu'avait-elle contenu ? À qui avait-elle appartenu ? Et, plus mystérieux encore : Pourquoi l'avait-on enterrée ?), une bille avec un drapeau américain suspendu en son cœur (Comment avait-on pu faire ça ?), une pierre contenant des flocons dorés dont son père disait qu'il ne s'agissait que de l'or des fous (mais qui pourrait bien tout de même être de l'or, parce que, après tout, son père n'était pas infaillible). À ces trésors, il ajouta l'étoile de marshal à six branches que Ruth Lillian lui avait donnée. Insigne naturel pour qui vit dans le bureau du marshal. Il chercha des yeux un endroit sûr où cacher son sac de trésors et finit par le poser sous son sommier en le poussant bien au fond.

Après avoir fait son lit (Pfiou ! Il faudrait qu'il sorte le matelas de paille qu'il avait trouvé pour qu'il prenne le soleil et perde cette odeur de moisi…), il rangea sa collection de livres sur la petite table. Tous, sauf un, étaient des volumes cartonnés, bien écornés, des aventures du Ringo Kid ; l'autre était un dictionnaire à la reliure cassée qu'une maîtresse d'école lui avait donné. Il adorait chercher des mots dans le dictionnaire, se les répéter et se les répéter encore jusqu'à ce qu'ils lui appartiennent. Cette nuit-là, il chercha *caméléon*, mais ça lui prit du temps parce qu'il commença par chercher à "ka", puis à "qua". Lorsqu'il fut sûr que *caméléon* lui appartenait définitivement, il prit *Le Ringo Kid entre dans la danse*, s'assit bien confortablement dans son rocking-chair à lui au milieu de sa maison à lui et se mit à lire à la lueur de sa lampe à lui. Ça avait été une longue journée, et il somnolait en dodelinant de la tête sur son livre lorsqu'il fut réveillé en sursaut par du bruit dans la rue. Quelqu'un geignait… geignait et sanglotait. Sa première terreur réflexe fut de penser qu'il s'agissait d'un des fantômes dont Ruth Lillian lui avait parlé, mais l'organe vocal geignard criait d'un timbre plombé par le bourbon qu'il n'était qu'un pécheur !

Un fornicateur ! L'esclave des appétits de la chair ! Indigne – Ô, Seigneur, absolument indigne ! – d'être le vassal du Christ Ressuscité et le vaisseau de Son Verbe Sacré !

Matthew souffla sa lampe, décrocha son vieux fusil et ouvrit la porte sans faire de bruit. Suspendue au-dessus des contreforts de la montagne, une lune pleine irradiait la rue d'une lumière oblique bleu ardoise. Et là, titubant depuis les abords de l'Hôtel des Voyageurs, se dressait une haute silhouette vêtue de noir et coiffée d'un chapeau de pasteur. À chaque pas chancelant, ses bottes soulevaient un petit nuage de poussière dans les rayons de lune. Un ivrogne ! Un foutu pleurnichard d'ivrogne ! S'il y avait bien une chose que Matthew abhorrait... Sa poigne se resserra sur le fusil et il se força à prendre quelques longues et lentes respirations, comme sa mère lui avait dit de faire quand il entrait dans une rage folle. Puis il referma la porte et raccrocha son fusil au-dessus du linteau. Frissonnant convulsivement, il se frotta les mains l'une contre l'autre pour les laver de cette sensation de fusil. Qu'est-ce qui lui avait pris d'accrocher cette foutue arme là-haut ? Sa vue le révulsait !

Sans se déshabiller – sans même ôter ses bottes –, il s'allongea sur son matelas de paille bruissant et fixa l'obscurité. L'odeur de moisi se mêlait à celle de la lampe qu'il venait d'éteindre.

Depuis le bas de la rue, loin : Punissez-le, Seigneur ! Châtiez ce vil pécheur !

Puis, un peu plus tard, d'un peu plus loin : ... mais pardonnez-lui, Seigneur ! Je vous en prie, je vous en prie, pardonnez-lui !

Tard dans la nuit, longtemps après que la voix ivre s'était tue, Matthew observait la porte par un petit trou dans les couvertures qu'il avait tirées au-dessus de sa tête.

Le lendemain matin, Matthew était assis sur le bord de son lit, tête palpitante, sang lourd, yeux tendus. Toute la nuit il avait été pourchassé de cauchemar en cauchemar par... il ne se rappelait pas exactement quoi. Mais c'était visqueux et ça... beurk !

Il préférait ne pas y penser. Il se leva en grognant, versa de l'eau dans sa cuvette et s'en aspergea le visage en reniflant vivement pour évacuer les derniers lambeaux de rêve qui s'accrochaient encore.

Alors qu'il s'habillait péniblement, doigts gourds, il fit le point sur sa situation à Twenty-Mile. Ça s'était plutôt bien passé jusque-là. Il avait réussi à s'insinuer dans la communauté ; maintenant, il lui fallait se rendre indispensable. Au cours de son enfance passée à déménager de ville en ville et d'école en école, il avait développé sa propre technique pour se faire accepter dans les nouvelles "bandes", technique fondée sur son talent de comédien et sa grande soif de respect. C'était un système à deux coups. Premier coup : s'ouvrir un passage à travers la membrane protectrice de la bande de n'importe quelle manière – mensonge, flatterie, bagarre, humour… peu importe. Second coup : une fois à l'intérieur, se montrer liant, serviable et bien disposé à jouer le jeu selon les règles en vigueur. Alors, la bande finissait par vous accepter ; peut-être même vous respecter. Il n'avait en fait jamais pu récolter les fruits de sa tactique, parce que chaque fois qu'il avait commencé à s'intégrer, sa famille avait levé le camp. M. Delanny soupçonnait que les ruses sociales de Matthew étaient conçues pour enfariner les pigeons ; en réalité, il s'agissait de stratégies de survie.

Après avoir passé le peigne de sa mère en authentique corne d'animal dans ses cheveux mouillés, il s'en alla montrer à la bande de Twenty-Mile combien un homme pouvait se montrer accommodant et amical.

Il trouva Jeff Calder dans la cuisine de l'hôtel, en train d'agonir d'insultes le gros poêle Dayton Imperial tout en faisant des moulinets rageurs avec ses bras pour disperser la fumée. Le "'Jour m'sieur !" plein de soleil de Matthew demeura sans réponse tandis que le vétéran pestait contre les satanés foutus poêles de mes deux en général, et ce satané foutu poêle de mes deux en particulier. Et ces Bon Dieu de nouvelles "pochettes" d'allumettes Diamond… Soit elles s'allument pas, soit t'as toute la pochette qui brûle d'un coup… et tes putains de doigts avec !

— Ah là, dites donc ! fit Matthew, bonne idée !

Il posa la farine, la levure et le sirop de maïs qu'il avait achetés au Grand Magasin sur le plan de travail.

— Bonne idée quoi ? grommela Calder.

— Vous vous apprêtiez à ouvrir cette espèce de truc, là… cette… trappe, tout en bas. Et je crois que vous avez vu juste, m'sieur Calder. Ça pourrait bien calmer not' monstre.

Jeff Calder trouva le clapet d'arrivée d'air, l'ouvrit avec le crochet qu'il utilisait pour les couvercles, et le feu prit immédiatement en émettant un petit "pop", puis se mit à brûler avec une telle vigueur qu'il en aspira un peu de la fumée environnante.

— Vous avez trouvé ! s'exclama Matthew d'une voix ouvertement admirative.

— Bah… Oui… Un des trucs que l'armée t'apprend, c'est comment régler les problèmes.

— Merci de m'avoir montré, m'sieur, dit Matthew d'un ton affairé et pressé en enlevant sa veste. Maintenant, je peux prendre le relais. Vous m'avez dit que vous vouliez votre petit déjeuner à une table séparée de celle de M. Delanny, c'est bien ça ?

— Ah… euh… Ouais, c'est ça.

— C'est vous le chef. J'en ai pour deux secondes. Ah, au fait, vous aimez les biscuits ?

— Pour sûr.

— Bon, alors je vous fais des biscuits. Comme ceux que la mère elle me faisait.

— J'VOUS AVAIS BIEN DIT que ça sentait le biscuit ! s'écria Queeny lorsque Matthew apporta le plat fumant à la table des filles et que, d'un geste théâtral, il souleva le torchon qui couvrait les pâtisseries.

À côté des biscuits, Matthew posa un bol de sirop de maïs et une cuillère.

— Et tu m'as traitée de folle ! ajouta-t-elle à l'intention de Frenchy, qui ouvrit un biscuit en deux et versa du sirop sur l'une des moitiés avant de la manger.

— C'était l'idée de M. Calder, dit Matthew par-dessus son épaule en emportant un plat de quatre biscuits à la table de Jeff Calder. Il a dit comme ça que des biscuits, ça serait une bonne idée, pas vrai, m'sieur ?

— C'est que... Bah, y a pas de mal à avoir des biscuits au petit déjeuner ! déclara le vieil homme d'un ton irrité qui mettait quiconque au défi de le contredire.

M. Delanny accueillit son assiette de deux biscuits d'un hochement de tête mi-cynique, mi-admiratif.

— M. Calder m'a dit que d'habitude vous ne preniez que du café au petit déjeuner, mais j'ai pensé que peut-être... ?

— T'es un sacré numéro, toi.

Matthew sourit.

— On est comme ça, nous autres caméléons. Je vous ressers un peu de café ?

— Pour accompagner mes biscuits ? Allez, oui, pourquoi pas.

Queeny attrapa l'avant-bras de Matthew alors qu'il s'en retournait vers la cuisine.

— Tu sais ce que tu es, petit ? Tu es un foutu beau trésor, voilà ce que t'es. Des biscuits ! Et du bacon qu'est pas raide carbonisé... pour une fois ! Tu ferais un sacré chouette mari !

Elle pouffa d'un rire sonore et pulvérisé de miettes.

— Continue comme ça, fiston, dit Frenchy, et qui sait ? Il se pourrait que tu voles mon cœur.

Bien qu'elle ne levât pas les yeux pour croiser ceux de Matthew, Chinky dévorait elle aussi ses biscuits, nouveauté bénie pour une jeune femme aux papilles orientales éternellement condamnée à avaler du bacon et du fromage et toutes ces textures et parfums occidentaux dégoûtants.

— C'est ma mère qui m'a appris comment les faire. Je l'aidais à faire la cuisine quand elle était pas en forme.

— HO-o-O-o-oh ! (Le vibrato de Queeny trahissait à la fois le sentimentalisme moite de l'ivrogne et l'émotivité théâtrale d'une femme qui avait eu, comme elle le disait à qui voulait l'entendre, plus que son lot de gloire en tant qu'artiste de cabaret.) Là, faut dire, tu as bien agi à aider ta maman comme ça. Les mères, on en a tous qu'une dans la vie, et y a rien d'autre à ajouter à ça. Elle est malade, ta mère ?

— Elle est décédée, Madame. Il y a quelques jours.

— HO-O-o-ooh !

— Ouais… je sais… Je n'arrête pas de me dire qu'elle est plus dans la souffrance et la misère, maintenant. Et ça me console.

— HO-Oh-o-o-o-ohh ! C'est pas vrai… Comme je dis toujours, si y a bien une chose en ce bas monde… Hé ! Tu pourrais en laisser un peu pour les autres, Frenchy ! T'es pas obligée de tous te les fourrer comme ça dans l'gosier ! Non mais franchement ! Y a des gens, c'est vraiment rien que des porcs !

À PARTIR DE CE JOUR, les biscuits furent systématiquement au menu du petit déjeuner servi à l'Hôtel des Voyageurs, comme le furent également les quelques minutes de parlotte taquine entre Matthew et les filles. Frenchy avait un sens de l'humour roué et sec, et le plaisir apparent avec lequel Matthew l'entendait la forçait à se surpasser ; Chinky levait les yeux pour échanger avec lui un sourire timide contre un sourire facile ; et il prêtait toujours une oreille attentive à Queeny lorsqu'elle se lançait dans ses réminiscences du bon vieux temps.

— Je t'ai déjà parlé de quand j'étais danseuse, petit ?

— Oh, pas plus de deux cents millions de fois, marmonnait Frenchy en dévorant un biscuit.

— T'aurais dû voir ça ! Comme les hommes hurlaient et sifflaient quand je leur faisais ma danse des Sept Voiles !

— C'est plutôt sept draps qu'y faudrait, maintenant, pour te couvrir.

M. Delanny s'amusa de voir la manière dont, après avoir récolté tout le crédit pour l'amélioration du petit déjeuner, Jeff Calder convint, certes à contrecœur, que ce garçon "apprenait vite". Et même les yeux de M. Delanny perdirent un peu de leur habituel mépris blasé lorsqu'il les leva de sa partie de réussite à quatre mains avec Frenchy pour regarder Matthew travailler dur à balayer la salle ou nettoyer les tables en chantonnant pour lui-même, avec une énergie pleine de bonne humeur.

Matthew sentit qu'il y avait quelque chose entre M. Delanny et Frenchy. De temps à autre, elle venait s'asseoir à sa table et, sans un mot, il ramassait toutes ses cartes et les disposait immédiatement pour une partie à deux, qu'ils jouaient en silence avec une rigueur de concentration et une précision des gestes qui trahissaient une forte volonté de gagner de part et d'autre. Ils ne se parlaient jamais, même si une série de tirages particulièrement malchanceux pouvait pousser Frenchy à lâcher un de ses jurons délicieusement paillards qui soufflaient même les plus endurcis des mineurs. Une fois la partie finie, elle s'en allait et M. Delanny battait les cartes et se servait un nouveau jeu. Aucun autre résident de l'hôtel n'osait s'asseoir à la table de M. Delanny. Ce qu'il y avait entre eux n'était pas physique. Ce n'était même pas de l'amitié, au sens habituel du terme. Mais Matthew remarqua que Frenchy s'asseyait toujours un peu de biais à la table de jeu, pour offrir son profil non balafré à M. Delanny. Un soir, alors qu'il réfléchissait à cette étrange relation en marmonnant pour lui-même comme il le faisait chaque fois qu'il soupesait un problème, il décida que Frenchy et M. Delanny étaient comme deux inconnus qui tuaient le temps ensemble en attendant leur train. "Des inconnus qui vont dans la même direction mais pas au même endroit." Il fut fier de cette formulation, et il se souvint d'une maîtresse – celle qui lui avait offert le dictionnaire – qui lui avait dit qu'il avait un don pour le langage. "Deux personnes qui vont dans la même direction mais pas au même endroit", répéta-t-il à voix haute. "Ça, ça donne à réfléchir. C'est… profond. Vous savez quoi ? peut-être qu'un jour je me dégotterai du papier et un crayon et que j'écrirai un livre. Un truc dans le genre de M. Anthony Bradford Chumms. Mais mon héros sera pas comme le Ringo Kid, pour pas que les gens pensent que je copie. Mon héros à moi sera gaucher, et il dégainera croisé. Et il sera pas texan, comme Ringo Kid. Il sera… canadien ! Ça ferait d'lui un étranger, quelqu'un de complètement différent. Et son cheval sera un pinto, pas un grand gris comme celui du Kid. Et il…"

La vie quotidienne de Matthew trouva vite son propre rythme. Son travail matinal à l'hôtel s'avéra sa principale source de revenu, parce que le récurage des baignoires et le ménage au salon de coiffure n'étaient qu'hebdomadaires, et les petits boulots que B.J. Stone et Coots arrivaient à lui trouver ne l'occupaient jamais plus de cinq ou six heures par semaine. Bien que son travail chez les Kane – les grosses tâches dont M. Kane grommelait qu'il pouvait parfaitement les faire tout seul, alors qu'en réalité, il en était incapable à cause de ses douleurs au cœur – lui prît seulement une ou deux heures par jour, le Grand Magasin devint le centre de sa vie. Il regrettait que M. Kane ne lui reparlât jamais plus de sa jeunesse comme il l'avait fait le premier soir. Au lieu de cela, juste après le dîner, il disait qu'il était fatigué et se retirait dans sa chambre pendant que Matthew et Ruth Lillian faisaient la vaisselle. Ensuite les deux jeunes passaient environ une demi-heure assis sur la terrasse, à regarder le ciel nocturne au-dessus des contreforts, à jouir de la douce brise du soir, à parler à voix basse, parfois, partageant les brins de pensée vagabonde qui erraient dans leurs esprits, ne s'échangeant que rarement des regards.

C'est au cours d'une de ces conversations sans but que Matthew en apprit suffisamment sur les faiblesses de la chair du révérend Hibbard pour s'armer en prévision de leur première rencontre. L'aisance avec laquelle Ruth Lillian employait le mot "bordel" pour parler de l'hôtel le surprenait.

Et l'impressionnait, aussi.

Le lendemain matin, après avoir passé le peigne de sa mère dans ses cheveux mouillés, fermant les yeux et grimaçant chaque fois qu'il s'accrochait dans un nœud, Matthew prit sa cuvette à deux mains, la fit tourner pour en rincer les bords, ouvrit sa porte d'entrée d'un coup de hanche, et balança l'eau…

… pile sur les bottes du révérend Leroy Hibbard, debout, le poing dressé pour frapper à la porte.

— Hé, fais un peu attention à ce que tu fais, petit !

— Oups, désolé ! Je savais pas que vous étiez là.

— C'est pas une excuse ! Tu mériterais une bonne paire de claques.

Matthew fixa le prédicateur un instant puis répondit de sa douce voix de Ringo Kid :

— Eh bien, monsieur, ce n'est peut-être pas une excuse, mais c'est une explication honnête. Je suis vraiment désolé de vous avoir mouillé les chaussures. Mais une paire de claques ? Ça non, ça n'arrivera pas. Ça n'arrivera tout simplement pas. Vous m'entendez ?

Ses expériences en tant que nouveau à l'école lui avaient permis de se forger une capacité instinctive à reconnaître les petites frappes, et ce prédicateur en était une. Matthew avait appris qu'en s'écrasant on ne faisait qu'aiguiser leur soif de maltraitance. Il se sentit alors glisser vers ce qu'il appelait "l'Autre Endroit", son refuge habituel face au danger et à l'agressivité. Tant qu'il était dans son Autre Endroit, il demeurait parfaitement conscient de tout ce qui se passait autour de lui, mais les choses prenaient une texture vague qui les allégeait de toute menace. Matthew sentait les épaisses murailles de l'Autre Endroit se dresser lentement en lui, comme bâties par sa propre structure mentale.

Lorsque le révérend répliqua d'un ton sec : "Qu'est-ce que tu fabriques ici, petit ?" le regard de Matthew s'adoucit encore un peu et il sourit.

— Eh bien, là, maintenant, je me prépare pour aller travailler.

— Non, je veux dire, qu'est-ce que tu fabriques dans le bureau du marshal ?

— J'habite ici.

— Ah, alors comme ça, tu te pointes en ville et tu prends une maison, hein ?

— Oui monsieur. Comme vous avez fait avec le dépôt.

— Pardon ?

— Vous avez pris un bâtiment abandonné. Tout comme moi.

— Mais je suis d'ici, moi.

— Moi aussi. Cette ville est mon chez-moi, maintenant. (Il sourit.) Bien, monsieur, c'était très gentil à vous de passer me souhaiter la bienvenue, maintenant si vous voulez bien m'excuser, il faut que j'aille au travail.

Mais le prédicateur ne bougea pas d'un poil, pieds fermement ancrés dans la mare de son ombre. Son corps hâve était doublement raide sous l'effet conjugué de sa dignité guindée et d'une gueule de bois que trahissaient les coupures qu'il s'était faites sur ses joues concaves en se rasant d'une main tremblante. Mais malgré la raide aridité générale du révérend, la plupart des détails de son apparence étaient liquides : yeux moites aux vaisseaux injectés de sang rouge rage, lèvre inférieure tombante et humide, perles de sueur sur le front, voix de baryton grasse enluminée de ce trémolo en toc que les prédicateurs utilisent pour donner de la gravité au Verbe du Seigneur. Même sa diction était moite, en partie à cause de la flaccidité de sa bouche, et en partie à cause de son absence de molaires. N'ayant marqué aucun point contre ce jeune intrus sur la question du domicile, il battit en retraite vers un terrain plus familier.

— Dis-moi, petit, as-tu été régénéré dans la voie du Bien ?

— Je ne sais pas trop. Mais ma mère me lisait la Bible tous les soirs, si ça peut vous aider.

— Le Diab' aussi peut citer les Évangiles !

L'odeur de bourbon rance fit se nouer le ventre de Matthew.

— J'espère que vous êtes pas en train de dire que ma mère était le Diable.

— Je dis que citer la Bible suffit pas à faire d'un pécheur un saint.

— Là, j'vous suis.

Le révérend fronça les sourcils. Était-ce une pique contre lui ?

— Mais pour sûr, c'est pas lire la Bible qu'a fait grand bien à ma mère. Elle disait que les débonnaires hériteront de la Terre. Mais après toute une vie à être débonnaire, la seule terre dont elle a hérité avait six pieds de fond.

— Comment oses-tu contredire la Bible, petit ! C'est du blasphème ! Et les blasphémateurs se tordront et hurleront de douleur dans les grands fleuves de flammes !

— Ah ouais ? (Matthew planta son regard dans les yeux assommés de gnôle du révérend avec un calme glacé qui les fit cligner maladroitement.) Et les ivrognes, Révérend ? Est-ce qu'ils se tordront et hurleront eux aussi ? Et les bigots qui fréquentent furtivement les bordels à la nuit tombée ? Ils se tordent bien, hein ? Je sais qu'ils hurlent comme il faut, parce que j'en ai entendu un l'autre nuit, qu'a descendu toute la rue en titubant et en criant comme un damné.

Les lèvres du révérend se serrèrent.

— Tu te prépares à des tas d'ennuis, petit ! Qui sème le vent récolte la tempête !

Matthew le fixa longuement et posément, puis autorisa le Ringo Kid à déclarer pour lui :

— Si y a une tempête qui se prépare, monsieur, vous pouvez être sûr que je serai pas le seul à être trempé.

Sur quoi, le Ringo Kid tourna les talons et s'en alla d'un pas détendu et confiant, pendant qu'un Matthew incertain sentait le regard du révérend lui tarauder la colonne vertébrale.

En arrivant à l'Hôtel des Voyageurs pour commencer à préparer le petit déjeuner, il se sentit émerger de l'Autre Endroit. Le poids retomba sur ses jambes, et les objets qui l'entouraient se mirent à perdre le halo à la fois flou et lumineux dans lequel ils baignaient. Il inspira de longues bouffées d'air frais du matin pour diluer l'acide coléreux qui lui tenaillait l'estomac, comme chaque fois qu'il avait dû faire face aux petites frappes d'une nouvelle cour d'école.

Il savait qu'il s'était fait un ennemi en la personne du révérend, et il savait que ce n'était pas malin, parce que l'expérience lui avait enseigné que la meilleure manière de maîtriser les gens était de les oindre constamment de sa pommade spéciale, mélange de taquinerie et de brusques accès de sincérité, qui les adoucissait et les décontenançait.

... Mais cette haleine qui puait le bourbon !

Tie Siding, Wyoming

UN PETIT FILET DE BAVE coulait au coin de la bouche du vieil homme à la suite d'une récente attaque qui lui avait laissé la lèvre inférieure flasque et une paupière tombante.

Le plus grand des intrus, celui qui était doté d'une tête d'obus sans cou plantée entre ses épaules et d'une bouche éternellement figée en un vil petit rictus coincé, était assis à la table du vieil homme ; il avait pris la miche de pain et en arrachait de gros bouts qu'il plongeait dans le pot de miel avant de se les enfoncer dans la bouche. Il mâchait en chantonnant avec un plaisir enfantin, et cela semblait agacer le second intrus, un petit homme trapu qui surveillait la rue derrière les rideaux en dentelle.

Le vieil homme fouillait les yeux gris pâle du troisième intrus, patiemment assis en face de lui, jouant d'un air absent avec le médaillon de sa cravate en cuir tressé. Pourquoi ces hommes avaient-ils fait irruption dans sa paisible petite maison ? Qui étaient-ils ?

— Allons, un petit effort, monsieur Ballard, dit l'intrus aux yeux gris. Faites un peu marcher votre mémoire ! Je ne peux pas croire que vous m'ayez oublié, parce que moi, j'me souviens de vous. Ça, j'me souviens très bien de vous. J'me souviens même des gilets chics que vous portiez tout le temps. (Il tendit le bras et tâta du bout des doigts le revers soyeux du gilet en brocart vert et or du vieil homme.) Je suis sincèrement attristé de vous voir estropié comme ça, monsieur Ballard. Vous permettez ? (Il prit la canne que le vieil homme serrait entre ses genoux.) Ça fait des semaines que nous nous cachons dans les fossés, dans les granges, moi et mes compagnons, pendant que des hommes armés sont partout à nos trousses. Et pendant tout ce temps, je rêvais de vous retrouver dans votre école, une fois tous les élèves partis. Juste vous et moi, c'est tout. Comme quand vous me gardiez en retenue.

— Vous avez été mon élève ? demanda M. Ballard en prononçant les "v" comme des "f" à cause de sa lèvre paralysée.

— Nous y voilà ! Voyons maintenant si vous pouvez trouver mon nom. Souvenez-vous. Souvenez-vous.

Mais, au fil des ans, M. Ballard avait eu de très nombreux élèves dans son école à classe unique de Tie Siding, cette ville-champignon née sur la poussière rouge de la frontière entre le Wyoming et le Colorado pour fournir à la société de chemin de fer Union Pacific les traverses de bois imprégnées de goudron dont elle avait besoin dans la course de conquête de territoire qu'elle menait contre la Central Pacific. Il n'avait pas fallu longtemps avant que les forêts de pin primitives des hauts plateaux se retrouvent entièrement rasées, et la ville avait alors commencé à choir de son zénith, où elle pouvait se targuer d'avoir eu deux grands magasins, trois hôtels, un bureau de poste, le plus grand saloon au sud de Laramie, et une prison en pierre, seul bâtiment ainsi construit dans toute cette ville de bois. De cela ne restait plus qu'un magasin dont la gérante travaillait également comme postière. Quand M. Ballard avait fait son attaque, il n'y avait plus qu'une douzaine d'élèves dans l'école – si peu qu'il avait pu se faire remplacer par une jeune veuve qui avait jadis été son élève préférée. En plus de faire la classe, elle lui apportait ses repas et s'occupait de son linge.

M. Ballard fronça les sourcils et pressa une main sur sa bouche en un effort pour se remémorer qui, dans toute la ribambelle à moitié oubliée des garçons ayant usé leurs pantalons sur les bancs de son école, avait pu devenir cet adulte aux yeux morts gris acier. Ses doigts sentirent la bave que sa lèvre était incapable de sentir, et il l'essuya d'un geste vif en frissonnant de dégoût. Il avait toujours été très soucieux de son allure et de sa diction ; les effets de son attaque sur ces deux indicateurs sociaux l'embarrassaient au plus haut point.

— Je suis désolé, mais j'ai bien peur d'être incapable de me souvenir de vous.

— Allons, allons, faites un effort, monsieur Ballard, s'il vous plaît, implora l'intrus aux yeux pâles avant d'asséner subitement un violent coup de canne sur la table et de poursuivre : Souvenez-vous, bordel de Dieu !

Cette explosion de violence déclencha une soudaine épiphanie du souvenir, et l'œil gauche de M. Ballard s'écarquilla d'horreur.

Lieder sourit.

— Ah, ça y est, vous vous rappelez, maintenant ! Je le vois dans vos yeux. Enfin… dans l'un d'eux tout au moins. Oui, c'est ce bon à rien de p'tit Lieder ! Qui revient comme un châtiment de Dieu ! Vous croyiez en finir avec moi en m'envoyant de force dans ce foyer pour mauvais garçons, pas vrai ? Pas vrai, monsieur Ballard ? Mais c'était sans compter sur cette force que j'ai découverte dans un livre. Le karma. Et le karma, c'est ça : ce que vous servez aux autres revient tôt ou tard vous gaver violemment le gosier. Et Dieu sait que vous en avez servi ! Pour une raison que j'ignore, vous vous êtes braqué contre moi dès mon premier jour dans votre école.

— Ça m'étonnerait que je me sois…

— Vous vous êtes braqué contre moi ! J'étais un gamin intelligent, et j'avais des questions à poser. Mais vous vous êtes braqué contre moi. Vous vous rappelez ce premier jour ?

— J'ai eu tellement d'élèves. Je ne me souviens d'aucun en particulier…

— Oh, mais vous allez vous en souvenir, faites-moi confiance, monsieur Ballard. J'ai risqué ma peau rien que pour vous rafraîchir la mémoire. Je suis revenu dans ce trou à rats, alors que je savais qu'on risquait de m'y attendre pour me remettre au violon.

— … Je ne sais vrai…

— Le premier jour, j'ai essayé de vous faire savoir que j'étais intelligent et digne de votre attention, de vos louanges. J'ai levé la main, levé la main, levé la main, mais vous n'interrogiez que vos chouchous. Puis, quand vous nous avez parlé des Indiens, je me suis penché et j'ai murmuré à un gars que j'avais vu un Indien avec un bonimenteur qui vendait des remèdes, et je lui ai décrit comment il avait fait la danse de la pluie là, comme ça, en face de l'Hôtel Price. Vous avez fait claquer votre espèce de badine sur votre bureau et m'avez hurlé de la fermer. J'ai essayé de vous dire que j'étais juste en train d'expliquer des trucs sur les danses indiennes à mon voisin, mais vous avez dit que si j'en savais tant que ça sur la danse, le mieux ce serait que je vienne au tableau pour danser devant tout le monde. Et vous me dites que vous vous souvenez pas de ça ?

— Non, je ne m'en souviens pas ! Je le jure devant Dieu, je ne m'en souviens pas.

Sa voix s'était mise à trembler et la bave coulait généreusement.

— Vous vous souvenez pas, hein ? Eh bien laissez-moi vous peindre un peu le tableau. J'avais huit ans. Petit gars maigrichon, pieds nus, en short. Vous m'avez dit de venir danser au tableau, et je vous ai dit que je voulais pas. J'étais mort de honte, mais vous m'avez attrapé par les cheveux et vous vous êtes mis à me frapper les mollets avec votre badine de saule, et je me suis mis à danser. À danser et à crier. Et plus vous frappiez fort, plus je dansais haut et plus je criais fort ! (Des larmes dures emplirent les yeux de Lieder, et les muscles de ses mâchoires se contractèrent.) Et vous avez dit : “Eh bien, on dirait que notre petit Indien chante aussi bien qu’il danse.” Et tout le monde a ri. Et votre badine de saule s’abattait sur mes jambes nues encore et encore et encore ! Et j’ai dansé pour vous, monsieur Ballard ! Et j’ai chanté pour vous !

Les deux autres intrus étaient restés immobiles, bouche bée, saisis, fascinés par l’aisance avec laquelle leur chef parlait.

— Je vous assure, jeune homme, qu’il n’a jamais été dans mon intention de…

— Et votre chouchoute, la petite Polonaise aux boucles blondes ? Celle qui s’habillait toujours en rose et blanc ? Elle en a ri aux larmes ! Et on était là, cette fille et moi, avec tous les deux des larmes qui dégoulinaient sur nos joues !

— Je ne me rappelle rien de tout cela. Si j’ai vraiment fait ce que vous dites, c’était mal. Je le reconnais. Mais s’il vous plaît ne…

Lieder asséna un coup de canne si violent contre la tempe de l’instituteur qu’il lui arracha le haut de l’oreille. Les yeux du vieil homme se révulsèrent alors qu’il allait sombrer dans l’inconscience, mais Lieder l’attrapa par les cheveux et lui redressa la tête.

L’homme à tête d’obus s’arrêta de manger pour ne rien perdre de la scène. Le miel qui coulait de son quignon forma une petite mare sur la table. Le petit homme trapu qui faisait le guet à la fenêtre se rapprocha de quelques pas pour mieux voir.

— Et de ce jour, monsieur Ballard ! (Lieder pressa son visage grimaçant jusqu’à quelques centimètres de celui, à demi paralysé, du vieil homme.) De ce jour, ce fut la guerre entre nous. Vous me frappiez à la moindre occasion ; moi, je foutais un bazar infernal au fond de la classe et je tabassais les autres enfants pendant la récréation. Un soir, je me suis même introduit chez vous pour chier dans votre puits. Depuis, vous avez pas arrêté de boire ma merde, monsieur Ballard ! Mais notre guerre n’était pas un combat équilibré, parce que vous étiez un adulte et que j’étais qu’un gosse. Et vous aviez votre badine. Elle vous quittait jamais. Et puis un jour vous m’avez traîné au tableau et vous m’avez fouetté si fort que vous avez cassé votre badine sur mon cul. Zavez cassé votre putain de badine ! Vous vouliez m’entendre crier pitié, mais c’était hors de question !

C'était hors de question parce que j'en avais ma claque de chanter et danser pour vous, monsieur Ballard ! J'ai serré les dents si fort pour m'empêcher de crier que j'me suis cassé celle-là, voyez ! Voyez ? *Voyez ?* Tous les gosses riaient. Ils m'avaient jamais aimé parce que j'étais plus malin qu'eux et que je les faisais jouer à des jeux que moi je choisissais. Cette petite Polack rose et blanche, là, votre chouchoute, c'est elle qui riait le plus fort. Et vous vous demandez si j'me sentais humilié, monsieur Ballard ? Vous vous demandez vraiment ? Eh ben devinez à qui c'est le tour d'être humilié maintenant, monsieur Ballard. Mon-P'tit-Bobby ? Attrape cette vieille merde et allonge-la-moi sur la table jusqu'au nombril.

Le géant à tête d'obus bourra son quignon dans sa bouche, traîna le vieil homme jusqu'à la table et appuya sur sa tête jusqu'à ce que sa joue se colle dans la petite mare de miel.

— Baisse-lui son froc ! ordonna Lieder. Je m'en vais lui fouetter l'cul ! Qui sait ? Peut-être qu'il chantera et dansera pour nous.

Mon-P'tit-Bobby sourit, défit la ceinture de M. Ballard et baissa d'abord son pantalon puis son caleçon, et Lieder commença à faire pleuvoir méthodiquement les coups sur le vieux derrière fripé. Aux cinq ou six premiers, le corps du vieil homme se convulsa chaque fois tandis qu'il geignait dans la mare de miel, puis, soudain, ses muscles s'affaissèrent et il resta immobile et silencieux. Mais la rage de Lieder croissait avec l'exercice, et les coups continuaient à tomber de plus en plus vite et de plus en plus fort, jusqu'à ce que le derrière fût de la couleur et de la texture d'un bol de marmelade aux cassis.

— T'as pas intérêt à crever ! T'as pas intérêt à crever, espèce de fils de pute ! cria-t-il à travers ses dents serrées. Tu m'auras pas comme ça ! J'ai encore de la vengeance pour toi ! J'ai encore des années de vengeance qui t'attendent !

Le petit homme trapu siffla depuis la fenêtre.

— V'là quelqu'un !

Haletant, visage dégoulinant de sueur, Lieder cligna des yeux pour reprendre pied dans la réalité.

— Qu… ? Qu'est-ce que tu dis ?

— V'là quelqu'un !

Lieder marcha jusqu'à la fenêtre et regarda à travers le rideau de dentelle. Une femme approchait depuis le bout de la longue rue en terre battue avec une boîte à repas en fer-blanc dans les bras.

— On dirait qu'elle apporte le dîner du vieux, dit le petit homme. On ferait mieux de mettre les bouts et de passer dans le Colorado.

— On va pas dans le Colorado. On file vers le nord, vers les Medicine Bow Mountains. Y a de l'or et de l'argent là-haut. Des métaux précieux pour financer ma croisade.

— Mais... mais si c'était pour aller vers le nord, pourquoi on a commencé par descendre au sud ? Ça n'a pas de sens !

— Ne me dis pas ce qui a du sens ou pas ! Je suis venu ici parce que j'avais une affaire à régler. Maintenant, ce compte est soldé et je peux poursuivre ma route en paix. On s'en va vers le nord. Alors vous feriez bien de me fouiller un peu cet endroit, vous deux, et vite ! Prenez tout ce que vous pouvez emporter : armes, vêtements, argent, bouffe... tout.

Mais le petit homme n'en croyait pas ses oreilles.

— On retourne vers Laramie et la prison ?

— Tu m'as bien entendu. C'est le dernier endroit où ils penseront à nous chercher. On va contourner Laramie puis on mettra cap vers la montagne. J'ai deux règles. Toujours faire ce à quoi les gens s'attendent pas. Et toujours le faire vite. Ils découvriront ce qui s'est passé ici et ils croiront qu'on a filé se réfugier au Colorado. Donc soit ils nous poursuivront, soit ils... Hé, mais j'la connais, celle-là !

— Comment ?

— Cette femme ! Je me souviens de ses boucles blondes et de ses robes rose et blanche ! Regardez-la-moi, maintenant, tout adulte, toute dodue et toute proprette.

— On ferait mieux d'y aller. Elle est presque sur nous.

— N-non. Je crois qu'on va s'asseoir sans un bruit et la laisser entrer. Passe-moi cette canne, tu veux bien, Mon-P'tit-Bobby ?

— Tu vas la rosser ? demanda le géant sans cou, narines béantes d'excitation.

— Je sais pas encore exactement ce que je vais lui faire. (Le regard de Lieder se fit doux et distant.) Mais une chose est sûre. Cette fois, elle rira pas de moi… pas même un petit gloussement.

Mon-P'tit-Bobby sourit et soupira, satisfait.

VENDREDI MATIN, après avoir accompli ses tâches et s'être livré à l'échange désormais rituel de plaisanteries mi-taquines, mi-badines, avec les filles de l'hôtel, Matthew avait deux petites heures à tuer avant d'aller déjeuner chez les Kane, alors il laissa ses pas le guider vers le seul coin herbu de Twenty-Mile : un petit pré triangulaire en pente, traversé par un petit ruisseau alimenté par la source qui fournissait l'eau de la ville. Ce pré appartenait à l'écurie de louage, et une demi-douzaine de ses mules y paissaient nonchalamment tandis que, tout au bout, une vache maigre se tenait à l'ombre de l'unique arbre de Twenty-Mile, squelette rabougri dont les branches sans feuilles brossées par la brise s'étiraient sous le vent en une triste imploration vers le côté, tels des doigts décharnés cherchant à griffer les nuages. Ce pré n'étant visible que depuis les écuries, c'est avec un sentiment d'agréable réclusion que Matthew le traversa d'un pas tranquille dans le but d'aller jeter un œil au cimetière qui le jouxtait – mais B.J. Stone l'appela, alors il fit demi-tour et se mit à la tâche qu'ils lui avaient trouvée : huiler les outils.

Tandis que Matthew s'acquittait d'une mission dont il savait qu'on l'avait inventée juste pour pouvoir lui donner quelques pièces, B.J. Stone et Coots poursuivaient leur partie de whist enflammée, faisant claquer leurs cartes sur la table en poussant des cris de victoire à chaque pli remporté, ou en grognant lamentablement à chaque pli perdu.

— Je t'ai vu échanger des politesses avec notre fournisseur de péchés, hier matin, Matthew, dit B.J. Stone en trifouillant l'éventail serré de ses cartes pour en faire péniblement émerger une, puis la remettre en place en quelques coups d'index, puis se mordiller la lèvre inférieure en chantonnant sur une note douteuse… puis…

— Alors, tu joues ou quoi ? lâcha Coots d'un ton sec.

— Serre les fesses, si t'es pressé, lui conseilla B.J. Le problème, c'est que je sais plus trop. Si tu as joué la dame de trèfle…

— Ça, c'est à moi de savoir, et à toi de trouver.

— Hmm. (Il se tourna vers Matthew.) Qu'est-ce qui se passait entre toi et notre Billy Sunday à nous – même si contrairement à l'infatigable William Ashley Sunday, notre Hibbard n'a jamais vraiment été joueur de base-ball professionnel, et Dieu sait que c'est pas non plus un fougueux partisan de la prohibition – enfin, peut-être que si. Nul abîme d'hypocrisie ne me surprendra de sa part.

— Qu'est-ce qu'un prédicateur fabrique dans un coin paumé comme Twenty-Mile ? demanda Matthew.

— Et nous autres, alors ? Qu'est-ce qu'on fabrique ici ? répliqua B.J. Stone.

— On joue pas aux cartes, ça, c'est sûr, grommela Coots.

— J'y pense ! Attends un peu… J'ai ouvert avec le sept, et tu l'as pris. Mais est-ce que tu l'as pris avec la dame ? Voilà ma question.

— Je ne dirai rien. Voilà ma réponse.

— Hmm, fit B.J. en se tournant de nouveau vers Matthew. Le Filon Surprise appartient à des marchands de Boston, des descendants de types eux-mêmes descendus du *Mayflower*, non pas en quête de liberté religieuse, comme le racontent les livres d'histoire, mais en quête d'un endroit où imposer leur propre style d'intolérance religieuse. On pourrait croire qu'une fois que les opprimés ont vaincu leurs oppresseurs, ils veuillent abolir l'oppression. Mais non. Non, la nature humaine étant ce qu'elle est, dès que l'opprimé parvient à gagner un peu de pouvoir, il l'utilise pour opprimer son ancien oppresseur… ou n'importe qui d'autre qui passe par là.

— On s'en fout comme du trou du cul d'un rat musqué, signala Coots. Tu joues ou tu joues pas ?

— Ces pieux Bostoniens considèrent la mutilation et la mort de travailleurs au fond des mines inadéquatement étayées comme un effet secondaire malheureux mais méprisable de la nécessité qu'il y a à maximiser le profit, et leurs afféteries morales exigent que leurs esclaves salariés soient exposés à la parole de notre Seigneur tout-puissant au moins une fois par semaine. Le gérant de la mine a donc dû trouver quelqu'un qui veuille bien monter là-haut menacer ces pauvres bougres de damnation éternelle tous les dimanches. Et quel genre de prédicateur pourrait accepter de vivre dans une ville comme Twenty-Mile pour s'occuper des ouailles rétives du Filon? Le révérend Hibbard, voilà quel genre.

— Est-ce que tu vas jouer, oui ou merde?

— Patience, patience. *Aequam memento rebus in arduis servare mentem*, comme disait ce bon vieil Horace.

— Je m'en fous comme des borborygmes du cul d'une putain décatie! Ce que moi j'te dis, c'est chie ta carte ou quitte la table!

— Donc, vois-tu, Matthew, le révérend Hibbard fait ce que tous les autres font à Twenty-Mile. Il sert la mine. Même le pauvre vieux Coots et moi, on travaille pour la mine. Ils utilisent des mules dans les galeries; nous, on ramène les blessées et les malades ici pour s'en occuper et les nourrir, et on en laisse quelques-unes au pré, là-haut. Tu dois les avoir vues, avec le bœuf.

— Le bœuf?

— Chaque semaine, le train apporte un bœuf sur pied de Destiny jusqu'à chez nous, pour l'auberge. En général, c'est une vieille vache toute maigre et toute sèche. On laisse les Bjorkvist la faire paître dans notre pré en échange de quelques "steaks". Des fois, la pauvre bête arrive avec une jambe cassée, parce que personne s'est donné la peine de l'attacher correctement dans le train. Mais Dieu merci, elle n'a pas à souffrir très longtemps – quelques jours tout au plus, jusqu'à ce que Bjorkvist et son demeuré de fils l'abattent et la découpent. Pas du travail de boucher, non; ils la coupent juste en morceaux qu'ils servent ensuite surtout aux mineurs. Mais les Bjorkvist en vendent aussi à leurs concitoyens. Une ou deux heures de boucherie par semaine, voilà la seule contribution des Bjorkvist mâles à l'économie locale; mais sans leurs "steaks", on n'attirerait pas les mineurs, ils iraient pas chez Kane acheter des trucs, ils iraient pas se laver, se raser et se parfumer chez le Pr Murphy, et ils iraient pas chez Delanny pour se payer du bourbon et de la fesse, ce qui, quand on y pense, n'est qu'un autre versant du commerce de viande. Tu vois, fiston: à Twenty-Mile, nous sommes tous au service de la mine.

— Ce qu'on fait pas, par contre, c'est jouer quand c'est notre putain de tour!

— Twenty-Mile est une communauté de finis et de jamais commencés. De ratés, d'incasables. Tous. Une fois tous les trente-six du mois, y a un prospecteur qui se pointe en grimpant par les ravins, qui traverse le pré, là, et qui débarque en ville en crevant pour un verre de bourbon chez Delanny, ou pour un peu de bon temps avec une des filles. Mais y tarde pas à repartir dans la montagne en quête du coup de pioche qui l'enverra finir ses jours dans son joli Sam Suffit.

— Les vieux benêts ! grogna Coots.

— Y sont p'têt pas si benêts que ça, dit Matthew. P'têt bien qu'y recherchent juste le grésillement.

— Qu'y recherchent quoi ? demanda B.J.

— … le grésillement ?

Les deux hommes échangèrent un regard éberlué.

— Euh… de quel grésillement tu parles, Matthew ?

Gêné, Matthew baissa les yeux et s'appliqua à huiler énergiquement la paire de pinces qu'il avait dans la main.

— T'as peut-être raison, admit B. J. Peut-être que les prospecteurs sont pas plus fous que nous autres qui nous sommes laissés aller à rester naufragés dans cet authentique trou-du-cul de l'hémisphère occidental.

— Pourquoi vous restez si ça vous plaît pas ? demanda Matthew en se souvenant qu'il avait posé la même question à M. Delanny.

— C'est vrai, ça, pourquoi on reste, Coots ?

— Ça me la coupe. Peut-être parce qu'on est trop vieux et trop usés pour partir.

B.J. Stone approuva d'un air songeur.

— Ouais, je crois que c'est ça. Et puis, au moins, ils nous foutent la paix, ici. Je dis pas qu'ils nous accueillent bien, hein. Bon Dieu, ils nous acceptent même pas. Mais ils nous laissent tranquilles, et c'est déjà quelque chose.

Matthew ne comprenait pas ça, et il cherchait comment s'y prendre pour demander pourquoi ils n'étaient pas acceptés sans paraître trop fouineur, lorsque Coots s'écria brusquement :

— C'est bon ! C'est bon, bordel de Dieu ! Je l'ai jouée, la dame de trèfle ! Je l'ai jouée ! Je l'ai jouée ! Maintenant par pitié, est-ce qu'on pourrait continuer cette foutue partie ?

— Ah ! C'est tout ce que je voulais savoir, dit B.J. Parce que si t'as joué la dame, alors mon valet, mon dix et mon huit sont maîtres. Et ça te tue tous tes atouts. Du coup, mes cœurs passent aussi. (Il abattit son jeu.) On dirait bien que j'ai encore gagné.

— Terminé, dit Coots en claquant ses cartes sur le tonneau. Je ne jouerai plus jamais aux cartes avec toi. Plus jamais !

— Je suis désolé de t'infliger les humeurs de ce grincheux, confia B.J. à Matthew. Ça fait peine à voir, hein ? Encore si mauvais joueur, à son âge.

Matthew ne s'autorisa pas à sourire. Il était hors de question qu'il prît parti.

— J'imagine que toi et le révérend avez eu des mots au sujet de ton installation dans le bureau du marshal ? poursuivit B.J. sur un ton de conversation calme et détendue sciemment destiné à irriter Coots, qui fulminait en silence. C'est la maison qu'il voulait prendre, lui aussi, quand il est arrivé, mais M. Kane lui a dit que c'était un bâtiment municipal et qu'il ne pouvait pas s'y installer.

— Comment savez-vous que j'ai eu des mots avec le prédicateur ?

— Il y avait de la tension et de la colère dans la manière dont vous vous teniez, debout, face à face. Vu le pas sautillant que t'avais en partant, j'ai l'impression que c'est toi qui as gagné. Ce n'était peut-être pas très malin, Matthew.

— Vous voulez dire que j'aurais dû le laisser gagner ?

— Non, non, mais tu aurais dû le laisser croire qu'il avait gagné. Tu vois, Hibbard est un pleutre, et les pleutres sont dangereux parce qu'ils attaquent par-derrière. Il y a un vieux proverbe espagnol qui…

— Ah, merde, grogna Coots, c'est reparti !

— Un proverbe qui dit : "Méfie-toi de l'homme qui ne connaît qu'un livre." Et c'est d'autant plus vrai quand ce livre est réputé sacré. L'homme-d'un-seul-livre te tranchera la gorge sans une seconde d'hésitation ni une once de remords, certain qu'il est d'avoir agi au service de tout ce qui est bon en ce monde et récompensé dans le suivant.

— Alors ? demanda Coots d'un ton impatient.

— Hmm ? fit B.J. d'un air ostensiblement benoît.

— Tu distribues, oui ou merde ?

À peine la deuxième partie avait-elle débuté qu'un beuglement déchirant les fit tous trois courir vers le pré aux ânes, où ils furent les témoins forcés d'un carnage en bonne et due forme. Le bœuf hebdomadaire. Bjorkvist et son fils avaient loupé leur coup en voulant estourbir la bête proprement avec leur masse avant de la suspendre à une branche d'arbre par les pattes arrière et de lui trancher la carotide. Maintenant, la vache pendouillait la tête en bas sans se débattre, anesthésiée par la panique. Oskar Bjorkvist prit son couteau de boucher et regarda Matthew, tout en passant le pouce sur le fil de la lame pour en tester le tranchant. Il découvrit ses dents en faisant glisser la lame sur la gorge de la vache. La bête connut une mort sale et gargouillante.

— Bjorkvist ! cria Coots.

Le père s'approcha d'eux en traînant des pieds, sa lourde masse dans une main, tandis que son fils se mettait en devoir de découper la vache et de mettre les morceaux dans la brouette avec laquelle ils étaient venus.

— Ch'arrive. Que foulez-fous ?

— Fais ça correctement, ou le fais pas, dit Coots.

— C'est pas un fieil homme qui fa me dire…

Mais Coots appuya son index sur le plexus de Bjorkvist.

— Ferme-la ! Fais comme je dis, c'est tout.

La poigne de Bjorkvist se serra sur le manche de sa masse. Coots n'était pas armé et son corps de sexagénaire tout sec était bien frêle en comparaison de l'imposante carrure du Suédois. Bjorkvist plongea son regard dans les yeux de Cherokee de Coots et se souvint des histoires qui couraient sur le passé de tueur de cet homme. Pour sauver la face, il renifla et balaya toute l'affaire d'un geste de mépris, puis il repartit vers son fils, à qui il donna une claque derrière la tête pour s'être montré *si voutument ztupide ! Saloper l'abattage de la fache, comme za ! Quel pon à rien tu vais, fraiment !*

Matthew suivit Coots et B.J. jusqu'à l'écurie, le ventre aigre de colère et de dégoût.

Tous les samedis, Twenty-Mile se livrait au rituel des préparatifs pour l'arrivée des mineurs. Jeff Calder et M. Delanny prenaient le petit déjeuner à l'heure habituelle, mais les filles se levaient plus tard en vue d'une longue nuit de travail qui s'étirerait jusqu'au lendemain matin. Elles ne descendaient pas avant 11 heures, les yeux bouffis, la robe de chambre à peine nouée, les cheveux emmêlés et l'humeur massacrante. Tandis que Jeff Calder claudiquait derrière le bar en s'assurant que tout serait bien à portée de main quand la horde assoiffée ferait irruption, les filles avalaient sombrement ce que Frenchy avait fini par appeler leur "HBBC" – haricots, bacon, biscuits, café –, ne répondant aux salutations flamboyantes de Matthew que par des hochements de tête et autres grognements renfrognés (ou bien, pour Chinky, par un sourire aussi furtif qu'éphémère).

Un samedi, alors qu'il nettoyait les tables, Matthew vit Frenchy prendre une bouteille de bourbon au bar pour la monter dans sa chambre. Elle intercepta son regard et expliqua avec un sourire professionnel que c'était "juste un truc pour huiler son vieux cul fatigué". Il acquiesça en souriant timidement et remarqua pour la première fois depuis des semaines la balafre irrégulière et boursouflée qui lui tirait le coin de l'œil vers le coin de la bouche. Mais il se dit que ses clients ne se souviendraient pas plus de son visage qu'elle des leurs.

Ce petit déjeuner tardif le mettait si en retard qu'il dut faire la vaisselle à toute vitesse pour être à l'heure au déjeuner chez les Kane. C'était un repas plus copieux que d'ordinaire parce que, comme l'avait expliqué Ruth Lillian, elle et son père ne mangeraient que du corned-beef et des tomates en boîte au dîner, et ils mangeraient séparément pendant les petits moments de calme, parce qu'il devait toujours y avoir quelqu'un au magasin. Matthew, quant à lui, allait devoir se débrouiller tout seul.

Dans tout ce bourdonnement de préparatifs que connaissait la ville, il ne se trouvait aucune tâche qu'on lui confiât – ce qui montrait qu'il était encore un étranger. Alors il retourna faire la sieste au bureau du marshal, parce que cela faisait plusieurs nuits d'affilée que son sommeil était hanté par des cauchemars récurrents dont les images tissaient des motifs tout à la fois étranges et affreusement logiques, tels les yeux bordés de rouge et injectés de sang du révérend Hibbard en train d'attraper Ruth Lillian, alors Matthew appuyait sur la détente et par effet de recul le vieux tromblon du père lui donnait un grand coup dans l'épaule en meuglant comme une vieille vache décharnée qui renifle bruyamment son sang écumant, mais c'est pas la viande que tu vends, c'est le grésillement, raison pour laquelle Coots jurait qu'il ne jouerait jamais plus aux cartes avec B.J., tandis qu'Oskar Bjorkvist souriait en tranchant la gorge de la vache et que sa peau s'ouvrait en deux comme une fente dans une pastèque bien mûre, s'ouvrait avec quelques millimètres d'avance sur le progrès de la lame, tant et si bien qu'évidemment le vieux tromblon du père rugissait de nouveau, déclenchant cette fois le rugissement d'une autre arme, et d'une autre encore, puis de trois ou quatre armes à la fois…

Matthew se redressa d'un coup en position assise, haletant, le cœur battant à tout rompre dans sa cage thoracique. Il y avait une fusillade dans la rue : les mineurs étaient là et tiraient en l'air en descendant du train, direction l'auberge des Bjorkvist.

Il cacha sa tête sous les couvertures et regarda la porte par un petit trou de mite, jusqu'à ce qu'il sombrât de nouveau dans un sommeil agité peuplé de choses gluantes, de choses à corde, du vieux fusil du père et de vaches égorgées, et de…

Un samedi soir, après que les versants des lointains piémonts boisés eurent commencé à prendre les teintes de l'automne, Matthew se tenait dans l'embrasure de sa porte et regardait la meute chaotique de mineurs hurlants et riants passer devant lui, tous bien décidés à étancher la fatigue, le danger et l'ennui de leur semaine à grandes rasades de fête et de tohu-bohu. Il sourit à cette horde d'envahisseurs avec une affection fraternelle. Ils étaient comme les cow-boys des livres d'Anthony Bradford Chumms qui descendent dans les villes d'élevage : un peu sauvages, peut-être, mais fondamentalement bons. Qu'un joueur tente d'arnaquer l'un d'eux, ou qu'un professionnel de la gâchette essaye d'attirer un petit jeune dans un duel juste pour ajouter une nouvelle encoche à la crosse de son colt, et le Ringo Kid intervenait, parlait au persécuteur de sa voix douce mais étrangement lourde de menaces sans jamais se départir d'un sourire illuminant tout son visage sauf les yeux, et le méchant s'écrasait en disant qu'il voulait de mal à personne et où était le problème ? On peut plus plaisanter ?

Sans réfléchir, Matthew descendit dans ce flot humain et se laissa emporter jusque chez les Bjorkvist. Cette foule vibrait d'énergie contagieuse et de camaraderie diffuse jusque dans les bourrades, et dans la joyeuse mêlée de la queue impromptue qui se forma devant la porte de l'auberge ; ils étaient tous pressés de mordre dans leurs "steaks" et dans leurs pêches. Mais Mme Bjorkvist gardait l'entrée, ne laissant passer les mineurs un à un qu'une fois qu'ils lui avaient donné leur dollar d'argent. Lorsque Matthew arriva face à elle, il leva son chapeau et dit : "B'soir madame. Je me suis dit que je pourrais dîner avec vous aujourd'hui. 'Videmment, j'ai pas besoin d'un lit, ni du petit déjeuner demain matin, alors combien vous me prenez juste pour dîner ?" Mme Bjorkvist lui signifia que le prix était un dollar pour le gîte et le couvert. Et que s'il ne voulait pas de son lit ou de son petit déjeuner, c'était pas son problème. Matthew aurait pu tenter de faire valoir que c'était un peu raide pour un concitoyen comme lui, mais l'homme qui était derrière lui le poussait dans le dos, et plus loin dans la queue plusieurs personnes se plaignaient du ralentissement, alors il donna son dollar, garda pour lui son sentiment d'injustice, et alla prendre place à une table qui ne tarda pas à se remplir coude contre coude de mineurs bruyants usant leurs couteaux sur des morceaux de bœuf saignants mais pleins de nerfs, engloutissant des quantités ahurissantes de chou et vidant rapidement les grandes corbeilles de biscuits que Kersti Bjorkvist leur larguait sur la table sans s'arrêter dans ses incessants allers-retours entre la cuisine et la salle. Sa mère ne commença à l'aider qu'une fois que le dernier mineur eut payé son dollar et qu'elle fut descendue faire deux pas dans la rue pour s'assurer qu'un ultime dollar à prendre n'y traînait point encore. Forts du principe selon lequel servir à table était un boulot de femme, les Bjorkvist père et fils déjeunaient dans la cuisine, mais l'un ou l'autre se levait de temps à autre pour aller s'assurer que tout se passait bien en salle.

Matthew fit la connaissance du mineur assis à sa droite, un homme à la quarantaine bien avancée, aux yeux ridés et au regard gentil, lorsqu'ils tendirent tous deux simultanément la main pour prendre le dernier biscuit, puis la retirèrent simultanément pour laisser l'autre se servir, puis la retendirent simultanément. L'homme rit, cassa le biscuit en deux et en donna la moitié à Matthew.

— Ça devrait nous permettre de tenir jusqu'à ce que la prochaine corbeille arrive. Dis-moi, j'ai pas l'impression de t'avoir déjà rencontré. Moi, c'est Doc.

— Moi, on m'appelle le Ringo Kid.

— Content de te connaître, Ringo. Tu viens de t'enrôler ?

— Non, je travaille pas pour la mine. J'habite ici, à Twenty-Mile.

— Ah ben ça.

— Ouais, je suis le… Enfin, si vous me cherchez, vous me trouverez au bureau du marshal, un peu plus haut.

— Ah ben ça ! Bon sang, je savais pas que Twenty-Mile avait un marshal.

— Oh, je suis pas vraiment marshal. Je fais juste plus ou moins…

Il fit un vague geste du bras.

— Tu surveilles un peu ce qui se passe, c'est ça ?

— Voilà. J'aurais pas mieux dit.

— Hé, tu vas le finir, ton steak, ou bien ?

— Euh, non. Je crois pas. Vous le voulez ?

— Va demander à un gars qui rôtit en enfer s'il veut un verre d'eau fraîche ! Allez, donne-moi ça ! Qu'est-ce qu'y a, Ringo ? Ça va pas fort, ou quoi ?

— Non, non, c'est juste que j'ai plus trop goût à la viande depuis quelque temps.

En fait, depuis qu'il avait été témoin du carnage des Bjorkvist.

— T'as plus goût à la viande ! Merde alors, c'est grave, ça !

C'est une Kersti Bjorkvist sur les rotules qui arriva à leur table en portant la grosse bouilloire à deux anses, avec laquelle elle déversait du café dans les quarts en fer-blanc des mineurs. Après avoir rempli celui de Matthew, elle se pencha au-dessus de lui pour remplir deux tasses de l'autre côté de la table, pressant son corps moite de sueur contre son dos.

— Hé, miss, y nous faut des biscuits par ici ! dit Doc.

— Va falloir attendre. J'ai que deux bras, et j'ai que deux jambes !

— Y a d'aut'choses que t'as par deux, lança un vieux mineur tout ridé assis un peu plus loin. Et y sont sacrément chouettes, avec ça !

Ses potes hurlèrent de rire : ce gars était le comique officiel de la mine.

— Hé, ramène-les donc un peu par là, que j'puisse tâter un peu la marchandise ! ajouta-t-il.

— Pouvez toujours courir, dit Kersti et, ponctuant sa réplique d'un vif mouvement de tête pour relever la mèche de son épaisse chevelure blonde, elle passa à la table suivante, où elle fut accueillie par d'autres remarques graveleuses, seule forme d'attention qu'elle eût jamais reçue des hommes.

Pour sûr, remarqua Matthew, qu'elle avait des seins volumineux. Mais bon, cela valait aussi pour ses chevilles, ses hanches, son cou, ses bras, sa taille. Par contre, elle avait de jolis cheveux, fallait admettre. Pas fins et délicats comme ceux de Ruth Lillian, mais abondants et dorés et…

— Dis-moi, tu la reluques pas mal, cette fille, hein, Ringo, dit Doc. Et tu veux m'faire croire que t'as plus goût à la viande ! Arrête ton char !

Matthew rit pour masquer son trouble.

— J'imagine que tu vas filer à l'hôtel après la bouffe, dit Doc. Laquelle tu préfères ? Je les ai toutes essayées, et j'dirais que pour moi ça s'joue à pile ou face entre Queeny et Chinky. Frenchy est une chouette fille, mais la balafre qu'elle a me fout des pétoches pas possibles. P'têt ben que j'bois pas assez avant, hein ?

— Ouais, c'est p'têt ça, dit Matthew en se sentant immédiatement déloyal à l'égard de Frenchy, qui était devenue sa préférée.

— Alors, pour laquelle tu salives ? insista Doc.

— Ah, je sais pas. J'vais p'têt juste rentrer au bureau. Y a du boulot qui m'attend.

— Hé, mais c'est vrai, ça. T'es là toute la semaine, toi ! Avec les trois filles rien que pour toi ! Y en a vraiment des vernis.

— Ouais, hein ?

Une querelle éclata à la table du fond, dans le coin, et soudain deux hommes se retrouvèrent debout, face à face. L'espace d'une seconde, Matthew se demanda si le marshal devait intervenir pour calmer le jeu. Il recula sa chaise pour se lever. Euh… peut-être que non. Après tout, c'est juste deux jeunes gars qui décompressent. Et, effectivement, l'instinct du marshal se révéla avisé, parce que le dessert arriva et les deux jeunes mirent immédiatement leur différend de côté pour consacrer toute leur énergie à l'importante affaire consistant à engloutir des pêches au sirop.

Suivant l'exemple de Doc, Matthew cassa trois biscuits dans son assiette avant l'arrivée des pêches, que Kersti noyait sous d'amples louchées de sirop, imbibant ainsi les biscuits pour donner naissance à ce que Doc décrivit comme "une pitance à manger de toute-toute première classe". Et il ne laissa pas passer l'occasion de chambrer Matthew sur la manière dont Kersti avait pressé sa hanche contre son épaule en servant les desserts, et sur le fait qu'elle lui avait donné plus de pêches qu'à n'importe qui d'autre.

— J'ai bien l'impression que cette fille commence à avoir ses chaleurs pour toi, Ringo. Fais gaffe ! Ces costaudes de Suédoises ont des besoins à t'épuiser un âne. Elles t'attrapent un homme, te le pompent de sa sève et te le laissent tout sec tout vide comme une vieille bogue !

— Ô Seigneur ! s'écria le vieux comique ridé de l'autre côté de la table en mimant la voix chevrotante d'un prédicateur revivaliste en pleine transe de dévotion, Seigneur, faites de moi la victime de cet assèchement ! Laissez-moi devenir cette vieille bogue ! Je Vous en conjure en Son nom !

Et tout le monde rit et cria de joie, à l'exception de deux ou trois petits jeunes qui paraissaient nerveux, comme s'ils se fussent attendus à ce que le plafond leur tombât sur la tête.

Très vite, les hommes commencèrent à se lever et à sortir de table en lâchant des grognements de satisfaction et des rots louangeurs. Ils s'égaillèrent dans la rue, certains vers le Grand Magasin pour leurs achats hebdomadaires, d'autres vers l'Hôtel des Voyageurs pour se lancer sans attendre dans leur bombance de beuveries et de putasseries soigneuses.

Mais Doc se laissa aller contre le dossier de sa chaise et tira de sa poche une pipe à tuyau court et un petit sac de tabac.

— Pas la peine de se presser, z'auront la chatte plus lisse. (Il craqua une Lucifer et plongea la flamme dans le foyer de sa pipe.) Faut apprendre à vivre peinard. C'est vrai, quoi, on finira toute façon tous six pieds sous terre, et y a pas de médaille pour le premier arrivé. Tu veux me taper un peu de tabac ?

— Non, je… j'ai arrêté.

— Ah ben ça ! Et pourquoi donc ?

— Eh bien, fumer, ça trouble la vue. Et dans ma profession…

— D'où qu'tu sors que fumer trouble la vue ?

— Je l'ai lu dans un livre de M. Anthony Bradford Chumms. Z'en avez lu ?

— Ça serait t'mentir, Ringo. Et il écrit sur le tabac, hein ?

— Oui, disons… et sur d'autres choses. Par exemple, comment un vrai homme doit se conduire. Et ce qui est juste, ce qui est pas juste. Et comment se faire respecter.

— Tout ce que j'ai jamais lu, c'est des modes d'emploi de machines.

— Pour la mine ?

— Plus ou moins. En fait, je suis pas vraiment mineur. Je dirige les travaux de broyage et de dégrossissage.

— Vous dirigez ? Mazette.

Ça alors : Matthew avait mangé, et maintenant bavardait et fumait en compagnie d'un homme qui dirigeait quelque chose. Et c'était gratifiant, la manière dont le Doc l'appelait Ringo après avoir accepté sa présentation sans barguigner.

Doc expliqua qu'on dégrossissait le minerai sur place pour réduire les coûts de transport. Le minerai dégrossi contenait presque vingt pour cent d'argent. Mais si la qualité était plutôt bonne, la quantité, elle, ne cessait de baisser.

— La mine est encore rentable, mais tout juste. Je pense que si nos banquiers de Boston avaient su que le minerai s'étiolerait si vite, ils auraient jamais déboursé tant pour le chemin de fer et les machines. Garde ça pour toi, mais j'te parie que dès qu'ils se retrouveront à devoir choisir entre un gros investissement pour continuer ou tout laisser tomber, ça sera la fin du Filon Surprise.

— Que deviendraient les habitants de Twenty-Mile, alors ? demanda Matthew d'une voix songeuse.

— Bah, je suppose que la plupart s'en iraient. Les filles, c'est sûr. Y a du marché partout pour le cul abordable. Les jeunes mineurs partiraient probablement vers le Klondike, même si ça m'étonnerait qu'aucun d'eux ait mis assez de fric de côté pour se payer le matériel. Quant à nous, les vieux d'la vieille ? Bah, faut qu'on s'fasse à l'idée que les jours fastes sont finis pour tout le monde. Prospecteurs, aventuriers, pionniers, colons – tout ça, c'est ce qu'on appelle de la fin de race. Maintenant, faut être marchand, banquier, courtier, vendeur, et ce pays est devenu… Merde, je sais pas ce qu'il est devenu. Dans le temps, quand t'étais pauvre ou ambitieux ou que t'avais juste la bougeotte, tu pouvais toujours pousser vers l'ouest. Mais y en a plus, d'Ouest, c'est fini. On a tout bouffé. C'est p'têt pour ça qu'on a pris Hawaï et les Philippines. Je sais pas ce qu'est devenu ce pays, mais tu peux m'croire, c'est foutument moins drôle que quand j'ai reçu ma première paye et que j'ai sauté dans le train. (Il se leva.) À propos de sauter, t'es vraiment sûr que tu veux pas monter à l'hôtel t'offrir un coup d'bon temps vite fait ?

— Non, merci, Doc. J'vais juste faire mes rondes et rentrer au bureau.

— Bon, content de t'avoir rencontré, Ringo. Travaille pas trop tard.

MATTHEW TROUVA RUTH LILLIAN SEULE AU MAGASIN, en train de lire à la lueur d'une lampe à pétrole. Elle lui dit que son père était monté se reposer.

— C'est un peu tard pour une sieste, non ? Ou un peu tôt pour dormir ?

— Il appelle ça se reposer parce qu'il refuse d'admettre qu'il ne peut plus travailler aussi dur. Son "reposé" va durer jusqu'à demain.

— J'ai vu que ton père avait tout le temps besoin de s'arrêter pour reprendre son souffle.

— C'est son cœur. Il va pas trop bien.

— Je suis vraiment désolé d'apprendre ça, Ruth Lillian.

Elle eut un petit haussement d'épaules sec et résigné ; et derrière la flamme de la lampe, son profil fit battre le cœur de Matthew.

— Il le cache, dit-elle. Il a honte de pas être en bonne santé comme il juge qu'un homme doit l'être. C'est pour ça qu'il voulait pas te prendre pour l'aider avec les travaux difficiles. Il croit qu'en étant grognon, ça masquera qu'il est malade. Mais toute la ville le sait. Et ils sont là, à tourner au-dessus de lui comme des vautours.

— Tourner au-dessus de lui ? Pour avoir quoi ?

— Le magasin ! À part la vache de la semaine, tout passe par là. La nourriture, les vêtements, le pétrole pour les lampes, le charbon, le tabac… Tout. Les Bjorkvist rêvent de lui mettre la main dessus. Et le Pr Murphy pareil. Des fois, j'ai l'impression de les sentir, là, dans le noir, à espérer, à comploter, tout cupides et mauvais et… *petits !* Mais ils l'auront jamais, jamais ! Mon père m'a tout appris sur comment gérer l'affaire. Les commandes, les comptes, tout ça, alors je pourrai me débrouiller tant que la mine tiendra. S'il le faut, je veux dire. Si le cœur de papa…

Elle secoua la tête pour faire fuir cette idée. Un papillon de nuit heurta lourdement le tube de la lampe puis traça des cercles dans la colonne d'air ascendante, intrigué, fiérot, médusé… et se carbonisa brusquement. Ruth Lillian approcha une main en coupelle au-dessus de la lampe et souffla dans sa paume pour l'éteindre. Elle ouvrit la porte moustiquaire grinçante de l'entrée et sortit sous le porche, où elle se tint debout, la joue contre un pilier, le regard projeté au-delà du bord de l'à-pic, vers les étoiles suspendues dans la mate obscurité du ciel.

Matthew la suivit dehors, refermant doucement la moustiquaire derrière lui.

— Mais si tu avais le magasin, tu aurais besoin d'aide pour les gros travaux. Pour remonter les livraisons du train le dimanche, pour ensacher le charbon, ce genre de chose.

— Oh, j'en trouverais bien.

— Où ça ?

Elle haussa les épaules. Puis ses yeux s'illuminèrent d'un petit éclat mutin.

— Je pourrais proposer un poste d'assistant au Pr Murphy. Ça le défriserait, hein ?

— Moi aussi, ça me défriserait.

— Et pourquoi donc ?

— Tu demanderais au vieux Murphy de t'aider, et pas à moi ?

— Toi ? (Un frisson soudain lui fit se frotter le haut des épaules, et elle y garda ses mains, comme pour se faire un câlin à elle-même. Son intonation passa en mode mineur.) Tu ne seras plus là, Matthew.

— Qu'est-ce qui te fait dire ça ?

— D'ici que mon père… D'ici là, tu seras parti. Dans le vaste monde. Chercher ta vie ailleurs.

Matthew acquiesça d'un air songeur. Oui, elle avait sans doute raison. Il serait parti chercher sa vie ailleurs. Loup solitaire. Vagabond suivant son propre chemin, faisant ce qu'il avait à faire, comme le Ringo K… Mais non. Non. Il ne pouvait quitter Twenty-Mile. Pas avant longtemps. Peut-être jamais.

Des éclats de rire en provenance de l'Hôtel des Voyageurs interrompirent ces rêveries. Les demi-portes battantes du bar s'ouvrirent en claquant, poussées par un homme qui courait en titubant et en faisant de grands moulinets avec les bras, et qui finit sa course étalé de tout son long dans la poussière. Il se releva lentement. S'épousseta. Puis retourna dans le bar d'un pas calme, comme si, ne faisant que passer, il eût été attiré par la lumière et les rires.

— Tu devrais fermer le magasin et monter te coucher, Ruth Lillian, non ?

— Je ne peux pas. Y a toujours un mineur à qui vient l'idée qu'il a besoin d'un truc qu'on vend. La semaine dernière, un type est venu larmoyer et blablater qu'il avait oublié l'anniversaire de sa fille et qu'il fallait absolument qu'il achète une poupée. Là, tout de suite, sans attendre ! Si on reste pas ouvert, ils casseront la porte et mettront le bazar. Alors faut que quelqu'un reste jour et nuit au magasin jusqu'à ce que les mineurs reprennent le train pour le Filon. On se relaie, papa et moi.

— Tu vas rester debout jusqu'à demain ?

— On dirait bien.

— Tu veux que je reste avec toi ?

— Non, merci. Ça ira.

— T'es sûre ?

Elle approuva vaguement, le regard toujours loin vers les étoiles qui bordaient l'horizon.

Matthew observa son profil, et son cœur se gonfla de sentiments pour elle. Il avait très envie de la toucher, de lui prendre la main, peut-être même de… Il essuya discrètement ses paumes sur son pantalon pour s'assurer qu'elles fussent sèches. À l'instant même où il tendit sa main droite vers elle, elle se tourna vers lui, lui prit la main, et… la serra fermement.

— Bonne nuit, Matthew.

— Euh… C'est ça : bonne nuit, Ruth Lillian.

DEUX SOIRS PLUS TARD, ils étaient de nouveau assis sur les marches de bois du Grand Magasin, à regarder les éclairs s'épanouir puis se faner au cœur de gros nuages flottant sur l'horizon lointain, tandis que le tonnerre grondait et grondait en de grincheux échos, de montagne en montagne. Serrés l'un contre l'autre, ils parlaient à voix basse des choses qu'ils faisaient, des choses auxquelles ils pensaient, des choses auxquelles ils croyaient quand ils étaient enfants. De temps à autre, tel souvenir se trouvait relié par les fils invisibles de la mémoire à tel ou tel autre événement ou période, et leur conversation s'y accrochait, comme quand, du fond d'un profond silence, Ruth Lillian dit :

— Voilà les géants qui bougent encore leurs meubles.

— Quoi ?

— Quand j'étais petite, le tonnerre me flanquait une trouille pas croyable. Et puis, une nuit d'orage, papa m'a dit que le tonnerre, c'étaient des géants qui bougent leurs meubles dans le ciel. Un gros claquement, ça voulait dire qu'ils avaient fait tomber le piano. J'ai plus jamais eu peur.

Peu avant le coucher du soleil, des grappes de gouttes dodues avaient moucheté la rue de taches sombres, mais nulle véritable averse n'avait suivi – juste cette brise fraîche qui tourbillonne à l'orée des orages. Maintenant, l'air nocturne était encore chargé de la fragrance âcre et excitante de l'orage : ce mélange d'électricité et de poussière.

— Tu avais de la chance d'avoir un papa qui s'occupait de toi quand tu avais peur, dit Matthew, avant de se presser d'ajouter : Bien sûr, moi aussi, mon père était comme ça. À toujours m'expliquer les choses. C'est pour ça que tout le monde avait de la considération et du respect pour lui.

Elle murmura une vague note d'assentiment, mais elle n'écoutait plus vraiment, parce que l'évocation de la nuit où elle avait appris le coup des géants avait étrangement fait ressurgir le souvenir de son miroir de vanité, le miroir de vanité que sa mère lui avait offert. Son père l'avait cassé de rage la nuit où sa mère était partie.

— J'avais un petit miroir, dit-elle d'une voix douce. Je passais des heures assise devant lui, le regard plongé dans mes propres yeux, jusqu'à ce que j'aie cette sensation étrange que la personne que je voyais n'était pas moi, mais une inconnue qui me ressemblait. C'était vraiment bizarre, mais ensuite je me mettais à me dire : et qui est l'autre personne, celle qui est dans ma tête, qui regarde par mes yeux et qui voit cette jeune fille inconnue dans le miroir ? Alors je disais mon nom à voix haute et je le répétais sans cesse. Ruth Lillian, Ruth Lillian, Ruth Lil-li-an, jusqu'à ce que ces sons n'aient plus aucun sens, et assez rapidement j'avais l'impression que j'étais au bord de découvrir quelque chose de trop effrayant pour moi. Ça t'a jamais fait ça, Matthew ?

— Non. Moi, c'était plutôt la boîte de Cracker-Jacks.

Elle se tourna vers lui et cligna des yeux.

— La quoi ?

— La boîte de Cracker-Jacks. C'est du pop-corn avec du caramel et un peu de cacahuètes. Et y a un petit jouet dans...

— Je connais les Cracker-Jacks, Matthew. Mais qu'est-ce qu'ils viennent faire dans tout ça ?

— Eh bien, cette boîte, c'était un peu comme ton miroir. Je veux dire, sur une boîte de Cracker-Jacks, tu as un marin qui tient une boîte de Cracker-Jacks plus petite. Et un jour, je me suis dit d'un coup qu'il devait y avoir un autre marin, encore plus petit, sur cette petite boîte-là, et que ce marin-là devait tenir une autre boîte de Cracker-Jacks encore plus petite, et que sur cette boîte-là, il devait y avoir un minuscule marin tenant une minuscule boîte, et que sur cette boîte-là il devait y avoir… Et que ça continuait comme ça éternellement ! Avec tout qui devient chaque fois plus petit, éternellement. Ça me donnait le vertige. Et ça me foutait la trouille. Un peu comme toi et ton miroir. Tu vois ?

Ruth Lillian voyait… plus ou moins.

— Une fois, j'ai eu une maîtresse qui m'aimait bien. Et quand je lui ai parlé des marins des Cracker-Jacks qui devenaient de plus en plus petits, elle m'a dit qu'on appelait ça l'infini. Et elle a dessiné le symbole de l'infini au tableau. C'est comme la marque au fer rouge du ranch Lazy-8.

— C'est quoi, qu'est comme la marque du Lazy-8 ? demanda M. Kane depuis la porte, les faisant sursauter tous les deux.

Il était descendu de sa chambre à pas de loup pour voir pourquoi Ruth Lillian n'était toujours pas montée se coucher.

Matthew se leva brusquement et le regretta immédiatement parce que ça pouvait laisser croire qu'ils étaient en train de faire une chose qu'ils n'auraient pas dû faire, ce qui n'était pas le cas.

— L'infini, monsieur.

— L'infini ? Vous êtes restés assis là tout ce temps à causer de l'infini ?

— Oui, dit Ruth Lillian. Et de miroirs. Et de Cracker-Jacks.

M. Kane secoua la tête d'un air las.

— Monte te coucher. Il est tard.

— D'accord. Bonne nuit, Matthew.

— Bonne nuit, Ruth Lillian. Bonne nuit, monsieur.

— Hmm… ? Ah, oui. Bonne nuit.

C'EST AVEC SUCCÈS que, durant ses premières semaines à Twenty-Mile, Matthew avait semblé mener la seconde phase de sa stratégie de survie en tant que nouvel arrivant : une fois à l'intérieur, se montrer aimable et jouer le jeu selon les règles en vigueur. Tout le monde était impressionné par sa volonté de travailler, de travailler dur ou même pour une bouchée de pain. “Regarde-moi ce gamin, c'est formidable, non ?” Mais quand l'éclat de la nouveauté commença à passer, cette capacité de travail était devenue habituelle pour les gens. "Non, c'est juste dans sa nature. Il aime travailler dur. J'imagine qu'il en faut pour tous les goûts."

Il ne parvenait pas à se défaire du sentiment qu'aucun d'entre eux ne le respectait vraiment. Et pour certains, c'était pire qu'un simple manque de respect. Chaque semaine, à l'auberge, pendant qu'il mangeait avec Doc et les autres mineurs, il surprenait régulièrement Oskar Bjorkvist en train de le fixer depuis la porte de la cuisine avec un regard qui écumait de ressentiment. La mère d'Oskar ne cessait de le réprimander pour avoir laissé un étranger s'installer en ville et piquer tous les boulots qui lui revenaient de droit – tout cet argent qu'il pourrait gagner s'il n'était pas si stupide!... si fainéant!... si...! Elle ponctuait sa furie de claques si bien senties qu'il en gardait les oreilles rouges pendant des heures.

Le Pr Murphy n'avait pas non plus réagi de manière amicale lorsque, au bout de la période d'essai de deux semaines, Matthew lui avait demandé de doubler sa paye pour une demi-journée de rude labeur, de passer de soixante-quinze cents à un dollar cinquante. Le Maestro du Capillaire de Twenty-Mile avait rechigné à sortir six pièces de plus, et il avait accusé Matthew de l'avoir "piégé" en lui proposant de faire le travail pour tel prix avant de le faire chanter pour obtenir le double. Matthew reconnut que l'accord de départ était sa manière à lui de montrer au professeur de quoi il était capable, mais fit valoir qu'il ne pensait pas que c'était du chantage que de demander un dollar cinquante pour toute une journée de travail difficile alors qu'il pouvait en gagner autant à faire des petits boulots pour B.J. Stone et Coots là-haut, à l'écurie. Le Pr Murphy avait répondu par un simple grognement.

Au bout du compte, Murphy accepta en maugréant de transiger sur un dollar un quart, mais prévint Matthew qu'il allait envisager "d'autres solutions". Et le dimanche suivant, en arrivant au salon, Matthew trouva Oskar Bjorkvist en train de récurer les baignoires. Mais ce jeune homme à l'esprit visqueux utilisa deux blocs de Fels-Naphta, cassa la brosse à long manche et salopa tellement le boulot que le Pr Murphy dut passer le reste de la matinée à relaver ses baignoires en jurant et en pestant, perruque constamment en grave danger alors qu'il ahanait la tête en bas, le corps plié sur le rebord des baignoires qui lui sciait les bourrelets. De sorte que Matthew récupéra son poste (pour un dollar et demi), et qu'Oskar Bjorkvist, qui avait été gratifié d'une fière petite tape maternelle sur la joue tout juste la veille au soir, reçut une telle claque sur l'oreille que sa tête en vibra pendant des heures.

Un soir, après s'être montré irritable pendant tout le dîner parce qu'il avait eu des douleurs particulièrement violentes au cœur cet après-midi-là, M. Kane alla se coucher tôt. Après avoir fait la vaisselle, Matthew passa sa demi-heure rituelle avec Ruth Lillian, à la fraîche, sur la terrasse – elle à fixer les montagnes lointaines d'un air rêveur, lui à regarder mélancoliquement son profil à peine visible dans la faible lueur stellaire d'une nuit sans lune.

— À quoi tu penses ? demanda-t-il.

— Hmm ? Oh, à rien. Je me demandais juste, qu'est-ce qui est le plus important à avoir dans la vie ? La beauté ? L'intelligence ? La richesse ?

— Le respect, dit Matthew sans hésiter.

— Le respect ?

— Le respect n'est peut-être pas une chose qui te paraît importante, parce que toi et ton père, vous l'avez toujours eu. Mais pas moi. Quant à mon père…

— Mais tout le monde t'aime bien, Matthew.

— C'est pas vrai, Ruth Lillian. Et même si ça l'était, bien aimer, c'est pas la même chose que respecter. M. Anthony Bradford Chumms a écrit qu'un homme qui n'inspire pas le respect est tout juste un demi-homme. C'est pour ça que je veux du respect, même de la part de gens comme le Pr Murphy, ou les Bjorkvist, ou les frères Benson, ou…

— Les frères Benson ?

— Oh… Euh, c'étaient juste des gosses qui…

Il haussa les épaules : il n'avait pas envie d'en parler. Mais au bout d'un moment, il lui raconta comment sa famille n'avait pas cessé de déménager de ville en ville, de sorte qu'il avait toujours, toujours été le petit nouveau en classe. Ce qui voulait dire qu'il avait toujours été la cible favorite des petites frappes des cours d'école. Un des trucs qu'ils utilisaient pour se moquer de lui, c'était son nom. Les autres gosses arrêtaient pas de chanter "Dub-chek… tchek… tchek… tchek" en faisant le même bruit que quand on appelle les poulets pour leur donner du grain.

— Mais… Je croyais que tu t'appelais Chumms. Matthew Bradford Chumms.

— Ouais, ça… ça, c'est… mon nom maintenant. Mais quand j'étais petit, on m'appelait… (Il baissa les yeux et se frotta rudement la paume d'une main avec le pouce de l'autre. Puis il releva la tête et planta ses yeux dans ceux de Ruth Lillian.) Ruth Lillian, j'ai menti. Quand j'ai dit que je m'appelais Chumms, j'ai menti. Mon vrai nom… c'est Dubchek.

— Je vois pas ce qui cloche avec Dubchek.

— Sauf que c'est pas un vrai nom américain !

— Et Kane, alors ? Kane, c'est juif.

— Ah oui ? Peut-être bien, mais ça sonne américain. C'est ça qui compte.

— Est-ce que c'est pour ça que tu t'es battu avec les frères Benson, là ? Parce qu'ils se moquaient de ton nom ?

— Non, c'était pire que ça. On venait d'arriver à Bushnell, dans le Nebraska, et dès le début les frères Benson m'ont cherché des noises. Ils étaient plus grands que tout le monde parce qu'ils avaient redoublé deux fois. J'avais horreur de l'école à cause d'eux, et je me serais fait porter pâle pour rester à la maison si y avait pas eu cette maîtresse qui s'était prise d'affection pour moi et qui disait que j'étais l'élève qu'avait l'imagination la plus riche de toute l'école.

Ne voulant pas rendre Ruth Lillian jalouse, il ne mentionna pas l'amour secret et douloureusement intense qu'il avait nourri pour cette jeune et jolie institutrice, ni la pomme qu'il avait volée dans le jardin de quelqu'un puis frottée avec un pan de sa chemise jusqu'à ce qu'elle luise d'un rouge rubis éclatant, mais qu'il n'avait pas eu le cran de poser sur le bureau de peur que les autres se moquent de lui. Finalement, il l'avait mangée en se cachant derrière son livre, pour faire disparaître le corps du délit, mais la maîtresse l'avait vu et l'avait grondé pour avoir mangé en classe. En revanche, il parla à Ruth Lillian du dictionnaire qu'elle lui avait donné en récompense pour une histoire qu'il avait écrite. C'était pas un dictionnaire neuf. C'était un dictionnaire mieux que neuf; c'était le sien à elle, avec son nom dedans et tout et tout. Il l'avait encore, et il le garderait pour toujours.

Lorsqu'il avait traversé la classe jusqu'au bureau pour recevoir le dictionnaire, les frères Benson avaient persiflé et lui avaient montré les dents. Plus tard, dans la cour, ils l'avaient traité de menteur, parce que son histoire parlait d'un garçon qu'avait un père noble et courageux, alors que son père à lui était rien qu'un ivrogne pas foutu de garder un seul boulot parce qu'il volait et mentait et était rien d'autre qu'un vulgaire Dubchek… tchek… tchek… tchek.

— Et ils t'ont frappé ? demanda Ruth Lillian.

— Ils ont essayé.

Matthew lui raconta comment les Benson avaient rassemblé une bande de plus petits derrière le préau pour leur décrire ce qu'ils feraient à la maîtresse quand ça serait au tour de leurs parents de l'héberger. Ils leur dirent qu'ils se faufileraient dans sa chambre pendant son sommeil et qu'ils… Il se tut.

— Un truc sale, j'imagine, dit Ruth Lillian d'une voix sombre, car elle savait ce qu'il y avait dans la tête des petits vauriens.

— Vraiment très sale. Trop sale pour que je puisse t'en parler.

— Et tu l'as défendue ?

— Ben oui. Alors le plus grand des Benson m'a poussé contre le mur, et la seconde d'après c'était parti : tous contre moi. Même les tout petits s'y sont mis. Je ne pouvais pas faire grand-chose, avec toutes ces mains qui m'agrippaient et qui me tiraient à terre. Mais j'avais pas peur, parce que je m'étais réfugié dans l'Autre Endroit, et je sentais plus rien, alors c'était égal qu'ils tapent fort ou pas fort. J'ai réussi à placer un coup chanceux, et j'ai ouvert la lèvre du petit Benson. Ça les a vraiment rendus fous. Ils se sont tous mis à me donner des coups de pied et des coups de poing. Et le grand Benson m'a attrapé par le cou et m'a demandé en me criant dans l'oreille si j'aimais ça, de me faire castagner comme ma mère se faisait castagner tous les soirs par mon ivrogne de père. Et puis, je sais pas comment, je me suis libéré des gamins en me tortillant dans tous les sens et j'ai attrapé ce Benson par les cheveux et je me suis mis à lui cogner la tête par terre. Et son nez s'est mis à saigner. Mais j'ai continué jusqu'à ce que ses dents claquent et que ses yeux deviennent vitreux. Et tous les gamins se sont mis à hurler que j'allais le tuer, que j'allais le tuer ! Mais ça m'était bien égal parce que j'étais dans l'Autre Endroit, alors j'ai juste continué à lui cogner la tête par terre, encore… et encore… et encore…

Matthew s'arrêta et avala plusieurs fois sa salive ; il sentait son cœur qui battait fort dans sa poitrine. Ruth Lillian le regardait d'un drôle d'air, alors il se força à respirer lentement avant de poursuivre.

— Bon, y avait cet homme qui rendait parfois visite à la maîtresse pendant la récréation. Son chéri, j'imagine. Devait être instituteur lui aussi, parce qu'il avait des lunettes et qu'il parlait plutôt bien. Bon, il est sorti de l'école en courant, s'est frayé un passage dans l'attroupement de gamins en distribuant des claques de tous les côtés, m'a attrapé par les épaules, m'a soulevé et secoué en me demandant si je voulais tuer ce gosse. Et la maîtresse est arrivée et s'est agenouillée à côté de Benson et l'a éventé jusqu'à ce qu'il ouvre les yeux et crache et revienne à lui. Puis elle m'a fixé d'un air sévère et a dit à son chéri que j'étais le petit nouveau, et que les nouveaux causaient toujours des problèmes, à vouloir montrer qu'ils étaient forts, et alors son chéri m'a encore attrapé et m'a demandé si je me croyais fort, et y avait tous les autres enfants qui me regardaient en ricanant, alors, évidemment, j'ai dit bien sûr que chuis fort, chuis sacré foutument fort ! Et la maîtresse a dit que c'était pas ma faute parce que mes parents étaient… elle a pas voulu dire quoi. Mais le petit Benson a soufflé que mon père était un ivrogne et qu'il tabassait constamment ma mère. Et l'homme a dit que c'était triste, mais que c'était pas une excuse pour mettre le bazar et cogner la tête des gosses par terre au point de manquer de les tuer. Puis il a approché son visage du mien et a dit : "Si tu te crois si fort, jeune homme, essaie donc un peu de t'en prendre à moi !" Je voyais bien qu'il était sûr que je le ferais pas, et qu'il était plus ou moins en train de frimer devant la maîtresse, qu'elle voie comme il savait s'y prendre avec les enfants. Mais y avait tous les autres qu'étaient là, à ricaner, et le grand Benson qui me regardait d'un air mauvais en reniflant son sang, alors qu'est-ce que je pouvais faire ? Non, vraiment, qu'est-ce que je pouvais faire ? Je lui ai envoyé un coup de poing en y mettant tout ce que j'avais. Ça lui a cassé les lunettes, et il s'est étalé – de surprise, surtout. La maîtresse s'est agenouillée à côté de lui et a épongé son arcade sourcilière sanguinolente avec un mouchoir. Puis elle a levé la tête vers moi et elle a crié : "Va-t'en ! Rentre chez toi ! Et ne reviens jamais, tu m'entends ? Jamais !" Alors je... je suis rentré chez moi, et je ne suis jamais revenu.

Cette histoire avait débuté de manière hésitante, mais sur la fin, elle s'était mise à jaillir à flots continus ; lorsqu'il se tut, Matthew agrippait la rambarde de la terrasse d'une poigne si nerveuse que la pulpe de ses doigts en était tout aplatie. Il déglutit pour ravaler les larmes amères qui lui brûlaient les yeux. Lorsqu'il put de nouveau parler, il dit :

— Une fois chez moi, j'ai pris son dictionnaire et je l'ai balancé contre le mur. Il a fini par terre, ouvert en deux, reliure cassée. Et je me suis senti vraiment mal, à le regarder, là, comme ça... tout abîmé, le dos cassé. Tout le reste – les enfants qui me cognent, la maîtresse qui me crie dessus –, rien de tout ça me faisait aussi mal que d'avoir cassé ce dictionnaire. C'était la seule chose que j'avais jamais gagnée.

Il ferma les yeux en grimaçant.

Ruth Lillian resta un moment silencieuse. Puis elle parla d'une voix douce et apaisante.

— Je suis désolée, Matthew. Je sais combien les enfants peuvent être méchants. C'est difficile à croire, aujourd'hui, mais il y avait une école, dans le temps, à Twenty-Mile. Avec une bonne trentaine d'enfants. C'est le vieux B.J. Stone qui faisait le maître. Les filles m'aimaient pas parce que ma mère m'habillait toujours avec de beaux vêtements. Et j'étais un peu coincée, je dois reconnaître. Elles ajoutaient des trucs sur ma mère dans leurs comptines de corde à sauter. Et des fois, elles se mettaient en cercle autour de moi et elles me faisaient des gestes comme des sorcières avec leurs doigts crochus en répétant en rythme : Dé-mon, dé-mon ! tout le monde connaît ton nom ! Alors je sais combien tu as pu te sentir enragé et impuissant quand ces petites frappes racontaient des mensonges sur ton père qui tabassait ta mère.

Matthew regarda Ruth Lillian.

— Je crois qu'il vaut mieux que je rentre, maintenant, dit-il.

Il descendit les quatre marches de bois de la terrasse, puis s'immobilisa. Là, sans se retourner, il dit d'une voix blanche :

— La vérité, Lillian, c'est que ces gosses inventaient rien. Mon père était vraiment un ivrogne. Il rentrait à la maison en puant le bourbon, la pisse et le vomi, et ça lui arrivait de tabasser ma mère comme pas croyable. De la tabasser jusqu'à ce qu'elle… (Il respira profondément, se frotta le visage, puis renifla bruyamment.) Je ne supporte pas l'odeur de bourbon. (Puis, après un silence.) Donc c'était vrai, ce que les autres enfants racontaient. C'est pour ça que c'était insupportable et qu'il fallait que je les cogne pour qu'ils la ferment. Mais j'imagine que quand t'as un père qui sent toujours le bourbon et le vomi, tu peux pas espérer beaucoup de respect de la part des autres. Tu vois ce que je veux dire ?

Elle ne répondit rien. Que pouvait-elle répondre ?

Il rentra chez lui.

La conviction que Matthew nourrissait de n'être pas respecté par les habitants de Twenty-Mile malgré tout son travail et les efforts constants qu'il faisait pour se montrer serviable et sympathique fut renforcée une semaine plus tard, lorsqu'un lapsus lui donna des raisons de penser que Ruth Lillian elle-même ne le respectait pas vraiment. C'était un dimanche. Le train avait déposé sa cargaison pour Twenty-Mile et reconduit les mineurs au Filon ; Matthew avait charrié ses deux habituelles brouettées d'arrivages du dépôt jusqu'au Grand Magasin. Cela fait, il se rendit ensuite au salon de coiffure pour son récurage de baignoires. Il fut en retard au dîner parce que le Pr Murphy lui avait ajouté des corvées supplémentaires, arguant que, nom d'un chien, s'il devait se faire extorquer six jetons supplémentaires de son argent durement gagné, alors nom d'un chien il avait bien l'intention d'en tirer pour six jetons de sueur supplémentaire ! Matthew arriva donc en retard au Grand Magasin et, lessivé par une nuit de veille derrière son comptoir, M. Kane grommela que ce n'était pas bien de laisser son assiette refroidir comme ça, puis déclara qu'il ferait mieux de monter s'allonger dans sa chambre… non pas qu'il fût fatigué, ça non… Mais… il avait mal au dos, il fallait qu'il s'allonge, voilà tout.

Une fois la vaisselle faite, Matthew et Ruth Lillian descendirent la rue plongée dans son silence dominical, puis bifurquèrent pour remonter vers le pré aux ânes. Matthew prit bien garde de la faire passer au large de la flaque boueuse au pied de l'arbre, à l'endroit où les Bjorkvist avaient abattu la vache hebdomadaire. Perdus chacun dans leurs pensées, ils traversèrent le pré d'un pas tranquille, les irrégularités du terrain les faisant parfois s'effleurer épaule contre épaule, jusqu'au cimetière clos et ses croix de bois dont certaines commençaient déjà à pencher vers la terre désormais bien tassée de leur tombe. Matthew trouvait ce cimetière effroyablement grand par rapport au petit nombre de tombes regroupées dans un coin ; Ruth Lillian lui dit que tout cet espace avait été réservé à l'époque où Twenty-Mile était en pleine expansion et que tout le monde pensait que le Filon Surprise serait éternel.

— Comment se fait-il que toutes les croix soient identiques ?

— La compagnie minière en avait commandé tout un lot à la scierie de Destiny. La plupart sont encore stockées dans le cabanon du Pr Murphy. La concession lui appartient. Il s'est fait un joli petit paquet avant la crise, quand les gens mouraient dans des accidents ou des bagarres. Il en enterre encore trois ou quatre par an – des hommes qui se font écraser par des éboulements ou broyer par la machine.

Elle frissonna en y pensant.

Ils déambulèrent entre les croix. La plupart ne portaient qu'un nom et l'année du décès, mais quelques-unes parmi les plus anciennes arboraient une épitaphe gravée au fer rouge, dont certaines étaient étrangement énigmatiques, comme : *Maintenant, au tour de ma femme !* ou : *Que voulez-vous, il avait déjà essayé à peu près tout le reste.* Une autre, somme toute assez conventionnelle – *Je ne suis pas mort, je dors* –, poussa Matthew à secouer la tête en fronçant les sourcils. Il dit à Ruth Lillian qu'il préférait penser que les gens enterrés dans les cimetières étaient morts et bien morts, pas juste en train de faire une petite sieste. En marchant, il lut quelques noms à voix haute et demanda de qui il s'agissait. Elle se souvenait de presque tous, car ses parents s'étaient installés ici quand elle avait sept ans et Twenty-Mile un an tout juste. Lui ? C'était le chimiste chargé de tester le minerai. Elle ? Une putain qui s'était fait abattre par une autre fille… une vague histoire de robe rouge. Lui ? Il faisait arracheur de dents et diseur de bonne aventure. Je ne sais pas de quoi il est mort. Mais, comme il était devin, il l'avait sûrement vu venir.

Une pensée saisit l'esprit de Matthew.

— Ruth Lillian… est-ce que… est-ce qu'il y a ta mère, quelque part ?

— Non, répondit-elle sèchement.

Ils continuèrent à marcher. Il trouva un bâton et s'en servit pour décapiter quelques herbes folles. Au bout d'un moment, elle dit du même ton sec :

— Ma mère est à Cheyenne. C'est du moins là-bas qu'elle est partie quand elle nous a quittés. Évidemment, elle n'y est peut-être plus, aujourd'hui. J'en sais rien.

Il ne voulait pas paraître indiscret, mais en même temps il ne voulait pas qu'elle crût qu'il ne s'intéressait pas à elle. Il lâcha donc un "Cheyenne, hein ?" sans danger.

— Oui. Elle est partie avec le marshal.

— Celui qui habitait chez moi ? Celui qui portait l'étoile que tu m'as donnée ?

— Lui-même.

— Et elle est partie ? Comme ça ?

— Comme ça. Le marshal était un homme grand et beau. Et papa ? Eh ben papa, il était beaucoup plus vieux qu'elle. Et il arrêtait pas de travailler pour lancer l'affaire, alors il avait pas le temps d'aller danser au club social du Double-Six. Lorsqu'ils se disputaient, elle lui reprochait de pas être drôle, et il répliquait qu'il travaillait jour et nuit pour lui payer ses jolies robes, et elle criait qu'il y avait plein d'hommes qu'étaient prêts à lui en offrir, des jolies choses, crois-moi ! Elle disait ça très souvent : crois-moi. Moi, je le dis jamais.

Matthew acquiesça mais resta silencieux, au cas où elle aurait voulu lui en dire plus. Au bout d'un moment, cependant, il fut certain qu'elle n'en ferait rien et il la libéra de son fardeau de silence en lisant l'inscription d'une nouvelle croix : *1889. Prospecteur. 60 ans, à peu de choses près.*

— Il y avait beaucoup de prospecteurs, par ici, au début, dit-elle. Ils se disaient que s'il y avait un Filon Surprise, il devait y en avoir d'autres. Mais la "surprise", c'était qu'il n'y avait qu'un seul filon d'argent dans toute la chaîne des Medicine Bow.

Matthew rit, puis entreprit de livrer un duel avec son bâton contre un haut brin d'herbe d'allure mauvaise, qu'il finit par vaincre d'une esquive suivie d'un vif coup de taille.

— Matthew ? dit-elle d'un ton détaché.

— Hmm ?

— C'est quoi, l'Autre Endroit ?

Il se tourna vers elle et la fixa dans les yeux.

— Qui t'a parlé de ça ?

— Toi.

— Jamais de la vie !

— Si. Tu me racontais ta bagarre avec les frères Benson, et tu m'as dit que tu ne sentais pas leurs coups de poing parce que tu étais dans cet "Autre Endroit". Je ne t'ai pas posé de questions sur le moment, parce que tu étais dans tous tes états. Mais depuis, je n'arrête pas d'y penser.

— Oh, c'est juste…

D'un geste chargé à la fois de gêne et d'irritation, il lança son bâton aussi loin qu'il put : il fendit l'air en tournoyant – flouf-flouf-flouf – pour atterrir contre la clôture molle qui séparait le cimetière du pré aux ânes.

— Si tu veux pas en parler, c'est pas grave. Je me disais juste que… C'est pas grave.

Elle se remit à marcher.

— C'est pas que je veux pas en parler. C'est que… c'est difficile à expliquer.

Elle s'arrêta et attendit patiemment.

— C'est juste… Eh bien, quand j'étais petit et que j'avais peur – parce que papa criait sur maman, ou parce qu'il allait falloir que je me batte avec un autre gosse pendant la récré –, je me concentrais sur une fissure du plancher, ou une imperfection dans le verre d'une fenêtre – peu importe, ça marchait avec plein de trucs –, et là, très vite je me sentais glisser vers cet… cet Autre Endroit où tout était plus ou moins brumeux et plein d'échos, et j'étais loin, et en sécurité. Au début, il fallait que je me concentre vraiment fort pour arriver dans ce refuge. Et puis, un beau jour, y a eu ce gars qui s'est mis à me frapper, et tout d'un coup, sans même le vouloir, je m'y suis retrouvé, et je me suis senti incroyablement calme, et j'avais peur de rien. Je savais qu'il me frappait et j'entendais les gosses qui me criaient des insultes, mais ça faisait pas mal et ça m'était égal, parce que j'étais parti dans l'Autre Endroit. Depuis ce jour-là, chaque fois que j'ai peur ou que je suis face à quelque chose de trop dur, je me retrouve tout d'un coup là-bas. À l'abri. Paisible. (Il chercha son regard.) Est-ce que tu comprends, Ruth Lillian ?

— Hmm… plus ou moins. Ça a l'air plutôt bizarre. (Et elle se hâta d'ajouter :) Mais vraiment intéressant.

— J'en ai jamais parlé à personne. Même pas à ma mère. J'avais trop peur que… Ça va te sembler étrange, mais j'avais trop peur que si des gens apprenaient l'existence de mon Autre Endroit, il se refermerait, comme une plaie, et disparaîtrait, et je ne pourrais plus y aller quand j'en aurais besoin. C'est fou, hein ?

— Un peu. Mais je te rappelle que moi je suis la fille qui se fixait dans son miroir en se demandant qui est la personne qui se trouve dans sa tête, là, à la regarder avec ses propres yeux. Alors je ne suis peut-être pas si bien placée pour juger qui est fou et qui l'est pas.

— Tu sais ce qui m'inquiète, des fois ? Tu vas rire.

— Quoi ?

— Eh ben, comme je t'ai dit, au début, il fallait que je me concentre vraiment dur pour aller dans l'Autre Endroit. Et puis y s'est trouvé que j'ai fini par pouvoir y aller sans aucun effort, dès que les choses deviennent plus supportables. Ce qui m'inquiète, c'est ça : Et si, un jour, je pouvais plus revenir ? Et si je restais coincé dans l'Autre Endroit ? Ça, ça serait quelque chose !

Elle le regarda du coin de l'œil et ne répondit pas.

— Je suis content de t'en avoir parlé, Ruth Lillian. Tu penses peut-être que je suis fou comme un hou-hou, mais je suis tout de même content de t'en avoir parlé.

— C'est quoi, un hou-hou ?

— Un truc que j'ai inventé. Un oiseau fou qui sait rien crier d'autre que *hou-hou*.

— Un peu comme une chouette ?

— Ouais, mais en plus grand. Hé, regarde ça ! (Un nom sur une croix de bois penchée avait attiré son attention : *Mule, 1892.*) Ils ont enterré une mule ici ? À côté des gens ? demanda-t-il.

Elle rit, soulagée de pouvoir changer de sujet.

— Non, Mule, c'était un homme. Évidemment, c'était pas son vrai nom. C'était juste comme ça que les gens l'appelaient.

— Qui c'était ?

— Personne. Juste un homme à tout faire. Costaud comme un bœuf, et deux fois plus bête. Il était prêt à travailler comme un Chinois pour un nickel ou un sandwich. Les gens lui faisaient des farces, et ils riaient quand il se ridiculisait. Lui aussi, il riait. Ça lui faisait plaisir qu'on s'intéresse à lui.

La voix de Matthew passa en mode mineur.

— Juste un homme à tout faire, hein ?

— Ouais, il travaillait un peu par-ci, un peu par-là, et il... Matthew, il était pas du tout comme toi. Rien à voir.

— Mais personne ne le respectait. Je veux dire... regarde ce qu'ils lui faisaient ! Ils ont même écrit Mule sur sa tombe, histoire que tout le monde puisse venir rire encore un peu en se foutant de la gueule de l'homme à tout faire !

— Ils se moquaient de lui parce qu'il était débile. Pas parce qu'il faisait des petits boulots ! Pfiou !

Elle était gênée, certes, mais en colère aussi. En colère contre elle-même pour avoir dit quelque chose de blessant, et en colère contre lui qui s'était montré si sensible sur la question. Alors elle dit :

— C'est bon, c'est bon. T'as peut-être raison. Peut-être que les gens respectaient vraiment pas ce pauvre vieux Mule. Qui veux-tu que ça gêne ?

Ça gênait Matthew.

KERSTI BJORKVIST RENIFLA GRAS EN ATTEIGNANT L'ORGASME. Son corps puissant se cabra un instant sous l'extase, le soulevant sur son large bassin. Puis elle se détendit et le serra fort contre sa poitrine.

— C'était quelque chose, hein ? Pour moi, y a rien de meilleur au monde ! Et pour toi ?

Les pensées de Matthew étaient extrêmement confuses en cet instant. D'une part, Kersti sentait la vieille sueur. D'autre part, c'était péché. Le péché de chair. C'était la première fois que… C'était la première fois, et maintenant il se sentait vide et mauvais et gêné et honteux. Mais surtout, il était triste que cette première fois se fût déroulée avec Kersti Bjorkvist alors qu'il n'avait pas cessé un instant de penser et de rêver à Ruth Lillian.

Il était au lit, en train de lire *Le Ringo Kid s'enfuit.* (Évidemment, il ne s'enfuit pas réellement, mais c'est ce qu'il fait croire à tout le monde, le temps de réfléchir à un plan pour mettre un terme aux agissements de ce vil acheteur de terres au verbe fourbe qui complote pour mettre la main sur le ranch de la jeune orpheline.) Il avait dû se mettre à somnoler, parce qu'il tombait, tombait, tombait… lorsque soudain sa tête s'était redressée et il s'était trouvé parfaitement éveillé, le cœur battant. Un bruit à la porte de derrière ? Non, non, juste un lambeau de son mauvais rêve. Il avait souri de se voir ainsi terrifié, comme un petit peureux. Mais peut-être qu'il aurait tout de même mieux fait d'éteindre sa lampe, au cas où. Il s'était souvenu que, dans *Le Ringo Kid fait monter les enchères*, Ringo entend des bruits à l'extérieur de sa cabane (dans son style anglais cultivé, M. Anthony Bradford Chumms appelle ça des "bruissements") et Ringo souffle immédiatement sa lampe à pétrole pour ne pas subir le handicap d'être en pleine lumière tandis que son ennemi, lui, se trouverait dans le noir. Matthew s'était attardé sur ce passage en opinant du chef, plein d'admiration pour la sagacité du Kid – avoir ce genre d'idée, comme ça, dans le feu de l'action!

Il avait entendu de nouveau du bruit, un grattement à la porte de derrière. Puis quelqu'un avait murmuré d'une voix pressante:

— Hé? Ouvre donc!

C'était une voix de fille.

Il s'était levé de son lit et avait ouvert le verrou pour demander ce qu… Mais soudain elle s'était trouvée à l'intérieur et tout s'était enchaîné d'un coup. Elle lui avait donné un gros baiser humide qui loupa à moitié sa bouche, tout en farfouillant plus bas jusqu'à ce qu'elle l'eût en main, et il l'avait senti durcir, et elle fut sur son lit, à ôter vivement sa robe par le haut, et il y eut une forte odeur de sueur lorsqu'elle leva les bras, et elle l'attira sur elle. Au début, il ne voulait pas trop. Mais bientôt, il voulut, puis, très vite, il en eut sauvagement besoin. Elle avait grogné un peu, agacée de le voir tâtonner comme ça, puis elle se l'était mise et avait joui presque immédiatement, puis il avait joui, mais elle avait continué à respirer fort et à pomper et il était resté dur suffisamment longtemps pour qu'elle jouisse une seconde fois… en reniflant… et puis elle s'était détendue et l'avait serré fort contre elle, et avait dit "C'était quelque chose, hein? Pour moi, y a rien de meilleur au monde! Et pour toi?" Il était encore allongé sur son corps massif et moite, à se sentir gêné et fautif, tout en ayant plus ou moins envie de le refaire, et ce désir lui faisait en retour éprouver du dégoût pour lui-même. Ainsi qu'une vague tristesse, aussi.

Elle le poussa sur le côté et le serra contre son flanc, où il se trouvait proche de l'odeur de sueur.

— C'était la première fois que tu te faisais une fille?

— Non! Non, je me suis fait des tas de… Mais ça faisait un bail. On oublie.

— On oublie?

— Euh… c'est pas tout à fait ce que je veux dire… Ce que je veux dire, c'est, tu vois, quoi…

Il ne s'en sortirait pas: il se tut.

— Je suis une rapide, dit-elle fièrement. Les hommes aiment les rapides.

— Évidemment. Je veux dire… c'est chouette, les rapides, non ?

Ses yeux s'étaient habitués au clair de lune qui entrait par la fenêtre, et il distinguait sa silhouette, sa chevelure luxuriante mais courte sur le front, son long nez charnu, ses lèvres épaisses. Et, plus bas, il voyait le téton encore dressé d'un sein lourd.

Elle lui prit le bras et se le passa sous le cou pour se blottir encore plus près de lui, jouant rêveusement avec son pénis en parlant vers le plafond, dans le noir. Elle n'avait pas l'accent chantant de ses parents, ce qui ne surprenait pas Matthew parce que la plupart des enfants avec qui il était allé à l'école avaient des parents qui parlaient avec un accent du vieux monde, mais eux, les enfants, parlaient un américain normal – comme Ruth Lillian, dont les mots ne portaient aucune trace des consonnes cassantes de son père. Pensant à Ruth Lillian, il sentit ses oreilles rougir de honte.

Alors que, profitant de cette rare occasion pour parler à quelqu'un, Kersti continuait à bavasser, il sentit son bras s'engourdir, coincé sous son cou. Puis ce furent des picotements douloureux. Mais il ne le retira pas parce qu'il ne voulait pas qu'elle crût qu'elle ne lui plaisait pas.

— Ça m'étonnerait pas, si tu t'étais jamais fait une fille avant. T'es encore un enfant. Moi, j'ai vingt-deux ans. Mon frère a à peu près le même âge que toi, et il s'astique dans le cabanon du fond. Parfois trois, quatre fois par jour. Il arrête pas. C'est peut-être pour ça qu'il est si stupide. Mais je crois pas. À mon avis, il est juste né stupide. Mais je suppose que ça n'aide pas, de passer son temps à s'astiquer comme ça. Y a eu ce bateleur qu'est passé en ville y a quatre, cinq ans de ça, tu vois ? Le dernier bateleur qu'on a jamais vu à Twenty-Mile. Il était différent de la plupart des autres bateleurs. Il avait pas un grand sourire et une cravate étincelante et il racontait pas sans cesse des blagues et tout ça. Il portait des vêtements noirs, comme un pasteur, et il disait des choses graves et profondes, comme s'il avait de la peine pour tout le monde, tu vois ? Il a lu à ma mère un passage d'un de ses livres comme quoi c'était dangereux pour les garçons de s'astiquer parce que ça les rendait stupides et aveugles. Moi et mon frère, on écoutait derrière la porte, et on a dû se mordre le poing pour pas éclater de rire, parce que mon frère s'astiquait déjà régulièrement et qu'il avait aucun problème de vue. Bon, ben ce bateleur il a dit que les parents qui aimaient leurs fils, ils les empêchaient de s'astiquer en leur donnant une farine spéciale inventée par un pasteur qui s'appelait Dr Sylvester Graham, et ça tombait bien, parce que la farine Graham, c'était ça qu'y vendait, le bateleur. On le payait d'avance, et il vous envoyait la farine par diligence, mais ma mère lui a dit qu'elle était pas née de la dernière pluie, et qu'elle allait pas donner de l'argent à l'avance à un bateleur pour de la farine qu'arriverait p'têt ou p'têt pas par diligence, et de toute façon son fils risquait pas de faire des cochonneries parce qu'elle nous avait éduqués en bons et pieux chrétiens, et ça nous a fait pouffer encore plus fort, mon frère et moi, parce que la raison pour laquelle on s'était fait jeter de la communauté de Suédois avec laquelle nos parents étaient venus en Amérique, c'était que mon père s'était fait surprendre en train de sauter la femme du prédicateur en chef. Et ça, c'était drôle parce que le prédicateur, lui, ça faisait des mois qu'il me sautait en douce. Il me sautait pas vraiment, parce que j'étais trop jeune et trop petite encore pour être vraiment sautable. Mais pendant qu'il m'expliquait la Bible, il me touchait et me faisait le toucher, ce genre de trucs. C'est pour ça qu'ils nous ont expulsés et qu'on a fini à Twenty-Mile. Depuis, ma mère a plus jamais voulu que mon père la saute. Je le sais parce que je les ai entendus se disputer à propos de ça le soir. Et c'est pour ça que mon père file discrètement sauter une des filles de l'hôtel de temps en temps.

Matthew était à la fois soufflé et fasciné par ses histoires. À l'école, il avait déjà entendu des grands dire des saletés et expliquer des choses aux petits – des choses fausses, en général, comme n'importe quel garçon vivant dans une ferme avec du bétail devrait le savoir – mais il n'avait jamais imaginé que les filles pouvaient penser à ces choses-là, et encore moins en parler. Ou les faire. Il admirait la franchise de Kersti. Dommage qu'elle soit si moche… et qu'elle sente la sueur.

— Comment tu sais que ton frère… s'astique ? demanda-t-il.

— Je l'observe, des fois. Tu devrais voir les yeux luisants qu'il a, et comment qu'il ouvre grand la bouche, quand il est près de juter.

— Il te laisse le regarder ?

— 'Videmment. Quand j'avais quatorze, quinze ans et qu'il en avait tout juste dix, onze, je me faufilais dans sa chambre et je le faisais me sauter… enfin, du mieux qu'il pouvait, avec son petit truc tout gigouillant comme une loche. Mais je l'ai fait arrêter quand il a été assez grand pour commencer à juter, parce que je voulais pas me retrouver avec un bébé à deux têtes comme on en a quand on le fait avec son propre frère. Tu savais ça ? Les bébés à deux têtes ?

— Euh… non. Je savais pas.

— Eh ben c'est vrai. Et y a aussi des trucs plutôt effrayants qui peuvent venir quand des hommes se font des vaches ou des brebis, crois-moi.

Cette expression le fit penser à Ruth Lillian, et il se sentit vraiment misérable d'être là comme ça, au lit avec une autre fille.

— Alors, tu te l'es faite, cette bêcheuse de Ruth Lillian, ou pas encore ? demanda-t-elle comme si elle eût pénétré son esprit.

— Non, bien sûr que non ! Elle est pas du genre à…

Il se tut, espérant ne pas l'avoir blessée. Bon Dieu, mon bras va bientôt pourrir sur place !

— Oh, elle le ferait. Toutes les filles le font, quand c'est le moment et l'homme qui convient. Tout le monde veut le faire, même si les bêcheuses racontent le contraire. Je vous ai vus tous les deux assis sur sa terrasse, le soir, et je sais à quoi vous pensez derrière toutes vos histoires. Mais tu perds ton temps, et t'as vu c'te chignon chichiteux qu'elle se fait sur la tête, comme si c'était quelqu'un. Et nom d'un chien, si tu savais comme mon frère peut pas te voir ! Il arrête pas de raconter comment il voudrait te suriner, des trucs comme ça, tu vois ? En partie à cause des boulots que tu lui as piqués et de la manière dont la mère l'engueule pour pas les avoir pris le premier. Mais surtout à cause de cette Ruth Lillian. Si tu savais comme elle l'échauffe. C'est toujours à elle qu'y pense quand y s'astique dans le cabanon.

Cette idée répugna Matthew. Et le mit en colère.

— Comment tu sais ça ?

— Il me l'a dit. Des fois, il est si furieux contre toi que ça le fait pleurer. Il se colle juste la tête dans les bras et il chiale. Et des fois, ça me rend si triste de voir comme il en bave pour cette Ruth Lillian que je l'astique moi-même, pour rendre service. Mais mon régulier, c'est le vieux Murphy.

— Le coiffeur ?

— Ouais. Toutes les semaines, je me sauve en douce et on le fait. Y m'file quatre jetons pour ça. Y dit qu'il a peur de sauter les filles de l'hôtel parce qu'il veut pas attraper la chtouille, mais moi je crois qu'y m'saute parce que les filles prennent deux billets et que c'est un rapiat. Tu savais qu'il était chauve comme un chnoque sous sa perruque ? Eh ben je te le dis. Des fois, ça me fait rire, quand il est là sur moi à pomper et pomper en retenant ses cheveux d'une main ! Bon Dieu, ma mère en pisserait du barbelé si elle apprenait que j'fornique avec le vieux Murphy, vu qu'y s'est fait prendre à sauter des p'tites filles là-bas dans l'Est. Des vraies p'tites filles. Y leur donnait des réglisses à un penny pièce. L'était déjà rapiat en ce temps-là, j'imagine. Y a un groupe d'hommes qui voulait l'encorder à un arbre et lui couper le tuyau, mais il a mis les bouts. À mon avis, il a choisi Twenty-Mile parce qu'y a encore des types qui veulent le lui couper, et que c'est le dernier endroit où quelqu'un penserait à le chercher.

— Pfiou ! Est-ce qu'y a d'autres hommes avec qui tu le fais ?

— Et avec qui tu voudrais que j'le fasse, nom d'un chien ? Tu crois que ça m'plairait d'avoir c'te vieille jambe de bois d'Calder sur le bide ? Pour choper des échardes ?

— Et M. Delanny, alors ?

— Nan, l'est trop cardiaque pour sauter personne.

— Même pas ses filles à lui ?

— Non, je suis presque sûre que non. On dirait qu'il a le dévolu pour Frenchy – la négresse à balafre, tu vois qui ? – mais je suis presque sûre qu'y la saute pas. Je le saurais si y l'faisait. Tout le monde sait tout sur tout le monde dans un trou comme Twenty-Mile.

Une pensée glaçante congela les intestins de Matthew et lui flétrit la verge, qui commençait à réagir aux agaceries rêveuses de Kersti. Cela signifiait-il que Ruth Lillian finirait par tout savoir sur ce soir ?

— Et tu crois tout de même pas que j'me ferais le révérend Hibbard, hein ? Pitié ! Rien que l'idée qu'y me toise comme ça avec ses yeux tout creux, ça me ferait vomir ! Et tu l'imagines là, à rentrer chez lui après en titubant dans la rue, chialant et beuglant qu'il a péché avec moi ? Et si ma mère entendait, je me ferais écorcher vive !

— Alors B.J. Stone, ou Coots ? demanda Matthew. Ils sont pas cardiaques, ils ont deux jambes, ils ont des cheveux et ils sont pas ivrognes.

Kersti se tordit d'un rire asthmatique qui lui fit serrer son pénis suffisamment fort pour que ça lui fasse mal. Mais ce mouvement lui permit de dégager son bras.

— Stone et Coots ? Tu rigoles ! Tu les connais pas, ou quoi ?

— Comment ça ?

— Ils aiment pas les femmes ! Ils se sautent l'un l'autre !

Kersti poursuivit en expliquant que c'était ce que sa mère appelait des sodomites, et que l'Ire de Dieu était sur eux. Que c'était pour ça qu'ils restaient dans cette maudite ville, où tout le monde se fichait de qui vous étiez, de ce que vous faisiez… ou avec qui vous le faisiez.

— Mais tu f'rais mieux de pas trop traîner avec eux, si tu veux pas qu'on croie que t'en es toi aussi. Un sodomite.

Matthew ne parvenait à croire que B.J. Stone et Coots… Enfin… Comment ?

— Et quand je dis tout le monde, je dis tout le monde. Sauf le vieux Kane, mais lui ça l'intéresse plus de faire ça avec personne depuis que sa femme s'est tirée avec le marshal en le laissant avec sa p'tite Mademoiselle Coincée, ses robes à froufrous et son chignon ridicule, comme si c'était quelqu'un. (Son flot de paroles se tarit brusquement alors que ses pensées se tournaient vers elle-même. Au bout d'un moment, elle poursuivit d'une voix douce.) Alors tu vois, y a rien ni personne pour moi à Twenty-Mile.

— Ben si c'est ça tu devrais p'têt pas rester, Kersti.

Il se disait que si Kersti quittait la ville, peut-être que Ruth Lillian ne saurait jamais à propos de ce soir.

— Ça ! Va pas t'imaginer une seule seconde que je compte rester dans ce trou pourri ! Jamais de la vie ! Non-Meus-sieur ! J'économise tous mes demi-dollars du vieux Murphy, et un de ces jours j'm'en irai. J'me trouverai un travail dans une grande ville, j'm'achèterai des belles robes, et j'me f'rai coiffer vraiment bien… Mais pas en chignon, comme une sainte nitouche.

— Qu'est-ce que tu attends ?

— J'attends rien du tout ! Commence pas à dire que j'attends alors que j'attends pas ! Un jour ou l'autre, demain peut-être, cette ville va se réveiller et trouver rien d'autre que de la poussière là où je me tenais. (Elle prit une longue respiration, et sa voix devint blanche.) C'est juste que…

— C'est juste que quoi ?

— Ben… J'y connais rien en cuisine, et j'y connais rien en service. Qu'est-ce que je ferais, là-bas, toute seule dans la plaine ? Comment je vivrais ? J'ai sûrement pas envie de finir comme les filles à m'sieur Delanny. Sautées par qui veut bien. Des vieux moches, des qu'ont des maladies, ou juste… n'importe qui. Y a rien que je veux plus que de partir d'ici, mais…

Matthew la sentit soupirer, et il sut soudain que Kersti ne quitterait jamais Twenty-Mile. N'emporterait jamais avec elle sa faute à lui. En fait, elle allait très probablement…

— Hé ! Mais tu rebandes ! dit-elle avec un petit rire complice. Cette fois, c'est moi qui vais sur toi.

Le vendredi suivant, M. Kane se sentait mieux qu'il ne s'était jamais senti depuis des semaines. Pendant tout le dîner, il amusa la compagnie à raconter les farces qu'il faisait quand il était enfant, dans le sous-sol new-yorkais miteux où il avait grandi – comme se cacher dans les couloirs sombres pour faire peur aux vieilles dames qui croyaient aux fantômes et aux golems. Matthew en rit aux larmes, et Ruth Lillian accusa son père de "raconter des craques", ce qu'il nia catégoriquement, absolument, radicalement, et… "Bon, d'accord, j'enjolive peut-être un peu."

— C'est une sorte de mensonge.

— Les esprits bornés peuvent appeler ça du mensonge. Moi, j'appelle ça enluminer la vérité pour la rendre plus intéressante.

Matthew voyait parfaitement ce qu'il voulait dire.

M. Kane les rejoignit ensuite sur la terrasse pour prendre un peu l'air avant de monter se coucher, et ils regardèrent tous trois en silence les étoiles au-dessus des contreforts, fraîches et friables dans l'air froid des montagnes. Au bout d'un moment, il soupira, se gratta le ventre et dit que s'ils ne comptaient pas avoir une de leurs discussions profondes à propos d'infini et de miroirs et de choses de ce genre, lui ferait tout aussi bien d'aller dormir, parce que les mineurs arrivaient demain et qu'il faudrait rester ouvert toute la nuit. Ruth Lillian dit qu'elle montait elle aussi dans deux minutes.

Matthew et Ruth Lillian restèrent assis sans rien dire sur la marche du haut, adossé chacun à un pilier du porche, lui jambes étendues sur l'escalier, elle jambes repliées contre son torse, entre ses bras.

— Dans tout juste deux ans, dit-elle par-dessus ses genoux, ce sera le XXe siècle. Le XXe siècle. Des fois, j'essaie de dire les dates à voix haute. Mille neuf cent cinq. Mille neuf cent vingt-quatre. Mille neuf cent quatre-vingt-dix-huit. Ce neuf cent, il sonne… je sais pas… Il va pas dans la bouche, je trouve. Le XXe siècle ! Mon Dieu, je ne suis pas du XXe siècle, moi, on m'y traîne de force, c'est tout !

— Je vois pas ce qu'on peut y faire. Je crois qu'y vaut mieux s'inquiéter des choses pour lesquelles on peut agir.

— De quoi tu t'inquiètes, alors ?

— Je sais pas. (Il haussa les épaules.) Bah, de Dieu, du péché, de l'enfer, évidemment. Mais j'imagine que tout le monde s'inquiète de ça.

— Pas moi.

— Pas toi ?

— Non. Je suis même pas sûre que l'enfer existe. Et s'il existe, ça peut pas être pour des broutilles comme de voler des cookies, ou énerver son père, ou rêvasser en pensant à… tu sais, à l'amour, aux baisers, tout ça. Je veux dire, Dieu peut pas être aussi mesquin que ça, pas vrai ?

Matthew se demanda si elle avait parlé de l'amour et des baisers parce qu'elle avait appris ce qui s'était passé entre lui et Kersti. Peut-être que quelqu'un l'avait vue s'éclipser du bureau du marshal.

Ça l'avait tracassé toute la journée, et il n'avait pas pu chasser l'idée parce qu'il avait encore un peu mal à force de l'avoir fait trois fois. Il était rentré se laver une deuxième fois avant d'aller dîner au Grand Magasin, parce qu'il avait peur qu'ils sentent l'odeur de Kersti sur lui. Et après le dîner, il était rentré s'allonger sur son lit pour réfléchir à toute cette affaire et trouver comment expliquer à Kersti qu'ils ne devaient plus jamais, jamais se ressauter l'un l'autre. Il lui dirait que c'était mal, étant donné ses sentiments pour Ruth Lillian et tout ça. Il était encore en train de chercher les mots qu'il emploierait quand il s'était endormi, probablement parce qu'il avait passé une nuit presque blanche la veille, soit à le faire, soit à l'écouter déblatérer sans fin, comme s'il y avait des années et des années qu'elle économisait ses paroles. Il s'était levé trop tard pour aller faire ses corvées à l'écurie, et c'était peut-être pas plus mal parce qu'il avait besoin de digérer ce que Kersti lui avait dit au sujet de B.J. Stone et Coots. Il ne savait pas trop comment se comporter avec eux.

— À quoi tu penses ? dit Ruth Lillian.

— Hmm ? Euh... je songeais juste à... à des choses.

— Comme quoi ?

— Ben, tu as dit que tu rêvassais à propos de l'amour et des câlins et... tout ça.

— Comme tout le monde, non ? Enfin, comme tous les jeunes. J'imagine que la vieille Bjorkvist rêvasse pas trop au sujet des baisers et des caresses. Kersti, par contre...

— Qu'est-ce qu'elle a, Kersti ?

— Ben, tout le monde est au courant, à propos d'elle et du vieux Murphy. Tout le monde sauf ses parents, je veux dire. Mais je lui jette pas la pierre.

— Ah non ?

— Non. Moi, l'idée que le vieux Murphy pourrait me toucher me fait frissonner d'horreur, mais je comprends que Kersti puisse avoir besoin parfois d'un peu d'affection et d'attention, et Dieu sait qu'elle en reçoit pas beaucoup de ses parents. Alors elle prend ça là où elle le trouve. Tu sais ce qui m'attriste, avec Kersti ?

— Quoi ?

— C'est qu'elle est sûre de se faire avoir. Elle sort avec des hommes pour un peu d'affection. Avoir quelqu'un à qui parler. Mais les hommes prennent leur plaisir, et puis ils veulent plus rien avoir à faire avec elle. Et ça, c'est mesquin de leur part.

— T'as tout à fait raison. Je sais pas comment on peut... Bah, je sais pas, c'est tout.

— Mon père dit que les hommes sont beaucoup plus proches de la bête sauvage que les femmes.

— Ça, pour sûr. Dis-moi, Ruth Lillian ? À propos de tes rêveries sur l'amour, les baisers, tout ça ? Est-ce que tu en as aussi au sujet de... tu sais quoi.

— Pas toi ?

— Euh... si, bien sûr. Mais je suis un homme, et les hommes sont plus proches de la bête sauvage, comme dit ton père. Mais une gentille fille comme toi...

— Les filles aussi ont des sentiments. C'est juste qu'on les garde pour nous.

— J'ai fait des rêveries sur... (Matthew la regarda par-dessus son épaule pour voir comment elle allait réagir.)... sur toi.

Elle acquiesça d'un air sérieux.

— Hmm. Ça ne m'étonne pas.

— Quoi ?

— Eh bien, après tout, je suis la seule jeune fille ici – à part cette pauvre Kersti – alors ça serait un peu étrange si tu ne me voyais pas comme ça.

— Et toi ? Ça t'arrive de rêvasser à propos de moi ?... De rêvasser comme ça, je veux dire ? Les caresses, tout ça ?

Elle leva la tête et le regarda ; ses yeux se plissèrent comme si elle eût été en proie à une intense réflexion.

— Eh bien... oui, des fois. C'est naturel de songer aux choses. Mais bien sûr je ferais jamais rien d'autre que songer.

— Non, non, bien sûr que non. Et moi non plus. Non. Mais ça me fait plaisir de savoir que tu penses parfois à moi... comme ça.

— Bien ! (Ruth Lillian se leva et lissa l'arrière de sa robe de ses deux mains.) Je ferais mieux de monter.

Il se leva très vite.

— Je voulais rien dire de blessant.

— Non, y avait rien de blessant. Je pense juste qu'il est temps qu'on se dise bonne nuit. (Arrivée à la porte, elle se retourna.) Et, Matthew ? Je pense qu'on devrait plus reparler de ça. Je dis pas que c'est mal. Mais c'est... ça peut mener au mal, si tu vois ce que je veux dire.

— Je vois parfaitement ce que tu veux dire, Ruth Lillian. Et je te respecte pour ça.

— Hmm... bon. Bonne nuit, Matthew.

— Bonne nuit, Ruth Lillian. Dors bien.

En remontant la rue vers le bureau du marshal, Matthew se jura qu'il ne sauterait plus jamais Kersti. Et qu'il ne la laisserait plus jamais le sauter, vu que c'était tout de même plutôt comme ça que les choses s'étaient passées. Ça ne serait pas honnête vis-à-vis de Ruth Lillian, avec toutes les rêveries pleines d'amour qu'elle faisait à son sujet.

Plus tard, alors qu'il était allongé sur son lit, dans le noir, il se demanda ce que Ruth Lillian penserait de lui si elle apprenait qu'il avait commis un péché. Pas juste cette histoire avec Kersti, non... un vrai péché.

IL ÉTAIT 7 HEURES DU MATIN, mais il faudrait attendre encore deux heures avant que le soleil monte suffisamment haut au-dessus de la montagne pour permettre à la pâle lumière d'automne d'arriver jusqu'aux façades de bois des maisons situées du côté ouest de la rue. Matthew alla à l'Hôtel des Voyageurs, le col relevé et les poings enfoncés dans les poches de sa veste de toile. L'air était pinçant, mais il n'y avait pas la moindre brise, de sorte que les fantômes de vapeur qui sortaient de sa bouche restaient suspendus devant lui, et lui caressaient les joues quand il les traversait. Il avait froid à la tête et aux oreilles parce qu'il s'était mouillé les cheveux et se les était plaqués sur le crâne avec le peigne de sa mère, en authentique corne. Déjà le mois d'octobre, c'était fou comme le temps passait vite ! Sept pleines semaines depuis son arrivée ! Il allait falloir qu'il se trouve une veste plus chaude avant les premières neiges.

Comme toujours, la veille de l'arrivée des mineurs, les filles s'étaient levées tard et étaient descendues prendre leur petit déjeuner le visage défait et les traits tirés. En trempant un biscuit dans son café, Queeny reconnut qu'elle se sentait comme si quelqu'un l'avait tirée à travers un trou de souris. Et pas un trou bien lisse, avec ça.

— Des fois, je me dis que je me fais trop vieille pour ce boulot. (Elle partit d'un rire gras et sonore avant que quiconque ait eu le temps d'acquiescer.) Je devrais peut-être me remettre au théâtre. Au moins, on a des horaires plus décents. Je t'ai jamais dit que je faisais la danse des Sept Voiles ?

— Juste deux cents millions de fois, marmonna Frenchy en plongeant son nez dans sa tasse.

Chinky leva les yeux vers Matthew lorsqu'il la servit, et lui adressa un de ses sourires évanescents, presque douloureux. Lorsqu'il lui sourit en retour, elle baissa immédiatement les yeux, comme elle faisait toujours.

Matthew s'approcha de la table de M. Delanny pour lui resservir du café de sa grosse cafetière émaillée, mais le joueur lui fit signe de s'éloigner d'un geste nerveux. Il ne pouvait pas parler parce qu'il était en train de presser sur sa bouche un mouchoir dans lequel il toussait et crachotait, et il avait horreur qu'on fût près de lui lorsque sa dignité se trouvait ainsi rabaissée. L'état de ses poumons s'était tellement dégradé au fil des deux mois qui s'étaient presque écoulés depuis l'arrivée de Matthew qu'il en était désormais à une demi-douzaine de mouchoirs par jour, et encore plus d'Authentique sirop de la mère Grise. De temps à autre, Matthew sentait le regard de M. Delanny se poser sur lui alors qu'il s'activait dans le bar. Leur complicité initiale d'arnaqueur à arnaqueur s'était érodée, et ce que Matthew sentait maintenant émaner de lui était plutôt un mélange de jalousie et d'antipathie. Pas à cause d'une chose que Matthew aurait faite, ou pas faite. Juste parce qu'il était jeune et en bonne santé.

Et Jeff Calder avait vite guéri de toute gratitude qu'il eût pu ressentir à l'égard de Matthew pour l'avoir soulagé de presque tout son travail sans jamais cesser de lui faire profiter des louanges qu'il recevait de la part des filles. Non seulement Calder considérait les accomplissements du jeune homme comme la conséquence de ses propres qualités de patron attentif et exigeant, mais il partageait aussi avec son occasionnel pote de beuverie nocturne, M. Bjorkvist, l'obsédante impression que Matthew ou bien mijotait quelque chose, ou bien "avait vraiment une case en moins". Quel gars normal travaillerait plus que nécessaire ? Et quel gars normal se baladerait constamment avec un grand sourire aux lèvres et un bonjour joyeux pour tout le monde, hein ?

Matthew était en train de balayer le bar lorsque Frenchy descendit prendre sa traditionnelle bouteille de bourbon pour se mettre en condition en vue de la nuit à venir. Elle tourna par hasard les yeux vers lui et surprit son regard avant qu'il puisse masquer le dégoût que l'alcool lui inspirait toujours.

— Qu'est-ce qui va pas, chez toi, petit ?

— Rien. C'est juste... (Cela faisait un moment qu'il voulait en parler à Frenchy, alors pourquoi ne pas le faire maintenant ?) Je t'aime bien, Frenchy. Vraiment. Mais il faut que je te dise que j'ai tout simplement horreur de l'alcool. J'ai vu ce que ça pouvait faire à un homme, et ça me fait mal de te voir ingurgiter ce truc. Je voulais... je voulais juste te dire ça.

Elle laissa ses yeux jaunes fatigués s'attarder un moment dans ceux de Matthew avant de demander :

— C'est tout ce que t'as à me dire ?

— Oui madame.

— Bon. Eh ben maintenant, moi aussi j'vais te dire un truc. Vu que tu connais rien de rien à c'te putain de vie, tu ferais mieux de pas fourrer ton nez dans les affaires des autres. Compris ?

Il eut un sourire mou et bête et se remit à balayer. Une fois qu'elle fut remontée avec sa bouteille, sa gêne se changea en amertume. Bon sang, c'était uniquement pour son bien qu'il avait dit ça. Pour dissiper son sentiment de rejet illégitime, il se mit à redoubler d'énergie dans l'usage du balai, faisant voler des nuages de poussière qui d'abord révélèrent, puis délimitèrent un rayon de soleil matinal monté suffisamment haut pour s'immiscer par-dessus la porte battante du bar.

Passe de Lodgepole Creek

Le soir tombait lorsque le prospecteur attacha sa mule de monte et ses deux mules de charge couleur café à des pins rabougris puis alluma son feu de camp avec des pommes de pin et des petites branches mortes. Il avait pris deux lièvres au collet et comptait en manger un au dîner.

Un soudain susurrement de gros sable glissant attira son attention vers trois hommes qui remontaient la pente dans sa direction. Ah ben ça ! Ça faisait des lustres qu'il avait pas eu une bonne parlotte avec quelqu'un. Le temps qu'il ajoute quelques branches mortes dans son feu et qu'il souffle sur les pommes de pin rougeoyantes pour faire bouillir sa cafetière, les trois hommes étaient presque arrivés. Il répondit à leur appel d'un joyeux salut de la main. Bon Dieu, il allait faire rôtir ses deux lièvres ! Faire une petite fête. Ces gars de la plaine avaient probablement jamais goûté un lièvre de toute leur vie. Il savait que c'étaient des gars de la plaine à cause des habits élégants de celui qui marchait en tête : ce lacet de cuir à médaillon en guise de cravate, et ce gilet vert et or du plus grand chic.

Comme chaque samedi, le déjeuner chez les Kane était plus consistant que les autres jours parce que M. Kane et Ruth Lillian n'auraient pas le temps de manger autre chose qu'un rapide sandwich le soir. Matthew était quant à lui censé dîner à l'auberge des Bjorkvist, comme de coutume désormais. Son après-midi était libre et il savait qu'il faudrait vraiment qu'il monte à l'écurie pour voir si B.J. Stone et Coots avaient prévu du travail pour lui, mais il se sentait toujours mal à l'aise vis-à-vis d'eux et craignait que quelque chose dans son attitude ne trahisse le fait qu'il connaissait leur secret. L'idée que des hommes puissent "se faire" l'un l'autre lui paraissait… disons, non pas franchement dégoûtante ou diabolique, mais étrange. Et un peu gênante aussi – une gêne qu'il éprouvait à leur place, un peu comme la gêne qu'il avait éprouvée pour ses parents lorsqu'il avait appris comment on faisait les bébés et qu'il se les était imaginés en train de le faire. Il s'était demandé s'il convenait d'éclater de rire ou de frissonner de dégoût.

Mais ça faisait une semaine qu'il évitait B.J. et Coots, et il se promit d'aller les voir bientôt. Demain, sans faute.

… Ou peut-être après-demain.

Lorsque le soir déversa son pétaradant carnaval de mineurs dans la rue, il se joignit à la queue, donna son dollar d'argent à Mme Bjorkvist et prit sa place habituelle à sa table habituelle. Lorsque Kersti se pencha en se pressant contre lui pour servir les biscuits, Doc lui adressa une série de clins d'œil appuyés.

— Je crois vraiment que t'as tiré le gros lot, là, Ringo ! Et je parie qu'elle est insatiable ! Elle est moche… ? Bah, qu'est-ce que ça peut faire ? La nuit, tous les chats sont gris, comme dirait l'autre.

Matthew leva les yeux vers Oskar Bjorkvist qui le fixait depuis la porte de la cuisine, son visage morne pincé en un rictus de haine féroce. Il sentit un éclair de colère le traverser en imaginant ce débile à bouche flasque en train de penser à Ruth Lillian pendant qu'il se "faisait" tout seul dans le cabanon du fond.

Ce soir-là, il resta éveillé dans son lit à lire *Le Ringo Kid prend son temps* à la lueur de sa lampe à pétrole, tandis que de la rue lui parvenait le cri ou le beuglement intermittent d'un mineur foutant le bazar. Son attention n'arrêtait pas de glisser de la page, d'une part parce qu'il avait déjà lu ce livre une bonne douzaine de fois et qu'il ne le comptait pas parmi ses préférés parce qu'il y avait trop de "couchers de soleil rose et or", d'"aubes nervurées de jaune", de "déserts aux nuances violettes" et autres chichis de ce genre entre les passages d'action intéressants, mais aussi et surtout parce que ses oreilles ne cessaient d'orienter sa conscience vers la porte de derrière, dans l'attente de Kersti. Juste avant de s'en aller, l'autre nuit, elle avait laissé entendre qu'elle reviendrait samedi, dès qu'elle aurait fini de tout nettoyer à l'auberge. Il avait pesé et soupesé une demi-douzaine de fois la manière dont il lui annoncerait qu'il ne fallait plus qu'ils le fassent – pas parce qu'elle ne lui plaisait pas, se hâterait-il de préciser, non, mais parce que ce n'était pas honnête vis-à-vis de Ruth Lillian, qui était son… ah, il ne savait pas exactement quoi, mais de toute façon il ne fallait plus qu'ils le fassent, point final. Toutefois, il dirait à Kersti que ce n'était pas parce qu'elle ne lui plaisait pas. Parce que ce n'était pas vrai. Elle lui plaisait, elle lui plaisait. En fait, il la trouvait… tu sais, quoi… plutôt très bien. Et il espérait qu'un jour elle réussirait à quitter Twenty-Mile et à se trouver un travail dans une ville et à rencontrer des amis – et un homme aussi, bien sûr.

Ce qui troublait vraiment Matthew – et le mettait en colère contre lui-même – c'était qu'alors même qu'il se représentait le visage bovin, le corps massif et l'odeur âcre de Kersti ainsi que les terribles conséquences que cela aurait si Ruth Lillian apprenait qu'elle et lui l'avaient fait ensemble, il se sentait bander malgré lui. Il n'aurait su l'expliquer. Comment un vil appétit charnel pouvait-il prendre possession d'un homme alors que toutes ses plus nobles aspirations l'attiraient dans une autre direction ? M. Kane disait peut-être juste au sujet des hommes, plus proches de la bête sauvage que les femmes. Une chose était certaine, cependant : vous pouviez être sûr que le Ringo Kid ne bandait jamais lorsqu'il parlait de sa façon polie et tout en douceur avec une des jolies jeunes femmes qu'il rencontrait au fil de ses errances de ville en ville, en quête d'occasions de faire le bien.

Il songea soudain qu'il ferait mieux de ne pas se trouver allongé sur son lit en caleçon long lorsque Kersti arriverait, parce que ça risquerait de l'induire en erreur. Il était donc en train d'enfiler son pantalon lorsqu'il l'entendit gratter à la porte de derrière, et c'est en finissant d'y fourrer les pans de sa chemise qu'il lui ouvrit et lui dit d'entrer et de s'asseoir, parce qu'ils avaient des choses à se dire. Elle s'assit sur le rebord du lit et fit une petite moue en le voyant prendre place sur la chaise, à côté de sa table, et en l'entendant dire :

— Bon, écoute, Kersti. Il y a une chose dont il faut qu'on parle. Toi et moi, on peut pas…

— T'as pas peur que quelqu'un regarde par la fenêtre et nous voie, moi assise là et toi avec la moitié de ta chemise qui sort du pantalon ? demanda Kersti en portant sa main en coupelle au-dessus de la lampe pour la souffler. Là, c'est mieux. Allez, viens t'asseoir près de moi, on n'aura pas besoin de parler si fort pour que tout le monde entende.

Matthew poussa un soupir impatient et alla s'asseoir au bord du lit, aussi loin de Kersti que possible – c'est-à-dire pas très loin, car elle s'était assise au milieu.

— Tu vois, Kersti, le truc, c'est que… Écoute, y faut qu'on parle de…

Mais elle esquiva le sermon qu'elle sentait venir en recourant à la ruse grossière consistant à chercher puis à saisir son pénis à travers son pantalon.

— Je le savais ! Tu bandes, et ça veut dire que tu veux le faire. Alors qu'est-ce qu'on attend ?

Il se leva.

— Non, écoute, Kersti, y faut vraiment…

Mais elle le fit rasseoir sur le lit et commença à trifouiller la boucle de son ceinturon.

Et il ne l'empêcha point. Bon Dieu, il ne l'empêcha point.

Mais dès qu'ils eurent fini, il lui dit qu'il ne fallait plus qu'ils le refassent. Jamais. (C'était étrangement plus facile à dire maintenant qu'il était vide et mou.) Elle était allongée à côté de lui, silencieuse et lourde, et il sentait irradier d'elle un mélange de colère et de douleur. Puis elle éclata en sanglots. Des sanglots gros et gras… singulièrement semblables aux reniflements qu'elle faisait en jouissant. Sa voix était tout humide et glissante lorsqu'elle bafouilla qu'elle savait bien que c'était à cause de cette coincée de Ruth Lillian Kane… avec son chignon et son eau de fleur d'oranger ! Mais elle dans tout ça, hein ? Elle n'avait que ce vieux Murphy et ses cheveux qui tiennent pas !

Matthew prit le ton exagérément patient et lourd de bon sens fatigué que prennent les hommes pour parler aux femmes qu'ils ont trahies et rappela à Kersti qu'elle projetait de toute façon de quitter la ville d'un jour à l'autre. Et il l'assura qu'elle trouverait quelqu'un qui l'aimerait, prendrait soin d'elle, serait toujours…

Et alors ? Peut-être qu'elle n'avait pas besoin qu'on l'aime et qu'on prenne soin d'elle ! Peut-être qu'elle n'avait pas besoin de lui, ni de personne ! Ah, oui, et autre chose. Elle préférerait tout de même qu'il arrête de venir dîner à l'auberge le samedi. S'il venait quand même ? Dans ce cas plutôt aller au diable que de le servir !

Il lui demanda si elle était furieuse contre lui.

À son avis ?

— Ch-h-ut ! On va t'entendre !

En entendant Kersti mentionner l'eau de fleur d'oranger que Ruth Lillian vaporisait sur ses mouchoirs, il s'était dit qu'il aurait dû complimenter Kersti sur l'extrait de vanille dont elle s'était aspergée derrière les oreilles et sous les bras, et qui couvrait presque totalement son odeur de sueur rance.

— Tu n'as pas l'intention de parler de nous aux autres, si ? demanda-t-il.

Après un silence irrité qu'elle fit durer avec une patience punitive, elle finit par dire… que non. Non, elle ne dirait rien à personne, parce que si sa mère le savait elle lui flanquerait la rouste de sa vie. Alors qu'il s'inquiète pas. Elle ne dirait rien à sa précieuse Ruth Lillian.

Elle se retourna vers le mur et resta là, allongée, à couver sa blessure. Puis, pour le blesser en retour, elle dit que son père avait dit à Jeff Calder qu'il ferait mieux d'embaucher Oskar pour le boulot du petit déjeuner à l'hôtel et de foutre à la porte ce Chumms ou Ringo ou Dubchek ou Comment-qu'y-s'appelle-ce-mois-ci ? parce qu'il était diablement copain avec les sodomites de l'écurie, et que tout le monde savait ce que ça, ça voulait dire.

— Mais ça fait un bon bout de temps que j'y suis pas allé.

— Et ça prouve quoi ?

— Eh ben sache que ni B.J. ni Coots ont jamais rien fait de mal quand j'étais dans le coin.

— Que tu dis, répliqua-t-elle en se tortillant pour enfiler sa robe.

— Mais c'est la vérité !

— Ce qu'est vrai et ce qu'est pas vrai, c'est jamais ça qui compte. Ce qui compte, c'est ce que les gens pensent. Et regarde ce que t'as fait, encore ! Tu m'as fait déchirer ma robe !

— J'ai pas… J'suis désolé.

— C'est pas avec du désolé qu'on peut repeindre sa grange !

Elle partit en claquant la porte, comme une furie.

Assis au bord du lit, Matthew secouait la tête : "… repeindre sa grange ?"

— 'Soir ! lança Matthew.

Son ton guilleret était calculé pour faire passer le fait qu'il n'était pas venu les voir depuis plus d'une semaine, ou tout au moins pour priver B.J. de la possibilité de faire un commentaire sur la chose.

— Hmm... fit B.J. sans lever les yeux du *Nebraska Plainsman* vieux d'un mois qu'il avait trouvé tout en bas de la pile alors qu'il désespérait de mettre la main sur un peu de lecture fraîche.

Matthew se frotta vigoureusement les mains.

— Pfiou ! Ça pince, ce soir, hein ? Pas à dire, l'hiver approche.

— Tu crois ?

B.J. tourna une page et lut pour la troisième fois un article rédigé d'une plume typiquement journalistique et savoureusement grand-guignolesque sous le gros titre suivant :

INCIDENT TRAGIQUE À BUSHNELL
LE VOISIN CURIEUX TOMBE SUR UNE SCÈNE MACABRE

— Oui monsieur, poursuivit Matthew sans rien perdre de sa verve enjouée. Ce matin, en me levant, ça faisait de la vapeur quand je respirais. Et j'étais à l'intérieur.

— Ça faisait de la vapeur, hein ? Ah ben ça alors.

Matthew ne put s'empêcher de jeter un œil envieux vers le quart de café fumant à côté de B.J.

— Où est passé Coots ?

B.J. replia soigneusement son journal, le posa et s'adossa contre le mur, l'esprit encore tout occupé par l'article qu'il venait de lire. Il posa longuement sur Matthew un regard à la fois fixe et vague alors qu'il soupesait diverses possibilités. Puis il cligna des yeux et dit :

— Pardon, Matthew, j'écoutais pas.

— Je me demandais juste où Coots était passé.

— Il remonte des ânes au Filon par le sentier de derrière.

— Hé, il va peut-être croiser le révérend Hibbard, là-haut ! Il aura peut-être droit à un sermon gratuit. Un bon gros sermon bien long et bien juteux, avec plein de flammes de l'enfer et double dose de foutue damnation !

— Ça serait un grand plaisir pour lui. Dis-moi, Matthew, ça fait un bout de temps qu'on t'a pas vu dans le coin.

— Oui, euh… c'est parce que… voyez… j'ai été… vraiment très occupé.

— Ah. (B.J. inspira comme s'il se fut apprêté à dire quelque chose… mais se ravisa et prit une voie différente.) Matthew ?

— Monsieur ?

— Je peux te donner un petit conseil ?

— Oui monsieur.

— Dans cette vie, il y a deux choses qu'on perd facilement et qu'on regrette trop tard : le temps et les amis. Le sage fait bon usage de son temps ou le perd avec style. Mais jamais, ô grand jamais, il ne laisse une amitié se flétrir et mourir par manque d'attention. Les amitiés sont tout simplement trop précieuses. Trop rares. Trop fragiles.

Matthew savait qu'il devrait essayer d'expliquer pourquoi il n'était pas venu les voir, mais au lieu de cela il dit :

— J'ai pas à m'inquiéter. Des amis, j'en ai plein.

Et il regretta immédiatement les sous-entendus vexants de sa déclaration.

— Ah oui ?

— Oui.

— Comme le révérend Hibbard ? Le Pr Murphy ? Les Bjorkvist ?

— Je pensais aux Kane. Et aux gens de l'hôtel.

— Les Kane ? Oui, sans doute. L'hôtel ? Eh bien je suppose que tu peux compter sur les filles pour être tes amies… à leur manière, et dans les limites de ce qu'elles peuvent. On trouve souvent un résidu de sentiment chez les filles comme elles. Les dépôts de l'amour au fond de la bouteille. Mais le sentiment est à l'amour ce que l'éthique est à la morale, ou le légalisme à la justice, ou la justice à la compassion – des formes dégradées d'un idéal plus noble. Mais tu as raison, les filles pourraient te venir en aide, si tu devais te retrouver dans une mauvaise passe. Pour ce qui est de Delanny et de Calder, en revanche… (B.J. lâcha un petit rire cassant modulé sur trois notes.) Delanny se fiche bien des gens. Mourir est une activité égoïste, Matthew. Tous ceux qui se sont occupés d'un parent grabataire te le diront. Et Jeff Calder n'est l'ami de personne. C'est un homme de préjugés plutôt que de valeurs ; d'appétits plutôt que de goûts ; d'opinions plutôt que d'idées. Il se fout de savoir qui a raison : ce qui l'intéresse, c'est savoir qui gagne. Des Calder, il en existe des millions. Ils élisent nos présidents, ils remplissent nos églises, ils décident de nos… Merde, qu'est-ce qui te fait sourire comme ça ?

— La façon dont vous parlez, monsieur. Y a pas à se tromper : vous avez été maître d'école. Pfiou !

B.J. Stone gloussa.

— D'accord, je me suis sans doute un peu laissé aller à la pédanterie. Tu veux du café ?

— Ah ça, je dirais sûrement pas non. J'y vais, j'y vais, vous levez pas.

Depuis la cuisine, il haussa la voix pour demander :

— Euh… Vous connaissiez déjà Coots, quand vous étiez maître d'école ici ?

Il n'eut pas de réponse. Lorsque Matthew revint en faisant rouler sa tasse entre ses mains pour les réchauffer, il répéta :

— Est-ce que c'est là que vous vous êtes rencontrés ? Quand vous étiez maître d'école ?

— Pourquoi tu t'intéresses à Coots et moi comme ça ?

— Simple curiosité.

B.J. le regarda en plissant les yeux. Puis il haussa les épaules comme pour dire : "Bah, pourquoi pas ?"

— Non, je ne connaissais pas Coots avant de le rencontrer un jour dont j'étais sûr que ce serait mon dernier à Twenty-Mile. La ville agonisait et il n'y avait plus assez d'enfants pour payer un instituteur. L'avocat était déjà parti, tout comme le forgeron, et aussi le marshal – avec la femme de notre grand commerçant, celui-là. L'heure était venue pour le sieur B.J. Stone de s'en aller vers la ville la plus proche et d'essayer d'inculquer l'amour des livres à une nouvelle fournée d'élèves qui donneraient tout ce qu'ils ont pour être ailleurs que dans sa classe. (Il se pencha vers Matthew et lui confia d'un ton faussement secret.) L'enseignement, vois-tu, n'est pas juste un métier. C'est une vocation.

— Alors comment vous avez rencontré Coots ? demanda Matthew en se hissant pour s'asseoir sur l'établi, sa tasse de café à la main.

— Coots a eu le malheur de débarquer à Twenty-Mile pile au moment où, déjà toute desséchée, la ville n'attendait plus que de se faire emporter par les vents. Il a travaillé une ou deux semaines ici, à l'écurie. Puis, un matin, le propriétaire lui a dit qu'il en avait sa claque et que Coots pouvait reprendre sa foutue écurie et tout le toutim, bâtiment, bêtes et dettes en souffrance. Le bâtiment était branlant et y avait pas beaucoup de bêtes, mais y avait des tonnes de dettes. Par bonheur, les créditeurs avaient eux aussi mis les bouts. (B.J. se gratta la barbe du bout du pouce et baissa les yeux.) J'avais prévu de laisser une caisse de livres à l'écurie pour me la faire livrer dès que j'aurais trouvé une ville qui aurait besoin d'un instit à bout de souffle. Coots et moi, on a commencé à parler. Je me souviens pas de quoi. On s'est juste mis… à parler. C'est tout. Comme ça. C'est bête, hein ? Deux vieux chnoques, la cinquantaine bien sonnée. Ridicule. Mais… (B.J. Stone secoua la tête, comme ébahi par les caprices de l'émotion humaine.) Coots savait pour lui depuis longtemps. Moi, en revanche, je l'ignorais. Oh, je me doutais qu'il y avait quelque chose, mais je n'avais jamais laissé la vérité m'approcher suffisamment près pour pouvoir lire son nom. (Il prit une profonde respiration puis concentra de nouveau son regard sur Matthew.) Tu comprends de quoi je parle, pas vrai, Matthew ?

— Oui. Enfin… plus ou moins.

— Et ça te gêne ? Ou ça t'énerve ?… Matthew ?

Mais Matthew avait le regard perdu au-dessus de l'épaule de B.J., vers le pré aux ânes, loin, très loin.

— Coots et moi ? C'est ni bien ni mal. C'est juste… comme ça qu'on est. Tu comprends ?

— Y a des types qu'arrivent.

— Quoi ?

— Trois hommes. Regardez.

B.J. tourna la tête et se leva. Un des hommes était à pied; les deux autres chevauchaient des mules couleur café si épuisées et si chancelantes qu'ils devaient leur donner sans cesse des coups de talon pour qu'elles ne s'écroulent pas. Ils traversaient le pré aux ânes et avaient dû monter par le dédale de passes et de ravines aveugles de l'autre côté.

— Des prospecteurs ? demanda Matthew.

— Non, dit B.J.

Ils n'étaient pas habillés comme des prospecteurs – du moins pas celui qui portait le gilet élégant. Et les gens de la montagne savaient comment on traite une mule. Tous trois avaient un revolver fiché dans la ceinture. Sans étui. B.J. sentit que c'était mauvais signe.

Les hommes avançaient vers l'écurie, mais B.J. attendit qu'ils fussent arrivés à l'atelier de ferrage pour quitter l'obscurité de l'auvent et sortir en pleine lumière.

— Joli troupeau que vous avez là ! dit l'homme au gilet en agitant le pouce vers la vache rachitique qui broutait dans le pré par ailleurs désert. Zavez b'soin d'employés pour vous en occuper ?

— On dirait que vous avez perdu une mule, dit B.J. d'une voix aussi vide d'hospitalité que de curiosité.

L'homme au gilet descendit de sa mule et s'avança en souriant.

— Pour ça, tu as vu juste, l'ami. Y a environ deux heures. La pauvre bête s'est arrêtée et a plus voulu repartir. J'ai essayé de la raisonner, mais on était sur une passe étroite, avec une paroi lisse d'un côté et des pieds et des pieds de rien du tout de l'autre – pas franchement le bon endroit pour qu'une mule se mette à faire le con. Alors bon, j'ai un peu tiré sur ses rênes, une fois, deux fois, voyez, pour l'inviter à reconsidérer son attitude peu coopérative. Mais rien à faire. Non, la pauvre vieille avait décidé qu'elle irait pas plus loin. Alors j'ai fait ce que tout homme raisonnable aurait fait après avoir constaté l'échec de la persuasion amicale. Je lui ai collé un pruneau entre les deux yeux et je l'ai poussée dans le ravin. Elle a fait une jolie crêpe tout en bas, je dois lui reconnaître ça. Pour ce qui est de vous transporter dans le confort, ou de vous tenir compagnie pendant le voyage, elle était pas terrible, mais pour faire la crêpe, là !... Bah, ça prouve juste que chaque créature de Dieu a son petit talent. Y en a des fortes ; y en a des sages ; y en a qui savent réconforter et consoler leur prochain. Elle ? C'était une crêpière née.

Lieder sourit et B.J. comprit qu'il prenait plaisir à faire de jolies phrases.

L'homme qui avait fait la fin du trajet à pied gloussa. C'était une espèce de gnome au tronc trapu comme une barrique et aux traits du visage aplatis et tout de travers, comme si quelqu'un avait enfoncé le talon de sa main dans une statue de glaise tendre puis y avait imprimé une rotation d'un quart de tour. Lieder se retourna et le fusilla d'un regard théâtral.

— Comment oses-tu te moquer de cette pauvre bête, Minus ! Cette mule était une créature de Dieu, et son voyage vers les grands pâturages de l'au-delà n'a rien de risible ! (Puis il se tourna vers B.J. et lui fit un clin d'œil.) Mais bon sang, elle nous a fait une sacrée belle crêpe.

B.J. prit la parole d'un ton sec.

— Si vous espérez acheter une monture fraîche, on n'a pas de mule. On a que des ânes. Et ils sont tous en chemin pour la mine.

— Je vois. Eh bien dans ce cas, je crois qu'on va devoir se satisfaire des chevaux.

— On n'a pas de chevaux.

— Tss, tss, attendez une minute. (Il recula d'un pas et leva ostensiblement les yeux vers la vieille enseigne clouée au-dessus de la porte de la grange.) Ça dit pas écurie de louage, ça ? Et vous, vous êtes en train de me dire que vous avez pas de chevaux. Alors j'ai du mal à comprendre. Je vois pas comment une écurie de louage... Hé, toi, petit ! Reste pas dans l'ombre comme ça où on peut pas te voir ! Sors un peu par là ! (Puis sa voix reprit son ton de menace mielleuse.) S'il vous plaît, ayez la bonté de sortir et de m'expliquer comment ça se fait qu'une écurie de louage ait pas un seul cheval. Je suis impatient d'être éclairé sur ce point.

Ses deux suivants sourirent ; ils avaient appris à apprécier les belles phrases de leur chef.

Matthew sortit dans la lumière d'automne.

— Les chevaux ne servent à rien, par ici. Le seul accès de cette ville, c'est le sentier muletier par où vous êtes venus.

— Et le chemin de fer ! Tu n'allais tout de même pas oublier le chemin de fer, hein, petit ? (Il se tourna vers ses suivants.) J'ai la pénible impression que ce garçon allait oublier de mentionner le chemin de fer qui descend chaque semaine une pleine cargaison d'argent à Destiny, avec une régularité d'horloge. Dites-moi, les amis, pourquoi donc pensez-vous qu'il essaierait de mystifier un voyageur fatigué de la sorte ? N'est-il pas écrit : tu ne mystifieras point le voyageur fatigué, ni ne chercheras à tromper l'humble marcheur qui va son chemin ?... Paul aux Géorgiens, 7, 13.

Le troisième inconnu, un géant au visage long et à la petite bouche arquée fermement pincée en une moue éternelle, glissa de sa mule et tira sur le fond de son pantalon pour soulager l'irritation causée par sa longue chevauchée.

— J'ai faim, geignit-il d'une voix ridiculement fine et haut perchée.

— Chaque chose en son temps, Mon-P'tit-Bobby.

— Ces mules sont foutues, dit B.J. Vous les avez trop poussées.

Elles avaient l'échine à vif à force de frottements ; elles suppuraient le long des contours de leur selle ; et les coups de talon répétés leur avaient ouvert des plaies sur les côtes. Elles se tenaient la tête basse, de longs fils de salive pendant de leur bouche ouverte.

— Y aurait-il une once de reproche dans votre ton, l'ami ? Vous ne devriez pas être durs avec nous. Nous ne sommes que trois pauvres gars malades qui faisons de notre mieux dans un monde froid et cruel. Pas vrai, Minus ?

Le gnome au visage de travers afficha un grand sourire jaune.

— Il y a quelque chose d'étrange dans le nom de Minus. En général, les gens qui s'appellent Minus sont des grands baraqués, tout comme ceux qui s'appellent Bouclette sont chauves. Mais notre Minus est... minus. Vous ne trouvez pas ça fascinant ? Mais vous aviez raison, l'ami, quand vous disiez que ces pauvres vieilles mules sont foutues et plus bonnes à rien. Je suppose que ce n'est pas la peine de gâcher du bon fourrage pour elles, pas vrai ? Écoutez, voilà ce que je vais faire. Je vais vous les laisser ; c'est un cadeau que je vous fais, en souvenir de notre rencontre.

— Je n'en veux pas.

— Oh oh ! Vous avez vu un peu ce que vous venez de faire ? À peine ai-je fini de vous confier mes intentions que vous faites votre impertinent à me répondre que ce n'est pas possible. C'est le genre de chose qui a le don de foutument m'énerver au plus haut point. Mais je suis quelqu'un de raisonnable. Vous me dites que vous n'en voulez pas ? Dans ce cas…

Il sortit son revolver de sa ceinture et tira sur la première mule, puis sur la seconde. Elles tombèrent toutes deux sur leurs genoux avant, soufflant et reniflant humidement dans leur agonie. Le chef se tourna ensuite vers B.J. et leva les paumes vers le ciel.

— Ah, merde ! Regardez ce que vous avez fait ! Avec toutes vos arguties et vos contradictions, vous avez fait s'abattre le mal et la douleur sur ces pauvres bêtes stupides. Mais je vous autorise à mettre un terme à leurs souffrances, si tel est votre désir.

B.J. fixait l'homme sans rien masquer de son dégoût. Puis il se tourna vers Matthew.

— Va chercher le vieux fusil de Coots.

— C'est ça, petit, dit Lieder. Va chercher le vieux fusil de Coots. Hé, j'ai une idée ! Ça pourrait être intéressant de voir si ce nouvel ami qu'on s'est fait a des tripes. Comment vous appelez-vous, nouvel ami ?

— Stone.

— Stone, hein ? J'aime savoir comment les gens s'appellent. Permettez-moi de vous présenter mes suivants. Le petit s'appelle Minus, comme je l'ai dit. Et le grand, là, c'est Mon-P'tit-Bobby. Ils sont tous les deux assez laids, comme vous pouvez le voir, mais ils essaient de se rattraper en étant mauvais et vicieux. Vraiment mauvais. Et vraiment vicieux. Moi, c'est Lieder. L-i-e-d-e-r. C'est un nom hollandais de Pennsylvanie. Quand je dis mon nom aux gens, ils croient parfois que je prétends être un *leader*. Et vous savez quoi ? C'est peut-être pas complètement faux. Je ne crois pas aux coïncidences. Je crois que nos vies sont guidées par des forces qui "dépassent notre entendement" – comme on dit. Et si ces forces-là ont choisi de m'appeler Leader, c'est qu'il y a une raison. Et cette raison, je suis à peu près sûr de savoir ce que c'est. Alors comme ça tu t'appelles Stone, hein ? Alors ça, c'est ce que j'appelle intéressant ! Chacun peut voir que vous êtes un dur, monsieur Stone, vu la manière dont vous parlez rudement et méchamment aux étrangers. Stone, tu es une pierre bien dure. C'est comme Minus qu'est petit, ou moi qui suis un leader, si vous voyez ce que je veux dire. Drôle de monde que notre monde. (Il se tourna vers ses hommes.) Vous savez, les gars, je serais vraiment curieux de voir combien cette pierre est dure. Je me demande si elle est assez dure pour utiliser son arme contre moi plutôt que contre les mules, parce que je vois à son regard qu'il pense être un spécimen de la race humaine globalement plus élevé et plus noble que la pauvre créature méprisable qu'il a en face de lui. (Il se tourna vers B.J., sans cesser de sourire.) J'ai raison, pas vrai, monsieur Stone ? Vous me trouvez méprisable, hein ? Allez, avouez.

Matthew sortit de la cuisine avec le fusil de Coots et une boîte de cartouches.

— Vous avez vu ça, les gars ? dit le chef. Ça faisait sacrément belle lurette que j'avais pas vu un vieux tromblon Henry. Tu coupes un bon gros bout de nez à cette Henry .44 et ça te fait un sacré bon *stoppeur !* De quoi exploser tout ce qu'un homme a en lui sauf ses pires intentions !

Les mules continuaient à renifler de douleur, mais Lieder parlait d'une voix déliée et pleine d'aisance tandis que ses suivants riaient, au premier rang du spectacle.

— Tu sais comment charger ce fusil, petit ? demanda le chef sans détacher son regard de celui de B.J.

— Oui monsieur.

— Alors charge-le. Charge-le ! On va bientôt apprendre un truc. On va découvrir la dureté véritable des pierres de cette vieille montagne pelée. Pas vrai, monsieur Stone ?

B.J. ne répondit pas.

Tandis que Matthew chargeait le fusil, l'homme sans cou aux lèvres constamment pincées se plaignit de nouveau qu'il avait faim.

— Patience, Mon-P'tit-Bobby, patience. Faut d'abord que je voie qui fait quoi dans cette ville, et... (Il se tourna vers B.J.) Et qui est qui. Après, on boira, on mangera et on se marrera. Pour ça, on va s'marrer ! Hé, dites, ça serait quelque chose, hein, si dans votre antre de vice – l'Hôtel des Voyageurs, si je ne m'abuse – une des filles se trouvait porter le nom de Mary ? Ça ferait qu'on va s'marrer avec Mary, elle est pas bonne, celle-là ? Et comme le dit si justement le Livre : Le rire met de la couleur dans nos vies et allège nos fardeaux… Paul aux Virginiens, 7, 13. Donne ce fusil à M. Stone, petit ! cracha-t-il, en proie à une fureur soudaine. Donne-le-lui ! Allez, donne-le-lui !

Alors que Matthew passait le fusil à B.J. d'un air hébété, une des mules mourut. Mourut avec une pathétique simplicité. Elle étendit son cou, tourna la tête vers son flanc blessé, les yeux blancs rendus immenses par la tristesse, puis elle posa la tête par terre et mourut en lâchant un soupir semblable à ceux des hommes.

À la seconde où les mains de B.J. touchèrent le fusil, le chef se saisit du canon et le pressa contre son abdomen, se l'enfonçant de plus d'un pouce au niveau du nombril.

— Maintenant, monsieur Stone, tout ce qu'il vous reste à faire, c'est d'appuyer sur la détente. Juste ap-pu-yer sur la détente, et je suis mort, vous entendez plus parler de moi. Quelle chance pour un être noble et supérieur comme vous de débarrasser le monde d'une vile pourriture comme moi… mais ! (Il dressa un doigt sous le nez de B.J.) Mais, mais, mais, une seconde ! Juste une minuscule petite seconde avant que vous ne tiriez. Je me dois d'être honnête et de vous dire ce qui se passera quand vous tirerez. (Son visage prit une expression de profonde sincérité et sa voix descendit d'un cran vers une tonalité plus sobre.) Ce qui se passera quand vous appuierez sur cette détente, c'est ça : je chierai. (Il sourit, et ses suivants pouffèrent de rire en postillonnant.) Oh, je mourrai, vous en faites pas pour ça. Un homme qu'on abat d'un coup de fusil à bout portant dans le bide a fort peu d'autre choix que de mourir. Mais je chierai aussi. Voyez, lorsqu'un type se prend un pruneau en plein ventre, il chie presque toujours. C'est une sorte de phénomène de convulsion qui veut ça. Alors, monsieur Stone, vous allez presser cette détente et me faire déféquer ? Je vous promets que je ferai de mon mieux pour vous en chier une belle. Croix de bois, croix de fer… oh oh. Je devrais peut-être pas jurer. Ça porte malheur.

La mâchoire de B.J. se contracta.

Le leader le regardait en souriant, les yeux tendus.

— Ah, et il se passera aussi autre chose, quand vous appuierez sur cette détente, monsieur Stone. Mes dévoués assesseurs ici présents vous abattront. Qui sait? Ils vous toucheront peut-être au ventre, et vous chierez vous aussi. Voyez le tableau! Vous et moi, étendus côte à côte, le vertueux et le vil pécheur, avec tous les deux le fond du pantalon plein de merde: honte, honte à nous!

Il ricana. B.J. déglutit.

— Donc on dirait bien que si vous voulez me prendre la vie, vous devez être prêt à sacrifier la vôtre. On n'a rien sans rien en ce bas monde, monsieur Stone, car en vérité il est écrit que ceux qui veulent danser au bal du village doivent payer leur entrée. Je crois que c'est Paul aux Oklahomiens, 7, 13, mais je peux me tromper. (Le sourire s'évanouit, le regard se durcit, et il enfonça le canon plus profondément dans son estomac.) Alors? Tire, si t'es un homme. Tire! Tire!

D'un coup sec, B.J. arracha le canon de la poigne du chef.

Minus et Mon-P'tit-Bobby attrapèrent leurs revolvers.

Le fusil rugit.

Un bout de cervelle de mule gicla sur un des mocassins de Minus.

Matthew saisit ce détail repoussant avec une netteté surprenante, mais ça ne le gêna pas parce qu'il était passé dans l'Autre Endroit.

Le gnome au visage tors eut un haut-le-cœur en essayant frénétiquement de se débarrasser du bout de cervelle contre une touffe d'herbe.

— Regarde ce que t'as fait! T'as salopé mes chaussures! Elles sont foutues! Foutues!

— Allons, Minus, commence pas à t'énerver contre ce pauvre vieux M. Stone. Il voulait pas manquer de respect à tes chaussures. Il nous a montré qu'il avait pas de tripes. Mais c'est tout de même un être élevé et noble, pas du genre à s'amuser à salir les chaussures des gens sans raison valable. Allez, je vais prendre ce fusil, monsieur Stone. Et les munitions, s'il vous plaît. Vous avez d'autres armes planquées là-dedans?

— Non.

— Vous êtes sûr ? J'espère que vous n'êtes pas en train d'essayer de tromper un pauvre étranger. Mon-P'tit-Bobby, tu ferais peut-être mieux d'aller y jeter un œil. Juste au cas où y aurait une ou deux armes là-dedans dont M. Stone aurait oublié de nous parler.

— J'ai faim.

Lieder tourna lentement les yeux vers le visage de Mon-P'tit-Bobby.

— Qu'est-ce que je viens de te dire ?

Mon-P'tit-Bobby poussa un grognement plaintif et entra dans l'écurie en frôlant B.J. au passage.

— Dieu nous aime et nous bénisse, dit Lieder en inspirant profondément entre ses dents. J'espère sincèrement que vous ne nous avez pas menti quand vous avez dit qu'il n'y avait pas d'autre arme à l'intérieur, monsieur Stone, parce que s'il y a bien une chose qui me rend fou, c'est les gens qui me mentent, et y a tout simplement pas de limite à ce que je suis capable de faire quand je deviens fou comme ça. C'est mon côté enfant, j'imagine. Arrête de bidouiller avec ta chaussure, Minus !

Ils entendaient Mon-P'tit-Bobby ouvrir et renverser les tiroirs de la cuisine. Puis il passa dans la maison proprement dite, et ce furent des bruits de boîtes vidées par terre et de meubles qu'on déplace.

— Vous savez ce qui me rend fou, aussi, monsieur Stone ? La façon vicieuse qu'a le gouvernement à Washington D.C. de nous prendre... Je te parle, monsieur Stone ! Comment oses-tu regarder ailleurs pendant que je te parle ! (Puis il décocha un sourire et poursuivit de son ton calme létal.) La façon qu'a le gouvernement à Washington D.C. de rogner petit à petit nos droits constitutionnels... petit à petit, petit à petit. Prenez par exemple mon droit constitutionnel à la poursuite du bonheur. Un jour, j'ai écrit une lettre au président des États-Unis pour lui raconter comment on m'avait enfermé et privé de mes droits constitutionnels, et vous savez ce que le président a répondu ? Rien du tout ! Il n'a même pas eu la politesse de répondre à ma lettre ! Moi, citoyen blanc et libre de ces foutus États-Unis d'Amérique ! Ah, c'est sûr, les négros peuvent parader en pleine rue et pousser les Blanches dans le caniveau, et les étrangers peuvent se déverser par pleins cargos à bétail dans nos ports pour voler le boulot des Américains, et pendant ce temps on empêche un vrai Américain d'exercer son droit à la poursuite du… Qu'est-ce que ça veut dire ?

— Qu'est-ce que quoi veut dire ? demanda B.J.

— La manière dont vous me regardez !

— Je ne vous regardais d'aucune manière particulière.

— Mon cul oui ! J'ai déjà vu ce regard. Tu te dis : ce type est fou. J'me trompe ? J'me trompe ?

— Je me demandais juste ce que vous étiez venus chercher à Twenty-Mile.

— Tu te demandais ça, monsieur Stone ? Et t'as pas une petite idée, vraiment ? Tu vois rien dans le coin qu'un type pourrait vouloir ? Comme un truc qui descend de la montagne par le train chaque semaine ? Un truc, disons, brillant et précieux, hmm ? Hé, Mon-P'tit-Bobby ! Magne-toi un peu !

— Je cherche ! répondit une voix étouffée à l'étage.

— Le train qui apporte l'argent de la mine descend aussi une soixantaine de mineurs, dit B.J. d'un ton calme. Et la plupart sont armés.

— Je t'ai déjà dit ce que je pensais des gens qui me mentent.

— Soixante mineurs, répéta B.J. Armés.

Lieder le toisa un long moment. Puis il sourit brusquement.

— Soixante, hein ? Et tous armés ? Eh bien eh bien ! Mais si moi je fournis la volonté, alors le Seigneur nous fournira la voie. Et j'ai des tonnes de volonté. Assez de volonté pour mettre un terme à ces choses affreuses que l'on fait à nos États-Unis d'A… Putain mais qu'est-ce qui va pas chez toi, petit ? Pourquoi tu me regardes comme ça ? Comme si j'étais transparent, avec ce sourire de débile ?

Matthew cligna des yeux et revint de l'Autre Endroit. Il ne lui fallut qu'une seconde pour se répéter mentalement ce que Lieder venait de lui dire.

— Je ne m'en rendais pas compte, monsieur.

Mon-P'tit-Bobby sortit en trombe par la petite porte latérale et, donnant des claques sur son pantalon pour en secouer la poussière, marmonna comme pour lui-même :

— Y a pas d'arme. Rien que des livres.

— Des livres ? Ça alors ! Je suis heureux d'apprendre que vous êtes un érudit, monsieur Stone. Au cours des longues et pénibles années où l'on m'a injustement privé de liberté, je lisais du matin jusqu'au soir. C'est comme ça que je me suis fait un vocabulaire qu'un gardien décrivit un jour comme "pas vraiment ordinaire". Pas vraiment ordinaire ! Vous le croiriez, si je vous disais que j'ai lu plus de mille livres ? Plus de mille ! Sur tous les sujets. J'en ai même lu un sur l'interprétation du Livre des révélations que personne avait lu avant moi, parce que les pages en étaient pas coupées. Vous savez ce que "le Septième Sceau" représente vraiment ? J'parie que non. Un jour, je suis même tombé sur une petite brochure tout écornée qui parlait de ce qui arrive aux jeunes novices tout frais dans les couvents quand une meute de vieilles nonnes en chaleur leur met le grappin dessus. Plus de mille livres ! Et toi, combien de livres as-tu lu, monsieur Stone ? Beaucoup moins que mille, je parie.

— M. Stone était instituteur, avança Matthew dans l'espoir que cela inspirerait un peu de respect chez un homme qui aimait lire des livres. Il lit des trucs sur les Romains.

Lieder aspira de l'air à travers ses dents.

— Tiens tiens. Instituteur, hein ? J'ai toujours gardé un petit coin spécial dans mon cœur pour les instituteurs. Il n'y a pas plus belle vocation que la formation des jeunes esprits. J'ai eu un instituteur qui m'a aidé à former le mien. Et au fil de ces longues et pénibles années, je n'ai jamais oublié sa contribution. Pas un seul instant. (Il observa le visage de B.J. avec un regard détendu, presque amusé.) Savez c'que je parierais, l'instit ? Je parierais que tu te demandes comment ça se fait que je connais tout sur cette ville, les cargaisons d'argent, les putes qui travaillent à l'Hôtel des Voyageurs, le fait qu'y a pas plus d'une poignée de gens qui vivent ici. Eh bien j'ai appris tout ça d'un vieux prospecteur qu'on a croisé. C'était un bon Samaritain. Non seulement il a insisté pour nous prêter ses mules, à nous, pauvres voyageurs fatigués, mais en plus de ça il nous a donné ses revolvers et le tout petit sac de poussière d'or qu'il avait réussi à arracher au ventre rétif de Mère Nature – c'est-y pas une belle image, hein ? Je me suis dit que ce prospecteur avait peut-être d'autre or planqué quelque part, alors pendant qu'on se régalait d'un bon lièvre, je lui ai posé la question, histoire de faire la conversation, comme on dit. Au début, il était pas très coopératif, mais j'ai réussi à le convaincre de me dire tout ce qu'il savait. Je crois que ce qui l'a convaincu, c'est l'odeur. Vous avez déjà senti des pieds qui rôtissent sur le feu ? C'est une fragrance déplaisante, faut reconnaître. Et quand la peau commence à noircir, et à cloquer, et à crépiter... Mon Dieu mon Dieu ! Mais y a un truc dans cette odeur qui rend les hommes bien désireux de vous dire tout ce qu'ils savent. Finalement, ce pauvre gars n'avait pas d'autre poussière planquée quelque part, et il est mort pour rien. On est peu de chose, hein ? Sur ce ! (Il leva un doigt, les yeux luisants.) La question est la suivante : Pourquoi vous raconté-je tout ça ? Pourquoi vous ouvré-je ainsi mon cœur ? Vous avez de l'éducation, monsieur Stone. Dites-moi pourquoi.

B.J. desserra les mâchoires pour parler.

— Parce que vous voulez que je sache jusqu'où vous êtes prêt à aller si je vous contrarie.

Lieder se tourna vers Mon-P'tit-Bobby et Minus, les yeux écarquillés d'admiration.

— Vous avez entendu ça ? M. Stone a mis à nu mes intentions sournoises jusqu'à l'os ! C'est ça qui est bien, quand on a affaire à des gens éduqués. (Il se tourna de nouveau vers B.J.) Bon, ça me peine beaucoup de mettre un terme au plaisir de votre conversation raffinée, mais il faut que j'aille faire un tour en ville. Rencontrer mes voisins. Manger un morceau, peut-être. Nous avons besoin de nous détendre et de nous amuser après nos innombrables épreuves.

Bien qu'à la fois terrifié et dégoûté, Matthew ne parvenait pas à détourner le regard du visage de cet homme : ce nez tranchant, ces yeux fiévreux gris pâle, ce réseau de fines rides qui se tissait et se détissait au rythme de ses brusques changements d'humeur. Soudain, Matthew se rendit compte que Lieder était en train de le fixer droit dans les yeux, y plantant un regard pénétrant qui semblait vouloir passer son âme au peigne fin. Matthew soutint son regard, incapable de tourner les yeux. Puis Lieder sourit et lui fit un clin d'œil, comme si tout cela avait été une sorte de blague qu'eux seuls comprenaient.

— Je crois que je ferais mieux de prendre cette vieille Henry avec moi, pas vrai, petit ? C'est un péché que de laisser la tentation à portée de main des jeunes. (Il se tourna vers B.J.) Et des pleutres.

Il les salua d'un petit geste du doigt sous le rebord de son chapeau, tourna les talons et traversa la cour en direction de la rue, suivi par ses hommes.

B.J. Stone et Matthew les regardèrent partir en silence.

— Qu'est-ce… (Matthew dut se racler la gorge.) Qu'est-ce qu'on va faire ?

Le regard toujours fixé sur les trois hommes, B.J. secoua doucement la tête et murmura d'une voix blanche :

— Je ne sais pas.

— Je parie que son histoire de prospecteur, il l'a inventée pour nous faire peur. C'est vrai, quoi, la moitié du temps, il avait l'air de plaisanter.

B.J. secouait toujours la tête.

— Non, il ne plaisantait pas. Il a fait exactement ce qu'il nous a dit.

— Vous pensez qu'il est vraiment mauvais comme ça ?

— Il est pire que mauvais. Il est fou. (Il vit les trois hommes s'arrêter au milieu de la rue et regarder à gauche et à droite avant de descendre en passant devant l'Hôtel des Voyageurs, vers le Grand Magasin de Kane.) Ils cherchent des armes et des munitions. Ils vont probablement réquisitionner tous les flingues de la ville.

— Alors… qu'est-ce qu'on doit faire ? demanda Matthew.

B.J. prit une longue respiration, serra l'aile de son nez entre le pouce et l'index pour se masser le coin des yeux et dit :

— On attend que Coots revienne. Il saura quoi faire. Toi et moi, il faut qu'on se débarrasse de ces mules. On n'a pas le temps de les enterrer. On va les balancer dans le ravin. Va me chercher la charrette.

— Oui monsieur, mais qu'est-ce qu'on va faire ensuite ?

— Va chercher la charrette, petit ! J'ai besoin de temps pour réfléchir.

Tandis que Matthew sortait la charrette du cabanon, B.J. s'assit sur le banc le long du mur et s'efforça d'éclaircir ses esprits afin d'élaborer un plan d'action. Ses yeux tombèrent sur le *Nebraska Plainsman* vieux de deux mois. À peine quelques minutes auparavant, il se demandait ce qu'il devait dire – ou pas – à Matthew au sujet de l'assassinat de cet homme et de sa femme à Bushnell, dans le Nebraska, et de la mystérieuse disparition de leur fils… peut-être kidnappé, pensait le journaliste.

Mais il y avait des problèmes et des dangers plus immédiats.

Environ une heure plus tard, Matthew ouvrit doucement la porte de derrière du Grand Magasin et s'y faufila sans bruit. Une fois à l'intérieur de la remise, il se figea pour écouter.

Rien.

En un murmure forcé, il appela :

— Ruth Lillian ?… monsieur Kane ?

Pas de réponse.

Il sentait son pouls battre à ses tempes alors qu'il avançait à pas de loup vers la porte du magasin. Il la poussa lentement.

— Monsieur Kane ?

Le vieil homme sursauta et porta immédiatement une main sur son thorax.

— Qu'est-ce qui te prend, petit ?! On ne terrorise pas un homme en plein travail comme ça !

En réalité, son crayon avait depuis longtemps cessé de gratter les pages du livre de comptes qu'il avait ouvert mécaniquement, dans l'espoir de parvenir à se calmer en reprenant une routine familière après sa rencontre avec les trois inconnus. Mais il fixait les colonnes de chiffres sans les voir, si profondément obsédé par l'inquiétude qu'il n'avait pas entendu les murmures pressants de Matthew.

— Pardon de vous avoir fait peur, monsieur. Où est Ruth Lillian ?

— Elle se repose en haut. Elle a mal à la gorge. Ça l'a mise à plat, de tenir la boutique tout le week-end.

— J'ai vu ces hommes venir par là. Qu'est-ce qu'ils voulaient ?

— Ils ont demandé…

— Ils ont pas vu Ruth Lillian, j'espère.

— Non. Elle était en haut, dans sa chambre.

— Coup de chance.

M. Kane acquiesça vaguement, comme K.O. debout.

— Oui… coup de chance. Ils m'ont demandé si je vendais des armes. Je leur ai dit que non, j'en avais pas en stock, mais que je pouvais commander tout ce qu'ils voulaient de Destiny. Mais leur chef, l'homme aux yeux bizarres, il a dit qu'ils comptaient pas traîner longtemps en ville, mais merci quand même. Et il m'a souri. Son sourire… il était…

Il secoua la tête.

— Ce sont vraiment des hommes mauvais, monsieur Kane. B.J. Stone pense qu'ils sont fous. Échappés de prison, peut-être.

— Oui, fit M. Kane d'une voix grise. Oui, c'est possible. Il y avait de la cruauté dans ses yeux. Et aussi… du plaisir.

— Qu'est-ce qu'il a dit, quand vous lui avez répondu que vous ne vendiez pas d'armes ?

— Il m'a demandé si j'en avais une pour ma propre protection. Je lui ai dit que non, j'avais horreur des armes. Tout ce que j'avais, c'était quelques boîtes de munitions. J'en ai toujours en stock pour les mineurs. Puis il a dit quelque chose d'étrange.

— C'était quoi ?

— Il m'a demandé quel genre d'accent j'avais. J'ai fait je ne sais plus quelle blague sur le Lower East Side, mais ça l'a pas fait rire. Il m'a regardé avec ces yeux pâles et s'est mis à parler de ces hordes d'immigrés qui s'abattent sur les États-Unis pour se goinfrer de nos richesses. J'ai bien peur qu'on ait des ennuis, Matthew.

— Oui monsieur, ça, c'est sûr. Ce chef, là, il nous a raconté, à B.J. et à moi, une chose horrible – je veux dire, vraiment horrible – qu'il a faite à un prospecteur. Ce sont des tueurs, monsieur Kane. Je crois que Ruth Lillian a intérêt à rester cachée tant qu'ils seront dans le coin.

— Oui. Oui, bien sûr.

— Avec B.J., on a parlé de tout ça, et il a dit qu'il fallait qu'on se réunisse pour voir comment se protéger.

— Toute la ville ?

— Non, juste lui, vous… et moi, j'imagine. Il a pas confiance dans les autres. Il m'a dit de garder un œil sur ces inconnus. Et puis je suis censé revenir ici à la nuit tombée pour vous retrouver, vous et lui.

— Oui, oui. Je… (L'attention de M. Kane sembla s'évaporer vers d'autres lieux. Puis il cligna des yeux et dit :) Oui, c'est sûrement une bonne idée.

— Savez-vous vers où ils sont partis, après ?

— Y en avait un qui disait sans cesse qu'il avait faim. Le chef a demandé s'ils pouvaient manger un morceau à l'hôtel. Je lui ai dit que non, il fallait voir ça à l'auberge, de l'autre côté de la rue. C'est là qu'ils sont allés.

— Ils y sont encore ?

— Non. Ils sont sortis et ils sont allés à l'Hôtel des Voyageurs. L'un d'eux portait deux fusils et deux ou trois revolvers. Ceux des Bjorkvist, j'imagine.

— Et ils nous ont pris le fusil de Coots. On dirait que B.J. avait vu juste. Ils raflent toutes les armes de la ville.

M. Kane approuva d'un air pensif.

— Nous sommes donc à leur merci. (Il ferma les yeux et pressa sa main contre son thorax, en proie à des tressaillements étrangement agréables depuis sa rencontre tendue avec les trois hommes.) À leur merci, répéta-t-il. Et quelle merci penses-tu que nous puissions attendre de ces hommes, Matthew ?

Matthew tira sa lèvre inférieure contre ses dents et regarda la rue à travers la vitrine, vers l'hôtel.

— Pas des foutues masses, monsieur.

Dans son bureau de marshal, Matthew avait placé sa chaise de manière à pouvoir surveiller l'entrée de l'hôtel, de l'autre côté de la rue, en diagonale. Dans sa course vers l'ouest, le soleil avait fait ramper l'ombre du fronton de l'hôtel sur presque toute la largeur de la rue quand Mon-P'tit-Bobby sortit en faisant claquer violemment le double battant de la porte du bar pour descendre vers le Grand

Magasin d'un pas lourd. À l'évidence, il avait bu, et Matthew eut peur que Ruth Lillian ne désobéisse aux instructions de son père de demeurer à l'étage. Il hésitait entre rester là pour garder un œil sur la situation d'ensemble, comme le lui avait ordonné B.J., et courir là-bas pour s'assurer qu'elle n'était pas en danger, lorsque Mon-P'tit-Bobby réapparut dans la rue, serrant contre son torse une précaire pile de boîtes qu'il tentait maladroitement de retenir sous son menton. Sans doute les munitions que M. Kane gardait en stock pour les mineurs. Mon-P'tit-Bobby retourna à l'Hôtel des Voyageurs, et pendant l'heure qui suivit Matthew ne vit ni n'entendit rien qui sortît de l'ordinaire.

Il regardait le soleil, dodu, rouge et mou, fondre en s'étalant sur les contreforts, les yeux douloureux à force de fixer la clarté extérieure, lorsque sa respiration se bloqua soudain dans sa gorge. Lieder traversait la rue et marchait droit vers le bureau du marshal. Matthew eut à peine le temps de reculer pour s'asseoir sur sa chaise à côté de la table et d'attraper un livre du Ringo Kid avant que la porte ne s'ouvre avec fracas sur la silhouette de Lieder découpée par le soleil couchant. Matthew leva les yeux de son livre et cligna en portant une main en visière sur son front.

— Qu'est-ce qu'il y a ? Que voulez-vous ?

— Alors comme ça, c'est toi le marshal, hein ? Mon Dieu mon Dieu mon Dieu ! s'exclama-t-il d'une voix écumant d'ironie.

— Non, non, je suis pas le marshal, dit Matthew en lâchant une petite toux sèche. Cet endroit était abandonné quand je suis arrivé. Le toit m'avait l'air assez bon, et le trou des chiottes s'était pas affaissé, alors… eh ben, je me suis installé.

— Je suis horriblement déçu. Je me réjouissais à l'idée d'un face-à-face épique : moi contre cet homme de loi célèbre et redouté, le marshal de Twenty-Mile.

Matthew se força à partir d'un petit rire de mépris pour la ville.

— Ça fait un sacré bail qu'y a plus de marshal à Twenty-Mile. Alors comme ça, vous avez décidé de ce que vous allez faire ?

Lieder le fusilla un instant du regard, puis éclata de rire.

— T'as une façon assez subtile d'extorquer des informations aux gens, petit. Tu ferais un satané bon espion. (Petit rire.) Non, je n'ai rien décidé… en dehors de m'installer bien à mon aise jusqu'à ce que cette cargaison d'argent arrive pour remplir mon trésor de guerre. D'ici là, je me contente de ramasser toutes les pétoires de la ville, parce que je m'intéresse au bien-être de mes prochains. Un homme qui porte une arme déclenche inévitablement des disputes et des conflits. Mais une fois que toutes les armes seront entre mes mains, les mauvaises graines de la discorde s'épanouiront pour donner naissance aux fleurs de la coopération, et l'ivraie du conflit fleurira en obéissance. Paul aux Démocrates, chapitre 7, verset 13, conclut-il en adressant un clin d'œil à Matthew.

Les yeux de Matthew se plissaient sous l'effet du halo de couchant qui entourait Lieder, mais il ne s'autorisa pas à les lever vers le gros fusil suspendu juste au-dessus de sa tête.

— En fait, monsieur, y a pas grand besoin d'armes à Twenty-Mile. C'est une ville paisible, et y a pas de gibier qui vaille la peine qu'on en parle. Les explosions là-haut, au Filon Surprise, ont fait fuir toutes les bêtes. Mais cela dit, qu'est-ce que j'en sais, hein ? Y a peut-être quelques fusils ou revolvers qui traînent. Peut-être que M. Kane en a dans son magasin, pour les vendre aux mineurs.

— J'ai déjà eu une petite discussion avec M. Kane, dit Lieder en faisant un pas à l'intérieur de la pièce. Il n'a pas d'armes. Il dit qu'il les tient en horreur. Ça fait bizarre, hein, d'entendre ça de la bouche d'un Américain, quand on pense à la manière dont nos ancêtres se sont battus et sont morts pour notre droit constitutionnel à porter des armes. Mais bon, évidemment… M. Kane n'est pas un vrai bon Américain de naissance, alors j'imagine qu'on doit bien s'attendre à ce qu'il méprise et ridiculise tout ce qui a fait de notre pays un aussi grand pays.

— Vous avez raison. M. Kane est effectivement un peu bizarre. Si vous voulez mon avis, c'est à force de vivre tout seul comme il fait. (Soudain, Matthew réalisa que lorsque Lieder se retournerait pour partir, il verrait le fusil accroché au-dessus de la porte. Il se leva.) Monsieur ?

— Quoi ?

Matthew aspira une bouffée d'air entre ses dents.

— Euh, j'espère que vous allez pas vous mettre en colère.

— À propos de quoi ?

— Eh bien, je viens de me rendre compte que je vous ai menti.

— Tu m'as menti ?

— Oui monsieur. En fait, j'ai un fusil. Le grand-père de tous les fusils, comme qui dirait. Mais ça m'est sorti de l'esprit parce que… ben, parce qu'on peut pas tirer avec. Y a plus de cartouches pour ça. Mais si vous le voulez, il est là, au-dessus de la porte, juste derrière vous.

Lieder se retourna.

— Ah ben ça ! Pour un monstre ! (Il prit l'antiquité.) J'ai jamais vu rien de tel.

— Il est fait main. Y en a pas deux comme lui au monde.

— D'où tu sors un truc pareil ?

— Il était à mon père. Il le tenait de son grand-père, qui le tenait je sais pas de qui. Mathusalem, sans doute.

— Non mais regarde-moi ce truc ! C'est miracle si le chien se fait pas projeter au visage de quelqu'un. (Il l'ouvrit et examina la culasse.) Dieu nous aime et nous protège ! Si un homme tombait là-dedans, faudrait toute une équipe de sauveteurs pour le retrouver. (Il cria dans la culasse) Ohé ! Ohé Ohé ! (Puis il pencha la tête comme s'il attendait un écho.) Tu dis qu'il n'y a pas de cartouches pour ce tromblon ?

— Non, j'ai bien peur que non. Elles étaient faites main elles aussi, et mon père a tiré les dernières y a bien des années de ça.

— Quel dommage. Ça serait pas le grand bonheur, d'arpenter la rue avec ce monstre sur le bras ? Les citoyens le verraient une fois et y comprendraient qu'ils ont affaire à une force de la nature ! (Il referma le fusil d'un coup sec.) Ce foutu truc pèse une tonne.

— À qui le dites-vous ! Je l'ai traîné sur tout mon chemin du Nebraska jusqu'ici.

Lieder regarda Matthew et l'étincelle amusée qui animait ses yeux disparut.

— Comment ça se fait que tu t'es donné tout ce mal si y peut plus tirer ?

— C'est que, monsieur, la vérité… (Matthew baissa les yeux.) Ce fusil est tout ce qu'il me reste de mon père.

— Ah oui ? Eh bien estime-toi heureux, petit. Quand mon père à moi est mort, j'avais des tas de souvenirs de lui. Une clavicule cassée, des œdèmes tout le long du dos faits au cuir à rasoir et un nez aplati. J'aurais aimé avoir un canon comme çui-là quand il me battait. T'abats un homme avec ce truc, et t'as pas de souci à te faire pour l'enterrer. Tu peux juste l'éponger avec une serpillière et puis la jeter dans le poêle. Tu es croix-de-bois-croix-de-fer-si-j'mens-j'vais-en-enfer absolument sûr qu'il n'y a pas de cartouches pour ce flingue ?

— J'aimerais vraiment en avoir, je vous jure !

— Pour pouvoir me descendre et devenir le héros de la ville ? ricana-t-il.

— Non monsieur. J'aimerais avoir des cartouches pour pouvoir vendre ce foutu truc. Bon sang, si je pouvais me faire un peu d'argent, je filerais de cette ville si vite que vous verriez que d'la poussière qui retombe à l'endroit où je me trouvais.

— Cette ville n'est pas très chère à ton cœur, apparemment.

— Non. Et les gens qui vivent là non plus. Ils me paient presque rien pour mon travail, et ils me respectent pas.

— Pourquoi tu es venu, alors ?

— Pour rien. Je suis juste arrivé là par le train de l'Union Pacific, en quête d'un endroit où on viendrait pas me chercher. J'avais rien de précis en tête.

— Tout comme moi ! J'ai quitté la prison et je me suis occupé de quelques affaires, puis je suis monté au hasard par ici parce que j'avais besoin de richesses pour financer mon combat. J'avais même jamais entendu parler de Twenty-Mile avant que ce vieux prospecteur me raconte ses trucs au sujet du train de l'argent. Mais je suis sûr que c'était pas une coïncidence. Y a un grand plan caché sous tout ce qui se passe. Si on m'a envoyé à Twenty-Mile, c'est qu'il y a une raison. Pourquoi avais-tu besoin de te planquer, petit ? Qu'est-ce que tu avais fait ?

— C'est que… La vérité, c'est que je me suis enfui. Mon père avait le coup de poing plutôt facile, comme le vôtre. C'est pour ça que j'ai pris son fusil. Pour le mettre en rogne.

— Je vois. (Il posa les yeux sur Matthew, puis dit d'une voix douce :) Je croyais que tu avais dit que ton père était mort.

— Non monsieur. Ce que j'ai dit, c'est que ce fusil était le seul souvenir que j'avais de lui. Dites, vous voudriez pas me l'acheter, par hasard ? Je veux dire, vous voyagez beaucoup. Vous pourriez trouver des cartouches quelque part. Je peux vous le vendre vraiment pas cher. Disons, à peine… Euh…

— Si je voulais ce fusil, petit, je te l'achèterais pas. Je le prendrais. C'est comme ça que je mène mes affaires. Je supprime pas juste l'intermédiaire, je supprime aussi le vendeur en gros et le vendeur au détail. Mais j'ai certainement pas besoin d'une pétoire de dix tonnes qu'est propre à rien sinon à m'alourdir. Tiens !

Il lança le fusil à Matthew avec une telle force que celui-ci en eut mal aux mains en l'attrapant. En le raccrochant au-dessus de la porte, Matthew pensa au sac de toile caché sous son matelas et à la dernière douzaine de cartouches artisanales de son père qu'il contenait. Il ferait mieux de faire sortir Lieder avant qu'il ne décide de fouiner partout. Alors il sortit sur sa terrasse d'un pas nonchalant, comme pour prendre l'air et admirer le couchant, et dit par-dessus son épaule :

— Dites-moi, monsieur. Vous pensez aller où, après…

— Ah ben ça ! Qu'est-ce que je vois ?

— Monsieur ? dit Matthew en se retournant, l'estomac soudain noué.

— J'en crois pas mes yeux ! Un *Ringo Kid* ! Ils ont tous la même couverture criarde.

— Vous connaissez le *Ringo Kid*, vous ?

— Le temps pèse lourd sur tes épaules quand tu es enfermé dans une geôle puante. On serait prêt à lire pour ainsi dire n'importe quoi. (Il jeta le livre sur la table, s'étendit sur le lit de Matthew et inclina le rebord de son chapeau sur ses yeux.) J'ai lu plus de quarante livres par an pendant vingt ans. Mille livres !

— Vous avez passé vingt ans en prison ?

— À peu de chose près. Pas d'affilée, bien sûr. J'ai pris quelques vacances. Juste pour briser la monotonie, tu vois. Mais mes années de prison sont derrière moi. Je suis libre, et pour de bon. Et le monde ferait mieux d'apprendre à trembler !

Il éclata de rire et se gratta le nez du bout du pouce.

— Comment vous faisiez pour avoir tous ces livres en prison ?

— Les gardiens me les donnaient, dit Lieder sans relever son chapeau de ses yeux. Ils me les donnaient à cause de mes manières chaleureuses et engageantes, et aussi parce qu'ils avaient la trouille de ce que je pourrais leur faire. Gant de velours et gant de fer. C'est comme ça qu'il faut traiter les gens, petit. Toujours sur le fil du rasoir, gant de velours d'un côté, gant de fer de l'autre. Une minute de sourire et de miel, et sans qu'ils aient rien vu venir tu tiens le couvercle coupant d'une boîte de tomates contre la carotide d'un gardien et tu lui demandes s'il a jamais vu l'écume et les bulles qu'un homme fait quand il essaye de crier à travers un gosier tranché. C'est comme ça que j'avais mes livres. En étant la pire chose que ces gardiens aient jamais vue. C'est comme ça que ça marche en ce monde, petit. Si t'es juste un peu mauvais, ils te tabassent et te punissent. Mais si t'es phénoménalement mauvais, alors ils reculent, pleins de terreur et d'ad-mi-ra-tion. C'est pareil pour le vol. Si tu dois voler, vole gros. L'homme qui vole du pain pour ses gosses finit au bagne, à transformer des gros cailloux en petits cailloux. Mais si tu voles gros, vraiment gros, alors on t'admire et on t'imite, comme les Rockfeller et les Morgan et les Carnegie de ce monde. Bien sûr, ces hommes-là n'enfreignent pas la loi. Ils *font* les lois, alors leur vol s'appelle "l'entreprise", ou "la haute finance". Quand il s'agit de voler ou d'être mauvais, faut faire les choses en grand pour qu'on te respecte. (Il gloussa.) Mais je vais te dire un truc, petit. Tu t'attireras pas beaucoup de respect à lire ces merdes à la *Ringo Kid*.

— Ces merdes ?

— Ces merdes qui vont te pourrir la cervelle, petit.

— M. Anthony Bradford Chumms est le meilleur écrivain qu'a jamais existé.

— C'est lui qu'a pissé les *Ringo Kid* ?

La mâchoire de Matthew se crispa.

— Monsieur, vaut mieux que je vous dise que j'aime particulièrement les *Ringo Kid* et que j'ai vraiment horreur d'entendre des gens en dire du mal.

Lieder souleva son chapeau du bout du pouce et lui envoya un regard noir et menaçant par-dessous son rebord.

— Ah ben ça ! Vraiment ?

Matthew se raidit des épaules.

— Oui monsieur, vraiment.

Le regard noir de Lieder s'adoucit en sourire.

— Ça me la coupe ! Là, j'peux dire que ça m'la coupe tout net ! On dirait moi quand j'avais ton âge ! Tu manques pas de tripes, petit ! (Il laissa son chapeau retomber sur ses yeux et sa tête sur le matelas.) Mais ça me ferait vraiment de la peine de te voir finir assis au milieu de la rue en train d'essayer de les retenir dans ta main, tout ça parce que t'aurais fait l'erreur de contrarier un vieux fou de vicieux faux-cul comme moi.

Il leva de nouveau son chapeau et lui fit un clin d'œil.

— Je n'ai pas l'intention de vous contrarier, monsieur, mais je… ben je veux pas entendre dire du mal des livres sur le Ringo Kid.

Lieder fixa Matthew dans les yeux, observant très vite et alternativement, un œil puis l'autre. Puis il sourit et s'assit sur le rebord du lit.

Matthew ne put s'empêcher de baisser le regard pour s'assurer que le sac de toile ne dépassait pas, puis il détourna le visage, comme sous l'effet de la colère, et ressortit sur sa terrasse. Il sentit des picotements lui parcourir l'échine en voyant que Lieder ne l'avait pas suivi dehors immédiatement, comme il avait espéré qu'il le fît, alors il parla d'une voix forte pour se faire entendre de l'intérieur.

— Vous dites que vous êtes sorti de prison pour de bon ce coup-ci. Qu'est-ce qui vous fait penser qu'ils ne vous rattraperont pas, cette fois ?

— Je ne peux pas les laisser me rattraper, dit Lieder sans bouger du lit. Il y a eu des morts, alors s'ils me mettent le grappin dessus… Mais les forces qui m'ont amené à Twenty-Mile ne les laisseront pas me reprendre. Et tu sais pourquoi ? (Un grognement rauque dans sa voix fit comprendre à Matthew qu'il s'était levé du lit.) Parce que j'ai une mission à remplir. Une mission sacrée. As-tu entendu parler d'un livre appelé *La Révélation de la vérité interdite* ?

Il était maintenant debout dans l'embrasure de la porte, derrière Matthew.

— Non monsieur.

— Ça, c'est un bon livre. Il a changé ma vie. Il a éclairé mon chemin et donné un but à mes jours. Ce livre m'a fait… (Il s'interrompit brusquement et changea de sujet.) Dis-moi, petit. Est-ce que j'ai rencontré tout le monde, dans ta belle ville riante et prospère ?

— Je ne saurais dire. J'ignore qui vous avez rencontré.

— Eh bien, il y a toi, brillant jeune homme malgré les merdes que tu lis… Oups, désolé ! Et puis il y a cet instit fort en gueule mais qu'a pas de couilles. Et les quatre Suédois en bas, à l'auberge. Et l'autre juif au magasin. (Il sortit sur la terrasse et s'assit sur les marches à côté de Matthew.) Et puis il y a ce sournois de maquereau qui gère le claque.

— M. Delanny ?

— C'est ça. Un pulmonaire, vu son allure. Et y a son second à jambe de bois. Et les trois trous qu'il entretient pour les mineurs. C'est tout ce que j'ai vu. Est-ce que ça fait tout le monde, fils ?

— Presque. Manque le Pr Murphy. Il vend des bains chauds et des rasages aux mineurs quand ils descendent du Filon.

— Le *professeur* Murphy ! Ah ben ça ! Tu penses que notre bon professeur a des armes ?

— Aucune idée, dit Matthew en haussant les épaules. Vous pourrez lui demander vous-même quand il passera prendre son dîner à l'hôtel. Il dîne toujours à l'hôtel.

— Ah oui ? Tu sais, je te parie tout ce que tu veux que le professeur insistera pour livrer ses armes au nom de ces intérêts supérieurs que sont la paix et l'ordre public. Et qui sait ? Il insistera peut-être aussi pour me faire chauffer un bon bain bien généreux. Ah nom d'un chien, tu crois qu'une longue trempette dans de la bonne eau chaude me fera du bien ? Ça oui ! Hé, tu sais quoi, petit ? Je t'aime bien. T'es futé et t'as des tripes. Tu m'as tout de suite tapé dans l'œil. Ce trou minable qui veut se faire passer pour une ville est pas un endroit pour un gamin futé qu'a des tripes. Si tu joues tes cartes correctement, je te prendrai peut-être pour apôtre. Qu'est-ce que tu en dis ?

— Euh… Je sais pas trop…

— Je te promets rien, hein ? Mais si tu gardes tes yeux et tes oreilles bien ouverts et que tu m'informes de tout ce qui pourrait m'intéresser, alors… bah, qui sait ? Tu pourras peut-être secouer toute la poussière de cette ville fantôme de tes bottes et me suivre dans le monde étincelant de la joie, de l'aventure et du péché ! Comment tu vis, petit ?

— Pardon ?

— Comment tu gagnes ta croûte ?

— J'aide M. Kane au Grand Magasin. Et je fais des petits boulots pour M. Stone à l'écurie. Et je nettoie le salon du Pr Murphy. Et je fais le petit déjeuner pour les résidents de l'hôtel, et puis après je balaye, des trucs comme ça.

— Dieu nous bénisse et nous console, on dirait bien que tu fais tout le boulot dans cette ville !

— À qui le dites-vous, fit Matthew d'un ton amer.

— Bon, demain matin, tu peux préparer trois petits déjeuners de plus. Des gros ! Mais pas trop tôt. Ça fait un sacré bail que mes hommes et moi avons pas touché de chair fraîche, et tu te demandes si on va s'en payer une tranche ce soir ? On va s'en payer une foutue putain de belle tranche ! C'est une des raisons pour lesquelles je ramasse toutes les pétoires de la ville. On peut pas être vraiment sur ses gardes quand on s'en paye une tranche, et je me sentirais mortellement gêné si quelqu'un faisait irruption dans la chambre et me trouvait en plein payage de tranche, si tu vois ce que j'veux dire. T'imagines le tableau ? Cul nu, rien dans les mains sauf ma bite ? J'aurais plus qu'à la braquer sur l'intrus et dire "Pan ! Pan ! T'es mort !" Ah, et puis attends la meilleure. Et si cet intrus me désarmait d'une balle bien placée ? Ouhop hop hop ! Ça, ça f'rait mal, hein ! (Il en postillonna de rire.) Mal ! Mal ! Mal ! *Ouhop hop hop !*

Après qu'il eut recouvré sa respiration et essuyé ses larmes, ils restèrent assis côte à côte sur les marches, à regarder au-delà de la rue, vers les montagnes, en silence. Presque comme deux amis.

— Vous savez, monsieur Lieder, vous êtes vraiment un homme effrayant.

— C'est vrai, reconnut-il en pressant le talon de sa main contre son œil pour éponger sa dernière larme.

— Ça m'étonne que M. Delanny vous laisse dormir à l'hôtel.

— Oh, il était pas ravi, ravi. Mais je me fous bien de ses scrupules, parce que je l'ai choisi pour être mon Nègre d'exemple.

— Pardon ?

— J'ai lu un article dans un numéro du *Harper's Monthly Magazine*. Ça s'appelait "Les Négriers arabes du Congo". Les gardiens se le passaient entre eux parce qu'il y avait des photos d'une négresse torse nu. Une jeune, avec de jolis petits nénés. Un magazine sérieux comme le *Harper's Monthly* n'offenserait jamais ses lecteurs en leur offrant de se rincer l'œil sur les nénés d'une Blanche, mais pour une raison ou pour une autre, les nénés noirs sont vus comme quelque chose d'éducatif. De pédagogique. Bon, eh ben cet article racontait comment les négriers arabes s'y prenaient pour contrôler un plein village de nègres en raflant toutes les armes avant que personne ait le temps de se retourner, puis ils prenaient un habitant pour en faire l'exemple de ce qui arriverait à quiconque leur mettrait des bâtons dans les roues. Ils ligotaient ce Nègre d'exemple sur la place centrale et lui faisaient goûter à ce que l'auteur appelait "les tortures les plus atroces et les plus humiliantes". Après ça, ils avaient plus aucun problème. Cet article, je l'ai lu et relu jusqu'à le connaître par cœur. Ces Arabes savaient s'y prendre ! C'est comme ça qu'on contrôle une ville. Donc M. Delanny sera mon Nègre d'exemple. Je suis sûr que ça te semble cruel.

— C'est vrai, et ça l'est.

— Tss tss. En fait, c'est l'exact opposé de la cruauté, parce que au bout du compte ça prévient bien des souffrances et bien des châtiments inutiles. Prendre ce genre de décision n'a rien d'agréable, mais ça fait partie du métier de chef. Et c'est nécessaire… pour le bien supérieur. C'est le même genre de raisonnement qui m'a fait choisir Minus et Mon-P'tit Bobby pour m'accompagner quand je me suis fait la belle. Ils sont pas très intelligents – bon Dieu, soyons honnête, y sont même pas normaux ! – et ils en ont rien à foutre de ma mission sacrée, mais ils sont exactement le genre de faux-culs laids et vicieux qui marquent les esprits de ces benêts d'autochtones. Tu me suis ?

Matthew ne répondit pas.

— Évidemment, des vermines comme eux pourraient jamais être chefs dans mon Armée de libération. Pour ça, j'ai besoin de jeunes hommes brillants qu'en ont autant dans le ciboulot que dans le caleçon et qu'ont en plus un patriotisme viscéral. J'ai besoin de quelqu'un qui puisse être mon glaive et mon égide ! Mes yeux et mes oreilles ! Quelqu'un qui puisse reprendre le flambeau si je devais tomber en martyr de la cause... comme ça se produira sûrement. Un dauphin, voilà ce qu'il me faut ! Et tu sais quoi, fils ? Toi, tu pourrais bien être cette personne-là. (Il balaya l'espace devant lui d'un ample geste de la main, comme s'il eût présenté une gigantesque affiche.) Recherchons un dauphin, horaires décents, possibilités de voyages et d'avancement, Congolais, faces de citron et étrangers s'abstenir ! (Sa voix descendit vers un registre plus grave.) Tu sais pourquoi je t'ai choisi ?

— Non monsieur, dit Matthew en poussant ses fesses d'un pouce pour s'écarter un peu de Lieder.

— Je t'ai choisi parce que tu es de la même trempe que moi. Je l'ai vu dans tes yeux. Tu sais ce que nous sommes, fils ? Nous sommes des petits garçons brisés. Des petits garçons brisés ! Et si tu brises un petit garçon avant que son esprit soit bien formé et bien fort, tu te retrouves ou bien avec un esclave veule qui laisse le monde le piétiner et lui enfoncer la tête dans la boue, ou bien avec une dangereuse force de la nature pleine d'une rage bouillonnante et insatiable ! Et lorsque cette rage se met au service d'une noble cause... alors... alors tu as quelque chose d'effroyablement puissant ! (Il se tourna pour poser sur Matthew un regard scrutateur chargé de sollicitude.) Qui t'a brisé, fils ? Moi, j'ai été brisé par mon père, puis par un maître d'école, puis par un gardien dans un foyer pour garçons. Mais on ne me brisera pas plus. Dorénavant, ça sera moi qui ferais tout le brisage. Alors dis-moi, petit. Qui t'a brisé ? Ton père ?

— On m'a jamais brisé.

— Ça, c'est du pipeau en barre, petit. C'est écrit brisé en gros dans tes yeux. Tu finiras soit rien du tout dans ce monde, soit quelque chose d'effroyablement puissant et mauvais ! C'est comme ça avec nous, les garçons brisés. C'est ce qu'on appelle notre karma.

Il lâcha un petit rire en même temps qu'un clin d'œil.

Matthew fut heureux de pouvoir changer de sujet lorsque le révérend Hibbard entra dans son champ de vision, loin dans le dos de Lieder. Il était en train d'enjamber les rails là-bas, à l'autre bout de la ville, achevant sa descente depuis le Filon Surprise après y avoir sermonné les mineurs. Matthew claqua des doigts.

— Ah, il y a encore quelqu'un d'autre qui habite en ville. Je l'avais complètement oublié, celui-là.

— Qui ça ?

— Leroy Hibbard. Un prédicateur. Il monte au Filon tous les dimanches pour lâcher un peu d'apocalypse sur la tête des mineurs. Mais d'habitude, il redescend le lundi avant la nuit.

— Un prédicateur, tiens tiens.

— Ah, pour un prédicateur... Il se saoule au bourbon, et puis il titube dans la rue à point d'heure en glapissant comme quoi c'est qu'un vil pécheur indigne et tout ça. M. Stone est d'accord avec lui sur ce point. Il dit que le révérend Hibbard vaut pas la poudre qu'il faudrait pour... Hé, quand on parle du loup !

Lieder se leva en grognant et regarda le prédicateur approcher, la paume de la main droite posée sur la crosse du revolver fiché dans sa ceinture.

— Comment tu dis qu'il s'appelle ? marmonna-t-il entre ses dents serrées.

— Hibbard.

— Ça alors, mais c'est-y pas ce bon vieux révérend Hibbard ! lança Lieder d'une voix enjouée. Mon Dieu mon Dieu mon Dieu ! Bienvenue chez vous, révérend ! J'ai bien pris soin de vos ouailles en votre absence ! (Il tendit sa main ; décontenancé, le clergyman la saisit d'un geste hésitant – et se la fit broyer par la poigne de fer de Lieder.) Bon, voilà ce qu'on va faire, vous et moi, révérend. On va aller chez vous et avoir une petite parlotte au cours de laquelle vous aurez l'opportunité de me remettre toute arme qui pourrait se trouver en votre possession. Et qui sait ? Il se peut même que je ressente soudain l'envie pressante de témoigner pour vous devant Dieu.

Au long de ses six heures de marche poussiéreuse pour descendre de la mine, Hibbard avait été tourmenté par des visions de la porte de derrière de l'Hôtel des Voyageurs, où il achetait d'ordinaire sa bouteille de bourbon à Jeff Calder, et il éprouvait de ce fait quelque réticence à faire demi-tour pour accompagner cet inconnu jusqu'au vieux dépôt du train. Mais Lieder resserra douloureusement sa prise et lui dit en lui souriant droit dans les yeux que s'il ne l'emmenait pas chez lui – immédiatement ! –, il risquait fort de sentir ses rotules exploser et de devoir passer le restant de ses jours à clopiner comme un bon à rien d'estropié, et qu'il n'aurait qu'à s'en prendre à lui-même.

— Car qui pousse son prochain à la violence se rend lui-même coupable de cette violence… Paul aux Chippewas, 7, 13. Je suis sûr que vous connaissez ce passage.

Assis sur la marche du haut, Matthew regarda les deux hommes remonter la rue cahoteuse vers les derniers tisons du couchant, la fine silhouette vêtue de noir du révérend Hibbard suivie d'une ombre vicieusement serpentine qui rampait derrière lui.

Il rentra dans le bureau du marshal et se laissa lourdement tomber sur le bord de son lit, les yeux fixés sur une fissure du plancher, tandis que l'obscurité croissait tout autour. Plus tard… une heure plus tard, peut-être davantage, il émergea de l'Autre Endroit, cligna des yeux et se leva lentement pour prendre le fusil accroché au-dessus de la porte. Puis il attrapa le sac de toile sous son lit et déversa ses trésors sur la couverture, étoile de marshal et cartouches artisanales comprises. Il ouvrit le fusil et y mit une cartouche. L'ajustement précis de la culasse rabota un mince copeau de cire qui scellait la cartouche. Argh ! Il frissonna de dégoût en le faisant valser d'une pichenette. Du bout des ongles, il extirpa la cartouche du canon et la jeta dans le sac comme si c'eût été une chose vivante visqueuse et détestable, puis il s'essuya les mains sur sa chemise pour se libérer de la sensation de contact avec cette munition cireuse.

Lorsque son pouls eut recouvré un rythme normal, il s'efforça de rassembler ses esprits. Dans une heure environ, il devait se rendre au Grand Magasin pour y retrouver B.J. Stone et M. Kane. Mais il ferait mieux de passer d'abord par l'auberge pour voir si les Bjorkvist mâles seraient prêts à se joindre à eux dans leur lutte contre ces… Bon Dieu : contre ces quoi, au juste ?

Alors qu'il se retournait pour raccrocher le fusil au-dessus de la porte, ses yeux tombèrent sur le livre que Lieder avait touché.

L'idée d'un homme comme lui lisant des livres du Ringo Kid lui faisait horreur.

DEBOUT DANS LES OMBRES PROFONDES près du cabanon des Bjorkvist, Matthew voyait à travers le battant de moustiquaire la cuisine de l'auberge, où Kersti travaillait à la lumière d'une lampe à transvaser du pot-au-feu de la marmite du poêle au grand seau qu'elle apporterait à l'Hôtel des Voyageurs pour y nourrir les résidents habituels ainsi que les trois inconnus. Mme Bjorkvist en avait préparé aussi pour sa propre famille mais avait décidé, à la dernière minute, de tout livrer à l'hôtel afin que les inconnus ne pussent pas se plaindre de manquer. Et son fils et son mari, alors ? Bah, ils avaient de toute façon plus ou moins perdu l'appétit après ce que ces hommes leur avaient fait.

Matthew monta sans bruit par l'escalier de derrière.

— Kersti ? murmura-t-il, les lèvres presque collées contre le battant de moustiquaire.

Elle lâcha un cri de surprise à moitié étouffé.

— Mais qu'est-ce qui te prend, de faire peur aux gens comme ça ?

— Excuse-moi, mais je…

— J'ai failli renverser le pot-au-feu ! On aurait passé un sale quart d'heure, tu peux m'croire !

— Chhhut, je t'en prie parle moins fort. Viens par ici. Y faut que je te parle, mais je veux pas rentrer dans la lumière, au cas où l'un d'eux se promènerait dans le coin.

Reniflant d'un air irrité, la jeune fille porta trois grosses boîtes de pêches Beechnut (au sirop extra-onctueux) jusqu'au plan de travail en pierre, où elle commença à les ouvrir en maniant l'ouvre-boîte avec une énergie spectaculaire, sans desserrer les lèvres dans son refus obstiné de lui adresser la parole. Il la voyait clairement parce qu'elle était du côté éclairé du battant ; elle le voyait à peine parce qu'il était du côté sombre.

— Bon, grinça-t-elle au bout d'une longue minute. Qu'est-ce que tu veux ?

— Les hommes sont venus ici ? M. Kane a dit qu'il les avait vus sortir avec des armes.

— C'est vrai. Ils ont pris toutes les armes de papa. Et même la carabine à plombs d'Oskar.

— Ils les ont vraiment toutes prises ? Ton père a pas réussi à en cacher une ?

— En cacher une ! T'es fou ou quoi ?

— Chhhhut.

Elle baissa la voix, mais il y restait une irritation palpable lorsqu'elle poursuivit :

— Mon père avait aucune chance de cacher quoi que ce soit. Pas amoché comme il était.

— Ils l'ont frappé ?

— Leur chef, là, il a dit qu'ils étaient venus collecter les armes de la ville pour les confier à Wan-Li le Païen*. Mon père leur a dit de foutre le camp. Et Oskar s'est dressé à son côté, comme s'il était prêt à se battre. Mais le gros aux grands bras et à la bouche pincée – tu vois qui je veux dire ?

— Ils l'appellent Mon-P'tit-Bobby.

— Ouais, ben il s'approche de mon père et il lui flanque un coup de poing dans le ventre. Très fort. Puis il les attrape par les cheveux, lui et Oskar, chacun dans une main, et leur cogne le visage l'un contre l'autre. Trois, quatre fois ! Puis il les lâche et ils s'effondrent et restent assis par terre, le nez en sang et le front ouvert. Puis le chef dit à ma mère d'une voix bien triste qu'il est tout désolé que son mari et son fils aient dû recevoir un tel traitement, mais qu'elle ferait mieux de lui donner toutes les armes de la maison, parce que s'il découvre qu'on en a gardé une alors il se mettra vraiment en colère. Là, tu peux être sûr que ma mère lui a donné les flingues jusqu'au dernier. On peut pas lui en vouloir, hein ?

* Héros du récit populaire éponyme (*Wan-Li le Païen*) de Bret Harte, écrivain et poète (1836-1902) qui s'attacha à peindre la vie des pionniers américains. Conçu comme une critique du racisme qui régnait en Californie, ce récit fut en réalité accueilli par le public américain comme une satire cinglante des immigrés chinois, et contribua à l'époque plus que n'importe quel autre ouvrage au développement du racisme antichinois. (NdT)

— Non, mais c'est sûr aussi qu'on serait mieux si on avait une ou deux armes.

— Qui ça, on ?

— Ben… Y a… (Il faillit nommer B.J. Stone et M. Kane, mais il se ravisa.) Tu sais, ceux qui se regroupent pour se battre contre ces hommes.

— Se battre contre eux ? T'es fou ou quoi ?

— Chhhhut.

— Chhhhut toi-même ! Tu peux pas résister à des hommes comme ça ! Tu vas tous nous faire tuer ! Ma mère dit qu'ils veulent juste l'argent de la mine, et que la meilleure chose à faire, c'est de les laisser le prendre. C'est pas notre argent à nous ! C'est pas not' peau du cul.

— Mais ce ne sont pas de simples voleurs. Ce sont des fous. J'ai l'horrible pressentiment, Kersti, que si on fait rien…

— C'est toi, le fou ! Et ça sert à rien d'essayer de convaincre papa et Oskar de participer à une opération de fous. Ils sont trop amochés. Et maman les laisserait pas faire de toute façon. (Elle versa la dernière boîte dans le plat en fer-blanc ; les demi-pêches visqueuses churent en projetant des éclaboussures.) Maintenant va-t-en d'ici, tu m'entends ? Je veux pas que ces hommes pensent qu'aucun de nous autres Bjorkvist on complote contre eux, surtout maintenant qu'y zont emmené papa et Oskar à l'hôtel.

— Quoi ?

— Tout à l'heure, y sont revenus et y les ont embarqués.

Matthew fut surpris de ne pas les avoir vus sortir de l'hôtel et descendre la rue. Puis il comprit que cela avait dû se passer pendant qu'il était assis sur le rebord de son lit, absent, loin dans l'Autre Endroit.

— Tu sais ce qu'elle fera, ma mère, si elle apprend ce que tu mijotes ? dit Kersti. Elle te dénoncera en espérant s'attirer les bonnes grâces de ces hommes pour qu'ils arrêtent de faire mal à papa et à Oskar.

— Mais y a pas de bonnes grâces à attendre de ces hommes, Kersti. Ils aiment faire du mal aux gens. Ça les amuse.

— Tant qu'ils nous font pas de mal à nous, les Bjorkvist ! Alors tu files d'ici et tu restes loin de chez nous. Et loin de moi, surtout !

Matthew ferma les yeux et appuya sa bouche contre la grille de la moustiquaire.

— C'est bon, je m'en vais.

Il humecta ses lèvres et sentit le goût de la grille sale et ça le renvoya un instant vers son enfance.

— Kersti ? Tu vas pas dire à ces hommes que je suis passé pour voir si je trouvais pas des armes, hein ?

— J'ai aucune raison de te rendre service, Matthew Dubchek. Pas après ce que tu m'as fait.

— Je sais, Kersti. Et je suis vraiment désolé si je t'ai blessée. Mais tu vas pas leur dire, hein ?

Elle jeta les boîtes vides dans la poubelle en faisant volontairement beaucoup de bruit. Matthew grimaça et regarda autour de lui dans la pénombre. Elle le fixa d'un regard dur. Puis soupira.

— Non, je leur dirai pas. Maintenant je t'en prie… va-t'en d'ici !

— Attendez une minute, monsieur Stone. Reprenons les choses calmement l'une après l'autre. On peut pas se permettre de faire des erreurs, dit M. Kane d'une voix étouffée mais pressante.

Pressante parce qu'ils devaient prendre une décision rapidement ; étouffée parce qu'ils n'avaient pas osé allumer la lampe et que les seules personnes qui parlent bruyamment dans le noir sont les ivrognes et ceux qui ont peur d'être pris pour des pleutres.

— Vous avez raison, dit B.J. Stone. Je m'emballe. Mais c'est qu'on a peu de temps.

Quelques minutes plus tôt, Matthew s'était glissé silencieusement par la porte de derrière du magasin et s'était assis à un bout de la table de travail de M. Kane, avec B.J. Stone à sa gauche et M. Kane à sa droite, face à face. Quand ses yeux se furent habitués à l'obscurité, il put distinguer leurs profils, aux contours luisants découpés par le clair de lune qui entrait par la vitrine, faisant porter des ombres visqueuses sous leur front et leur nez, et luire un de leurs deux yeux sur le fond noir de l'intérieur du magasin. Ruth Lillian avait pris place face à lui, dos à la fenêtre.

Son visage était dans l'ombre, mais sa chevelure rouge cuivre captait des myriades de granules de lune. La faible lueur ambiante traçait d'imperceptibles traits dans ses yeux lorsque son regard passait de son père à M. Stone.

Son soudain plongeon du grand clair de lune à l'obscurité spongieuse du magasin, la tension étouffée des voix de ces deux cyclopes débattant de la menace qui couvait à l'hôtel, Ruth Lillian assise en face de lui, sans visage, cheveux nimbés d'une aura de lune – tout cela donnait à Matthew l'impression de se trouver dans un rêve éveillé ; dans un lieu de cauchemar. Il devait sans cesse se rappeler que ces choses arrivaient réellement… arrivaient réellement… arrivaient réel…

— Je suis bien conscient que nous n'avons pas beaucoup de temps, monsieur Stone. Mais nous devons évaluer nos options avec soin, dit M. Kane. Vous me trouvez peut-être trop lent et trop prudent, mais…

Il haussa les épaules d'un petit mouvement pincé qui trahissait autant ses origines que pouvait le faire son léger accent.

Bien que ces deux hommes aient été des résidents de Twenty-Mile presque depuis la naissance chaotique de cette ville, ils n'avaient jamais échangé plus de phrases que n'en exigent les nécessités du commerce et la politesse la plus rudimentaire, mais chacun avait toujours reconnu du discernement et de la compassion chez l'autre, et lorsque leur solitude intellectuelle se faisait trop pesante, il leur était tous deux arrivé de regretter de n'être point amis.

— Très bien, poursuivit M. Kane, et l'attention qu'il portait à ne pas parler fort rendait ses dentales un peu plus claquantes que d'ordinaire. Commençons par ce dont nous sommes sûrs. Ces hommes sont venus pour voler la cargaison d'argent. C'est bien ça ?

— C'est ça. Mais évidemment ils ne l'auront jamais. Pas avec soixante mineurs presque tous armés qui descendent par le même train.

— Ah, mais ces hommes ne sont pas au courant, pour les mineurs.

— Si. Je leur ai dit.

— Vous leur avez dit ?

— Oui. Je voulais les convaincre que ça ne servait à rien de rester à Twenty-Mile. Mais c'est inutile d'essayer de les raisonner. Ces types sont des malades.

M. Kane se souvint des yeux pâles et soudain vides de Lieder lorsqu'il lui avait demandé d'où venait son accent.

— Bon, d'accord. Admettons qu'ils sont fous. Qu'est-ce que ça implique pour… Hé ! C'est quoi, ça ? Qu'est-ce qui se passe ?

Depuis l'hôtel, de l'autre côté de la rue, leur parvenaient des voix masculines qui chantaient *Rock of Ages* d'une manière hésitante et chaotique. Mais ces voix prirent de l'ampleur en répétant le premier couplet une fois… puis deux… puis trois, se faisant plus puissantes chaque fois.

Dès la première note, B.J. avait levé la main pour demander le silence et s'était penché vers l'origine du bruit.

— C'est bizarre. J'entends quatre… Non, cinq voix d'hommes différentes. Qui il y a d'autre là-bas, avec eux ?

— Au moins les Bjorkvist, dit M. Kane.

Il expliqua qu'il avait vu deux des inconnus pousser M. Bjorkvist et Oskar devant eux jusqu'à l'hôtel. Ils avaient l'air de s'être fait tabasser.

Matthew approuva, soucieux d'apporter son soutien à cette version sans toutefois révéler qu'il avait parlé à Kersti.

— Mais pourquoi ils les ont emmenés à l'hôtel ? s'interrogea B.J. à voix haute. Et pourquoi ils chantent, nom de Dieu ?

— J'en sais rien, dit M. Kane. Ils sont peut-être ivres. À moins…

Il agita ses mains. Le chant cessa d'un coup. Puis on entendit de bruyants applaudissements.

— Est-il possible qu'on les force à chanter ? demanda B.J. Ce chef a un sens de l'humour tordu.

M. Kane digéra ça en silence avant de dire :

— Je crois que nous avons deux possibilités. Nous pouvons soit attendre bien sagement en espérant que ça passe, soit nous lancer dans une action d'un genre ou d'un autre. Les risques encourus dans les deux cas sont évidents. Les bénéfices… le sont moins.

De l'hôtel déboula une kyrielle de notes de piano mécanique : une ballade sirupeuse aux longs sons étirés soutenus par des trilles à l'octave. Matthew connaissait un peu cet air – il y était question d'une fille tenue en cage. Les voix masculines furent rejointes par une ligne de soprano chevrotante.

— C'est Queeny, dit Matthew, avant d'ajouter, face au regard interrogateur de ses compagnons : Elle... euh... elle était danseuse de cabaret, avant.

B.J. se tourna vers M. Kane.

— Je ne crois pas que rester sagement assis soit une possibilité que nous devrions vraiment envisager. Par malheur, ils ont débarqué ici juste après le départ des mineurs. Ça veut dire qu'il faudrait qu'on tienne comme ça pendant six jours.

— C'est trop long, reconnut M. Kane. Beaucoup trop long. Alors qu'est-ce que vous suggérez ?

— Eh bien j'ai concocté une demi-douzaine de plans, mais au bout du compte ils reviennent tous au même. Nous devons nous serrer les coudes pour nous protéger. Et surtout pour protéger...

Son œil éclairé disparut lorsqu'il tourna légèrement la tête vers Ruth Lillian.

M. Kane acquiesça.

Des éclats de rire paillard jaillirent de l'hôtel, et le piano mécanique rejoua *She's Only a Bird in a Gilded Cage*, mais personne ne chanta cette fois-ci.

B.J. poursuivit :

— Nous pourrions nous barricader au magasin, ou bien...

— Pourquoi ici ? le coupa M. Kane.

— Parce qu'il y a à manger. Et aussi l'arme que vous planquez pour faire fuir les cambrioleurs en cas d'effraction.

— Y a à manger, oui. Mais pas d'arme. J'avais un revolver sous le comptoir, mais plus maintenant. Pour tout vous dire, j'ai peur des armes.

B.J. lâcha un long soupir.

— Là, je dois admettre que c'est un coup dur. J'avais naturellement compté sur une arme que vous auriez quelque part, sous le comptoir ou ailleurs.

Il y eut de nouveaux éclats de rire de l'autre côté de la rue. Quelqu'un siffla une note perçante entre ses dents. Le piano mécanique continuait à mouliner sa soupe sirupeuse.

— Bon, finalement ça vaut peut-être mieux qu'on tente pas de se réfugier ici, dit B.J. Ça ne ferait qu'attirer leur attention vers le magasin alors même qu'ils ignorent – Dieu merci ! – l'existence de Ruth Lillian. Ça ne nous laisse qu'une possibilité. Il va falloir qu'on rassemble les hommes de la ville et qu'on se débarrasse de ces étrangers.

— Vous voulez dire : qu'on les tue ?

— Monsieur Kane, je ne suis pas un homme violent. Et mes principes pacifistes reçoivent une bonne dose de soutien de la part de ma couardise. Mais quand on a affaire à des individus comme ça…

— Mais si on les affronte, c'est nous qui avons toutes les chances de nous faire descendre. Après tout, ils ont pris toutes nos armes.

— Pas toutes nos armes. Les Bjorkvist ont des fusils de chasse, et s'ils nous rejoignent, nous pourrons…

— Non monsieur, l'interrompit Matthew. Les Bjorkvist n'ont pas de fusil. Ces hommes sont passés chez eux et les ont pris. Et ils ont tabassé M. Bjorkvist et Oskar. Ils leur ont cogné la tête l'un contre l'autre et leur ont cassé le nez.

— Comment tu sais ça ?

— Je… j'ai fait un petit détour discret par… par chez eux. (Il lança un regard fugace en direction de Ruth Lillian puis poursuivit :) J'voulais comprendre ce qui se passait. Après la grosse rouste qu'ils ont prise, les Bjorkvist oseront pas faire quoi que ce soit contre ces cinglés.

— Je vois. (Il y eut un long silence au cours duquel Matthew entendit B.J. Stone avaler sa salive.) Bien… ! (Il pressa ses lèvres contre ses dents. Puis :) D'accord, mais ça nous laisse tout de même les gens de l'hôtel. Bon, je sais de façon certaine que Jeff Calder a son fusil de la guerre de Sécession. Quand il est saoul, il le brandit au nez de qui veut en bavassant qu'il était un héros. Et Delanny doit sûrement planquer un genre d'arme de parieur, un derringer, ou une poivrière. Ça fait deux armes. Et il se peut que… Qu'est-ce qu'y a ? Qu'est-ce qui va pas ?

M. Kane secouait la tête.

— Qu'est-ce qui vous fait croire qu'ils n'ont pas pris aussi les armes de Calder et Delanny ? Et même s'ils ne les ont pas prises, quelles chances pensez-vous qu'un joueur phtisique et un vieil estropié pourraient avoir contre trois tueurs fous armés jusqu'aux dents ? Je ne veux pas rabaisser vos…

Le piano mécanique acheva sa ballade en une acmé d'accords assénés des deux poings, puis une voix de femme lâcha une bordée d'injures et sa nature vitupérante ne faisait aucun doute, même si les mots exacts étaient déformés par une langue rendue fort pataude par le bourbon.

Un rire cru.

Un cri et des bris de verre ; tous les quatre retinrent leur respiration.

Les portes battantes du bar qui claquent contre le mur de l'hôtel.

M. Kane alla à la fenêtre et regarda de biais vers le bas de la rue, vers la flaque de lumière projetée par l'embrasure de la porte de l'Hôtel des Voyageurs.

— Mon Dieu, elle est… (Il retourna à table et s'assit lourdement.) Ils l'ont déshabillée et jetée à la rue.

— Qui ?

— La vieille.

— Queeny ?

M. Kane acquiesça.

À l'intérieur de l'hôtel, la ballade en rouleau recommença à se dérouler, et les voix ivres s'élevèrent de nouveau… *car son amour impé-ri-eux, pour l'or d'un homme si vi-i-i-eux…*

Il y eut un silence, puis Matthew se dit qu'il devrait essayer de leur faire oublier Queeny étendue là-bas, dans la rue, nue.

— Ah… M. Lieder est passé me voir dans le bureau du marshal il y a deux heures.

— Que voulait-il ? demanda B.J.

— Il cherchait des armes. Il a beaucoup parlé, mais c'était pas toujours facile de savoir s'il blaguait ou s'il était sérieux. Il m'a dit que je lui faisais penser à lui quand il était jeune. Et il m'a demandé si je voulais faire partie de sa bande. Il a parlé d'être son glaive et son égide et son apôtre… Vous savez comment il parle.

— Et qu'est-ce que tu lui as répondu ?

— Je savais pas quoi répondre. J'ai juste plus ou moins joué les idiots.

— C'est bon, ça, dit M. Kane. S'il s'est entiché de toi, il te mettra peut-être dans la confidence, et nous saurons ce qu'ils ont l'intention de…

Un coup de feu du côté de l'hôtel les fit tous se lever d'un bond.

B.J. alla voir à la fenêtre.

— C'était quoi ? siffla M. Kane.

— Elle va bien. J'ai eu peur qu'ils… Mais elle est toujours là, assise sur les marches, la tête baissée entre les jambes. Raide saoule, si j'en crois son allure. (Puis, d'un ton optimiste à l'intention de Ruth Lillian :) À mon avis, ils ont juste tiré en l'air. Vous savez… pour le plaisir de faire du bruit.

M. Kane se massa le front du bout des doigts en fermant les yeux. Puis il dit doucement :

— Et si on les empoisonnait ?

— Les empoisonner ? demanda B.J. Et comment on s'y prendrait pour les empoisonner ?

— Je sais pas ! C'est juste une idée qui m'est venue. Demain matin, c'est Matthew qui leur préparera le petit déjeuner. Peut-être que… Je sais pas… un produit dans le café ou bien…

— Mais Papa ! dit Ruth Lillian. Ça tuerait tout le monde. M. Delanny, les filles, tout le monde !

— Il faut pourtant bien faire quelque chose ! s'exclama M. Kane en se levant, heurtant la table avec son genou. On ne peut pas juste rester assis là comme ça pendant qu'ils…

Il grogna et serra le poing droit comme pour broyer la douleur qui enflait dans son torse et se faufilait jusqu'à son coude.

— Papa !

— Ça va, dit-il entre ses dents serrées, en s'affalant dans sa chaise. C'est juste…

Ruth Lillian lui prit la main, et Matthew vit ses doigts fins se comprimer sous la puissance de la poigne du père. Il se dit que ça devait être douloureux de se faire écraser les phalanges de la sorte, mais elle ne fit pas un bruit.

M. Kane suffoqua à deux reprises en lâchant chaque fois un petit piaillement nasal dans un effort pour demeurer maître de sa douleur thoracique. Finalement, il exhala un long soupir sifflant…

doucement, prudemment, comme s'il s'attendait à recevoir un ultime coup de poignard. Puis…

— C'est passé, murmura-t-il. Dieu merci.

— Ça va ? demanda B.J. Stone.

— Oui, oui. C'est passé. Excusez-moi…

Il lâcha la main de Ruth Lillian et la caressa, comme pour apaiser toute douleur qu'il eût pu infliger.

Après un silence, B.J. dit :

— Bon, au moins, nous avons un atout.

— Dites-moi, fit M. Kane avec un sourire forcé. Là, je crois qu'une bonne nouvelle me ferait du bien.

— Ils ignorent l'existence de Coots. Quand ils sont arrivés, il était parti mener des ânes au Filon. Je pense qu'il rentrera demain matin.

— Et il est armé, Coots ?

— Oui. Il emporte toujours son vieux colt quand il part sur le sentier. Il a peur des serpents. C'est à peu près la seule chose au monde dont Coots ait peur.

— Alors ça nous fait deux atouts, dit M. Kane. Nous avons Matthew qu'est infiltré… plus ou moins. Et demain matin Coots sera de retour, et nous aurons un homme armé auquel ils s'attendent pas.

— Moi non plus, ils savent pas que j'existe, dit Ruth Lillian.

— Oui, et on va rien changer à ça, répliqua son père d'un ton sévère.

— Une minute ! dit Matthew. Et s'ils voyaient Coots arriver ? Je veux dire, il ignore tout de ce qui se passe ici. Il a aucune raison de rentrer discrètement.

— C'est juste, dit B.J. en sentant son cœur manquer quelques pulsations d'avoir négligé un détail si important. Il va falloir que je monte le prévenir avant l'aube.

— Et si ces hommes viennent vous chercher et qu'ils ne vous trouvent pas à l'écurie ? demanda M. Kane.

— J'irai prévenir Coots, dit Ruth Lillian sur le ton de l'évidence.

— Tu ne feras rien de…

— Mais papa ! Qui d'autre peut y aller ? Tu dois rester ici au cas où ils voudraient quelque chose dans le magasin. Matthew sera occupé à préparer le petit déjeuner. Et tu viens de dire que M. Stone ne doit pas quitter l'écurie.

— Écoute-moi bien. Il est hors de question que tu…

— Elle a raison, vous savez, le coupa B.J. Elle pourrait filer discrètement dès demain matin et remonter le sentier pour trouver Coots. En surveillant le coin par ma fenêtre de derrière, je pourrai les voir descendre par la passe de Shinbone à peu près un quart d'heure avant qu'ils arrivent au pré. (B.J. avait souvent guetté le retour de Coots pour l'accueillir avec une tasse de café bien chaud.) En arrivant, ils pourront se faufiler…

— Je ne laisserai pas ma fille courir le risque de se faire prendre par ces…

— Monsieur Kane ? l'interrompit encore B.J. Ruth Lillian est une fille intelligente. Elle ne prendra aucun…

— Non, dit M. Kane d'un ton sans appel. Non.

— Monsieur ? dit Matthew. Et si Ruth Lillian sortait vraiment discrètement par-derrière les maisons et montait à l'écurie avant l'aube ? Ensuite, dès les premières lueurs du jour, elle pourrait prendre le sentier, et une fois qu'elle trouverait Coots, elle lui dirait de descendre en faisant très attention. Et après, elle pourrait…

— Il est hors de question que…

— Non, laissez-moi finir. Après, elle pourrait monter jusqu'au Filon Surprise et prévenir les mineurs de ce qui se passe ici. Comme ça, elle est bien en sécurité, loin de la ville, Coots est prévenu, et…

— Et les mineurs peuvent descendre et surprendre nos hommes ! poursuivit B.J. Ils pourraient s'armer jusqu'aux dents et faire presque toute la descente en train, en marchant juste sur le dernier mile, tout doucement… de nuit, peut-être. C'est ça !

M. Kane voyait bien ce que ce plan avait de sensé, mais il demeurait réticent à l'idée de faire courir des risques à Ruth Lillian.

— Vous êtes sûrs qu'elle réussira à monter jusqu'au Filon ? Moi, je ne sais pas comment c'est, je suis jamais monté plus haut que Twenty-Mile.

— C'est assez raide, reconnut B.J. Et quand il pleut, ça peut devenir vraiment traître. Mais tant que le sentier est sec, elle y arrivera. (Il se tourna vers elle.) Faudra juste y aller doucement. Économiser vos forces. Attendez-vous à mettre neuf, voire dix heures pour arriver là-haut. Jusqu'à l'arrivée des mineurs, ça sera à nous de faire en sorte de ne pas donner à ces cinglés la moindre raison de faire du mal aux gens. Alors ? Vous êtes d'accord, monsieur Kane ?

Ruth Lillian posa sa main sur l'avant-bras de son père. Après un bref combat intérieur, il ferma les yeux et approuva.

— Oui, oui. D'accord pour tout ce qui peut lui faire quitter la ville.

— Parfait, dit B.J. Donc demain matin, j'accompagne Ruth Lillian au départ du sentier et je surveille le coin. Quand je vois Coots arriver par la passe de Shinbone, je descends à l'hôtel et je dis deux mots au chef. Je lui dis qu'il n'a aucune chance de mettre la main sur l'argent, et je lui dis que – Bon Dieu, je sais pas quoi. J'improviserai. Mais je me débrouillerai pour faire diversion et permettre à Coots de gagner l'écurie sans se faire repérer. Voilà ! C'est bouclé. Maintenant, je crois qu'on devrait tous essayer de dormir un peu. Pensez à mettre quelque chose de chaud et de bien costaud demain matin, jeune demoiselle. Matthew ? Il va falloir que tu t'occupes de Queeny.

— Moi ? Euh... Que voulez-vous que je fasse ?

— On ne peut pas laisser cette pauvre vieille assise là comme ça, toute nue dans la rue. Ramène-la chez toi.

— Mais je...

— Ruth Lillian, vous pourriez nous trouver de quoi la couvrir ?

— Bien sûr. (Elle prit une couverture Hudson Bay sur l'étagère.) Est-ce que ça ira ?

— Ça ira très bien, dit B.J. Bon, sur ce... (Il recula sa chaise de la table.) Voyez-vous autre chose dont nous devrions parler, monsieur Kane ?

— Non, je crois qu'on a fait le tour, répondit-il. Et je veux bien reconnaître que je me sens vraiment beaucoup plus rassuré que tout à l'heure.

Sentant que la fausse assurance de M. Kane était destinée à Ruth Lillian, B.J. tendit la main et lui attrapa l'avant-bras.

— Ça ira, Ruth Lillian ?

— Bien sûr, dit-elle sans pouvoir cependant réprimer un frisson.

— Pas trop terrifiée ?

— Non monsieur. Je dirais que je suis terrifiée juste comme il faut, précisa-t-elle avec un vague sourire avant d'ajouter, plus sérieusement : Ne vous inquiétez pas pour moi, monsieur Stone. Je serai à la hauteur.

— Bien parlé ! Bon, Matthew, tu ferais mieux de rentrer au bureau du marshal.

— Mais, et Queeny ?

— Vaut mieux que tu ailles la retrouver depuis chez toi. Je ne veux pas qu'on te voie sortir d'ici.

— Ah, oui. Évidemment.

— Tu ferais mieux de monter te coucher, maintenant, dit M. Kane à sa fille.

— J'arriverai pas à dormir.

— Peut-être pas, mais tu arriveras à rester hors de vue.

— Mais papa…

— Ruth Lillian !

— … D'accord, papa.

— Allez, filez, vous deux, dit B.J.

Au pied des escaliers, Ruth Lillian donna la couverture à Matthew. En tendant les mains pour la saisir, il rencontra la sienne et la serra brièvement. Puis il s'en alla.

Les deux hommes âgés restèrent assis dans l'obscurité, épuisés, l'estomac aigre, conséquences d'une tension émotionnelle prolongée. Lorsque M. Kane prit la parole, sa voix était voilée.

— Vous pensez vraiment qu'on a une chance ?

— Oh, sans aucun doute !

— Hmm. Et même si vous le pensiez pas, vous feriez comme si.

— Oui.

M. Kane opina du chef.

— C'est une tâche lourde et dangereuse que l'on demande au jeune Matthew. Les espionner…

— C'est un gars intelligent.

— Pour ça… il est intelligent. Mais il y a une chose…

M. Kane haussa les épaules et secoua la tête.

B.J. se rappelait la description très crue qu'il avait lue dans ce numéro du *Nebraska Plainsman* vieux de deux mois. Quel ressort émotionnel pouvait encore avoir un garçon après avoir trouvé ses parents… comme ça ? Il envisagea d'offrir à Matthew la possibilité de parler de ce qui s'était passé. Mais que ferait-il si le souvenir de cette scène détruisait le tissu d'oubli et d'inventions qui lui permettait de vivre ? Bah, il était trop fatigué pour prendre une décision intelligente ce soir. Il ferait vraiment mieux de remonter à l'écurie et…

Mais M. Kane commença à parler à voix basse dans le noir, le regard rêveusement posé sur la surface luisante de sa vieille table de travail.

— Je vous ai dit que je m'étais débarrassé de l'arme que je gardais sous le comptoir parce que les armes me font peur. Eh bien, c'est vrai, mais aussi… (Il haussa les épaules puis fit doucement glisser ses doigts sur le rebord de la table polie par des années passées à faire ses comptes ici. B.J. attendit patiemment que M. Kane poursuive.) J'étais en train de travailler. Juste là, à cette table. Il était tard, et ma femme était partie rendre visite à une amie malade. Oh, je savais parfaitement que cette amie n'existait pas, mais… (Il poussa un long soupir las.) J'étais là, assis devant mon livre de comptes, à essayer de m'occuper l'esprit… à essayer de ne pas l'imaginer… bah ! Puis j'ai entendu ses pas à lui sur l'escalier de la terrasse. Les pas d'un homme fort et sûr de lui. Vous vous souvenez de notre marshal ?

— Oui.

— Fort et sûr de lui. Bon. Il est entré, a jeté son étoile sur cette table et a dit qu'il rendait son tablier. Je n'ai pas levé les yeux vers lui. Il m'a dit qu'il partait parce que Twenty-Mile était une ville mourante. Puis il a ajouté – presque comme un détail qu'on mentionne en passant – qu'il emmenait ma femme avec lui. Vous vous souvenez de ma femme, monsieur Stone ?

— Oui.

— C'était une très belle femme.

— Oui, très belle.

— Beaucoup trop jeune pour moi, bien sûr, mais… très belle. Ruth Lillian lui ressemble tant. Bon. Après son départ, je suis resté assis à cette table pendant des heures. Dans ma main, j'avais le revolver que je gardais pour me protéger des voleurs. J'avais toujours pensé que je serais en réalité parfaitement incapable de tuer un être humain, mais cette nuit-là… cette nuit-là je fus à deux doigts de me tirer une balle. Si ma petite n'avait pas crié dans son sommeil… si je n'avais pas pensé à ce qu'elle deviendrait, toute seule, dans une ville comme Twenty-Mile… Alors j'ai rabaissé le chien, je me suis levé et je suis sorti marcher dans la nuit. L'aube approchait, l'air était calme et froid, et je… (Il serra les lèvres et tressaillit.) J'ai marché jusqu'au ravin et je… j'ai jeté ce revolver aussi loin que je pouvais. Vous voyez, monsieur Stone, me débarrasser de cette arme était pour moi la seule manière d'être sûr que Ruth Lillian ne deviendrait pas orpheline dès la première nuit où la solitude et la dépression auraient raison de moi. (Il leva les yeux et sourit timidement.) Depuis ce temps, le Grand Magasin de Twenty-Mile n'a plus d'armes en réserve. Pas parce que j'éprouve une grande réticence morale vis-à-vis d'elles. Seulement parce que, comme je l'ai dit, elles me font peur.

B.J. laissa un moment l'obscurité absorber le silence. Puis il hocha la tête et se leva pour partir.

M. Kane lui serra la main.

— Bonne nuit, monsieur Stone.

— Bonne nuit, monsieur Kane.

La pleine lune flottant bas sur l'horizon nappait la rue d'une lumière pâle mais pénétrante, de sorte que, pour rester hors de vue de quiconque eût pu l'observer depuis l'hôtel, Matthew passa par-derrière les ruines du club social du Double-Six pour regagner le bureau du marshal. À travers un espace entre deux maisons abandonnées, il aperçut Queeny assise sur les marches de l'hôtel. Nue sous le clair de lune, elle berçait lentement sa douleur ivre.

Il se glissa par la porte de derrière du bureau du marshal et prit quelques instants pour réfléchir à la manière dont il s'y prendrait avec Queeny. Il décida que le mieux était de traverser la rue d'un pas décidé, de sorte que si un des hommes le voyait, il pourrait lui jouer la comédie de l'irritation, dire que le bruit et les cris l'avaient réveillé et qu'il venait voir ce qui se passait. Il alluma sa lampe et la régla au plus fort de manière que personne ne puisse prétendre qu'il complotait dans le noir, puis il prit la couverture que Ruth Lillian lui avait donnée et s'apprêtait à ouvrir la porte lorsqu'il pensa à sortir les pans de sa chemise de son pantalon et à s'ébouriffer les cheveux.

— Queeny ? murmura-t-il d'une voix rauque.

Elle était à moitié assise, à moitié allongée sur les marches de l'hôtel, ses jambes flaccides et blanchâtres grandes ouvertes.

— Tenez. Couvrez-vous avec ça.

Il drapa ses épaules avec la couverture Hudson Bay en détournant le regard pour éviter de poser les yeux sur sa chair glauque.

Elle frissonna et s'enveloppa dans la couverture de laine.

— Alors là, c'était pas des manières de gentleman, marmonna-t-elle d'une langue pâteuse. Aucun gentleman dirait ce genre de chose à une dame !

Son œil droit était bouffi au point d'être presque entièrement clos.

— Non, sûrement pas, Queeny. (Il essaya de la remettre debout, mais elle était trop lourde, trop molle.) C'était méchant et bas de sa part de dire ces choses, dit-il de la voix mielleuse et chantante que sa mère prenait lorsque son père était ivre et susceptible, une voix prête à dire amen à tout.

Du tréfonds de sa mémoire lui revint l'image d'une tache humide au pied de la cheminée, à l'endroit où son père bavait quand il gisait là, comateux.

— Allez, Queeny. Y faut que tu m'aides. J'y arriverai pas tout seul.

Elle se redressa et se leva, mal assurée.

— Où tu m'emmènes, mon chou ?

Son haleine chargée de bourbon et la pointe de coquetterie visqueuse qui perçait dans sa voix lui serrèrent la gorge.

La soutenant, la traînant, il parvint à l'amener jusqu'à la porte du bureau du marshal, puis jusqu'à son lit, où elle s'effondra comme si ses os eussent soudainement fondu. Il porta une main en coupelle au-dessus de sa lampe et la souffla. Cette brusque plongée dans l'obscurité sembla tirer Queeny de son hébétude ; elle se redressa sur un coude et dit :

— … Je leur ai dit que je voulais plus boire, merci beaucoup, mais le grand aux lèvres pincées m'a étendue sur la table et m'a fourré le goulot dans le gosier. Dans le… (Elle éclata en sanglots, en gros sanglots hoquetants qui secouaient tout son corps.) Puis ils m'ont fait danser. Ils ont arraché mes vêtements et y m'ont fait danser ! Devant tout le monde. Et y riaient ! C'est pas des manières de traiter une dame, hein ?

— Non, sûrement pas, Queeny. Et ça me fait de la peine.

— O-o-o-oh, c'est vrai mon chou ? Ça te fait vraiment de la vraie peine ?

— Vous avez dit *devant tout le monde…*

— Et leurs rires ! J'étais une très bonne danseuse, quand je faisais de la scène. Légère comme une plume. Tout le monde applaudissait, sifflait et… Mais on vieillit…

Sa voix se noya dans de grosses larmes chaudes.

— C'était qui, ce *tout le monde* qui vous regardait, Queeny ?

— … légère comme une plume, j'te dis. Demande à qui tu veux. Je faisais la danse des Sept Voiles. Mais tu vois, mon chou, quand une fille comme moi vieillit, elle devient un peu… eh ben un peu plus forte. Faut pas s'voiler la face.

— Chuis sûr que vous étiez une excellente danseuse, Queeny. Qui il y avait, là-bas, à se moquer de vous ?

Il imitait la douce insistance de sa mère lorsqu'elle tentait d'obtenir quelques informations de son père ivre mort.

— Tous ! Ils riaient tous ! Et ils faisaient des blagues ! Le barbier, le vieux Jambe-de-Bois, le pasteur, ces rapiats de Bjorkvist. Tous fin bourrés. Le chef, il leur a fait avaler du bourbon jusqu'à ce qu'y tiennent plus debout et qu'y s'marrent comme des baleines. Mais c'est pas une excuse pour… Mon chou ? Ta bonne vieille Queeny a le gosier en feu. T'aurais pas un peu d'eau bien fraîche pour ta bonne vieille Queeny ?

Matthew plongea un quart en fer-blanc dans son seau d'eau potable et le lui apporta. Elle but goulûment en avalant de l'air, puis toussa en postillonnant.

— Mais c'est pas une excuse, hein ? C'est pas parce qu'on est fin saoul que ça donne le droit de se moquer d'une femme qu'a… qu'est devenue un peu f-forte.

Il s'assit sur le rebord du lit.

— Que faisaient tous ces hommes à l'hôtel ?

— Je viens de te l'dire ! Ils riaient et y s'moquaient !

Elle éclata de nouveau en sanglots.

— Oui, mais pourquoi ils étaient là, au départ ?

— C'est lui qui les a fait venir.

— M. Lieder ?

— Oui.

— Mais pourquoi il a fait ça ?

— J'en sais rien, moi ! Je suis pas… Je suis pas…

Elle se tut et sa respiration s'alourdit.

— Queeny ? Queeny ! Parlez-moi de M. Delanny.

— Qu… ? Hein ?

— Quand ces inconnus ont débarqué dans l'hôtel, il a rien fait, M. Delanny ?

— Non, bien sûr que non ! M. Delanny est pas du genre à rire et à se moquer du physique d'une dame. C'est un professionnel. Comme moi. Tu pourrais redonner un peu d'eau à ta vieille Queeny mon chou ? Elle est toute déshydratée.

Matthew remplit le quart en fer-blanc, retourna vers le lit et aida Queeny à boire.

— Queeny, ça fait longtemps que tu travailles pour M. Delanny. Dis-moi : est-ce qu'il possède une arme ?

— C'est un vrai professionnel, dit-elle d'une voix blanche, le nez dans la tasse. Ferme, mais juste… comme moi.

— Oui Queeny, mais écoutez-moi. Est-ce… que… M. Delanny… a… une… arme ?

— 'Videmment ! (Elle jeta la tasse par terre.) Je t'ai dit que c'était un professionnel ! T'es bouché comme les autres ou quoi ?

Il attendit que sa fureur embrouillée s'estompe avant de demander patiemment :

— Et quel genre d'arme a-t-il ?

— Un petit revolver tout riquiqui. Dans sa botte. Un derringer avec un canon tout riquiqui. Pas plus grand qu'un quiqui de p'tit garçon riquiqui. (Elle gloussa… et eut un haut-le-cœur.) Oh oh ! J'ai bien peur que… C'est l'eau fraîche… ça fait r'monter le bourbon. J'ai bien peur que j'vais…

Elle s'effondra de nouveau sur l'oreiller.

— Queeny ?

— Y faut qu'je dorme, mon chou, marmonna-t-elle. Y faut vraiment qu'je dorme, ou j'vais gerber.

— Queeny ? Queeny ? Tu crois que M. Delanny se servira de son revolver contre ces hommes qui riaient et se moquaient de toi ?

— Non, je crois p… qu…? Y p… pas… s'lever

— Quoi ?

— Il est… Y peut pas… Sa chaise…

— Queeny ?

— Y peut pas s'lever, j'te dis !

— Quoi ? Pourquoi y peut pas s'lever ?

— Ils l'ont fait asseoir sur une chaise. Et il ose pas s'lever. Ils le laissent même pas parler, et il… Oh, mon chou, je… Je crois que j'vais vraiment vomir. Pourquoi tu m'as fait boire cette eau ?

— Tu veux aller vomir dehors ?

— Ouais, je f'rais p'têt mieux. Aide-moi à me lever. Oh oh. Non, je… peux pas. Je peux pas l'ver la tête. Chuis trop…

— Ça ira, Queeny. Dors. Demain, tout ira bien, tu seras d'aplomb.

— C'est vrai, mon chou ? Tu trouves que la vieille Queeny est bien comme il faut, c'est ça ? C'est pas toi qui f'rais des blagues sur la vieille Queeny, mon chou ?

— Non, Queeny, je ferais jamais des blagues sur vous.

— O-o-o-Oh, si c'est pas chou ! Je savais que tu f'rais pas de blagues parce que t'étais bon avec ta mère et que tu l'aidais à faire… des… biscuits. Je vais… Je peux…

Elle émit un bref ronflement moite et elle s'endormit.

Matthew borda la couverture autour d'elle, puis s'assit dans son fauteuil sous un pâle rayon de lune faiblissante. Un soudain frisson lui parcourut l'échine. Il se frotta les bras ; il avait la chair de poule. Alors il décrocha sa veste de toile de son clou et l'enfila à l'envers, le col remonté sur son cou pour se protéger la gorge. Il se cala dans son fauteuil et décida qu'il attendrait l'aube comme ça.

Enfin, peut-être qu'il laisserait ses yeux se reposer un peu, et au matin il…

… Il se réveilla en sursaut, le cœur palpitant et le dos raide à cause du fauteuil dur. L'affreuse odeur de bourbon et de sueur qui émanait de Queeny le prenait à la gorge, comme celle de son père quand il rentrait tard et s'effondrait sur le sol. Cette puanteur de bourbon s'était infiltrée dans son cauchemar sur des trucs rouges spongieux… non, sur le visage de son père tordu par la colère… non, sur le canon d'une arme qui tonne et… non, il y avait des petits garçons blessés et des apôtres et… non, il ne s'en souvenait pas. Les bouts de rêve se dispersaient rapidement, se camouflaient très vite.

Depuis le bas de la rue lui parvinrent des bruits de rire et d'éclaboussure et des cris et…

… Des éclaboussures ? Il se leva de son fauteuil et alla à sa fenêtre en se massant les reins. La lune s'était couchée, plongeant la rue dans une obscurité mate hormis une faible lueur rouge dorée derrière le Palais du rasoir du Pr Murphy, où le vieux poêle asthmatique faisait chauffer de l'eau. Il y eut un grand Houplà ! puis un deuxième plouf, puis un reniflement, puis un jappement haut perché. Quelqu'un venait de verser de l'eau froide sur quelqu'un d'autre. Ces hommes devaient être en train de prendre des bains dans les baignoires de bois, derrière le salon. Il y avait quelque chose d'étrange, quelque chose de répugnant à l'idée de ces hommes assis jusqu'au cou dans des baignoires d'eau sale, jouant et s'éclaboussant comme des gamins dans une rivière.

Matthew se détourna de la fenêtre et décida d'allumer sa lampe pour lire jusqu'à ce que les derniers fragments de son cauchemar se fussent ratatinés et carapatés loin de sa mémoire. Il chercherait la paix dans le monde simple et moral d'Anthony Bradford Chumms, comme il le faisait quand les bruits de dispute de ses parents, en bas, lui vrillaient les boyaux.

Pour ne pas réveiller Queeny, il approcha la Lucifer du fauteuil et baissa lentement sa mèche jusqu'à ce qu'elle ne produise plus qu'une toute petite flamme crachotante.

Juste avant l'aube, son menton s'affaissa dans le col de sa veste et *Le Ringo Kid abat son dernier as* glissa de ses doigts gourds pour tomber dans la flaque de lumière.

Plus tôt cet après-midi-là, M. Delanny était dans la salle du bar, en train de faire une réussite à deux avec Frenchy, lorsque les trois inconnus salis par la poussière des pistes déboulèrent. Il avait levé les yeux, évalué la situation en une fraction de seconde et demandé à Jeff Calder de leur servir à boire.

— La maison vous offre un verre, messieurs ; ensuite, je vous demanderai de passer votre chemin.

Lieder cligna des yeux en un ébahissement surjoué.

— Alors là ! Je suis confus. Dehors, l'enseigne dit que c'est l'Hôtel des Voyageurs. Et nous voilà, trois voyageurs errant sur le pénible et long chemin de la vie. Et pourtant, on se sent pas absolument, profondément, les bienvenus. Comment se fait-ce, l'ami ?

M. Delanny leva un sourcil dédaigneux et parla de sa voix tendue et précise.

— Ceci est un hôtel privé. Je me réserve le droit de choisir ma clientèle.

Lieder sourit.

— Ah, je vois. Et nous ne sommes pas dignes de vous, c'est ça ?

— C'est exactement ça, l'ami. Qui plus est…

— Hop hop hop ! Gardez votre qui plus est ! (Sans cesser de sourire, Lieder tira son revolver de sa ceinture et l'arma.) Et je vous en prie, ne m'appelez pas l'ami. En fait, je crois que je n'ai plus envie d'entendre un seul mot de votre bouche. *Plus un seul !* Et vous savez pourquoi ? Parce que j'aime pas votre chemise chichiteuse, vos poignets grêles, vos mains blanches comme neige, et vos manières de petit snobinard méprisant. J'ai une sainte horreur des gens qui me parlent sur ce ton. Votre hôtel n'est qu'un vieux claque pourri. Et vous n'êtes qu'un maquereau. Et je ne vais pas me laisser insulter par un foutu vicieux marchand de fesses. Alors voilà ce qui va se passer. Écoutez-moi : vous allez rester assis sur cette chaise sans dire un mot. Pas un mot ! Parce que si vous bougez le cul de cette chaise, ou si vous l'ouvrez ne serait-ce qu'une seule fois, je me verrai dans l'obligation de vous châtier. Et vous pouvez me croire, je suis un châtieur extrêmement vigoureux et imaginatif. Vous comprenez ce que je vous dis ? Contentez-vous d'approuver.

M. Delanny s'apprêtait à répondre, mais Lieder leva simultanément les sourcils et le canon de son colt d'un air menaçant, si bien que M. Delanny baissa les yeux vers les cartes étalées sur sa table.

— Voilà qui est mieux. Si vous jouez vos cartes correctement, vous échapperez peut-être au châtiment. Mais je vais être franc avec vous, Monsieur Maquereau, je crois qu'il vaut mieux pas trop y compter. Vous me rappelez une personne que je hais. Une personne qui me parlait sur ce ton. Hé ! Vous, là ! Levez-vous et éloignez-vous de lui si vous ne voulez pas partager son châtiment.

Les yeux jaunes de Frenchy croisèrent ceux de M. Delanny. D'un mouvement de menton, il lui fit signe de quitter la table. Elle lança un coup d'œil vers Lieder, puis se leva doucement et recula jusqu'au mur, où elle se tint immobile, le regard fixé sur le visage de Lieder.

— Toi, là, derrière le bar ! Jambe-de-Bois ! C'est toi qui sers à boire, ici ?

Jeff Calder était en train de déglutir nerveusement, et c'est par une sorte de couinement qu'il répondit :

— Oui, monsieur.

— Alors vas-y, qu'est-ce que t'attends ?

Jeff Calder se pencha pour prendre des verres.

— Hop hop hop, l'ancien ! Quand tes mains remonteront de sous ce bar, elles feraient mieux de rien tenir d'autre qu'une bouteille de bourbon. Ou je te jure que je t'explose la cervelle.

— Je ne comptais pas…

— Tu as un flingue, là-dessous ?

— Juste mon vieux fusil de l'armée. Mais je jure devant Dieu que je comptais pas…

— Minus, file à l'étage et fouille partout. Fais descendre tout le monde. Plus on est de fous, plus on rit. Mon-P'tit-Bobby, je crois que tu ferais mieux de prendre le vieux fusil de l'armée de Jambe-de-Bois. Sauf s'il y voit une objection, bien sûr. Vous y voyez une objection, Jambe-de-Bois ?

— Non monsieur, j'y vois pas d'objection.

— Voilà le genre de collaboration franche et joyeuse que j'aime. Où sont tes munitions ?

— J'en ai qu'une demi-boîte. Elle est juste là, sous le bar, avec le fusil.

— Prends aussi les munitions, Mon-P'tit-Bobby. (Il donna une grande tape sur le bar.) Allez, Jambe-de-Bois, sers-nous à boire ! Ça fait longtemps que mes hommes ont pas mis les pieds dans un saloon.

Après avoir donné son vieux fusil cabossé en le tenant sur ses mains grandes ouvertes pour bien montrer qu'il n'avait aucune intention de tenter quoi que ce soit, Jeff Calder posa trois verres à gros culot sur le bar et commença à y verser du bourbon, mais il tremblait tellement qu'il en ébrécha un avec le goulot de la bouteille. Il tendit un bras sous le bar pour en saisir un autre, puis se figea et dit :

— Euh, je veux juste attraper un verre, monsieur ! C'est tout ! Y a pas d'aut' fusil là-dessous !

— Calme-toi, l'ami. Relax, dit Lieder d'un ton pouvant faire croire qu'il était la seule personne raisonnable dans un monde d'excités. Il faut savoir se détendre et prendre les choses comme elles viennent. Il n'arrivera rien de mal à personne ici. Tant que vous ferez ce que je vous dis. Et que vous le ferez vite. Te casse pas la tête à chercher un autre verre, Jambe-de-Bois. Je peux boire dans un verre cassé. Je suis pas un môssieur fragile comme l'autre maquereau qu'est assis là, tout beau tout propre, et bien obéissant. Je ne suis pas de la haute, moi, je suis un homme du Peuple, né dans les rangs des opprimés, et qui s'est hissé jusqu'à… Pourquoi tu me fixes ainsi, femme ? J'ai pas besoin qu'une négresse de pute à deux jetons me fixe comme ça !

Frenchy laissa son regard fatigué et rêveur s'attarder un moment sur Lieder avant de le tourner vers la fenêtre d'un air las. Elle garderait son profil balafré orienté vers lui tout le reste de la soirée, en partie pour le punir, et en partie pour étouffer dans l'œuf toute forme d'appétit qu'elle aurait pu susciter.

Minus et Mon-P'tit-Bobby reposèrent leurs verres vides en les faisant claquer sur le bar. Lieder porta le sien vers la lumière, comme pour un toast, mais ne but point.

— Tu sais ce que je parie que tu te demandes, Jambe-de-Bois ?

— J'me demande rien du tout, j'vous jure !

— Je parie que tu te demandes pourquoi j'ai laissé ton patron rester assis de son plein gré au lieu de le ligoter pour être sûr qu'il bouge pas.

— Ça me regarde pas l'moins du monde, monsieur, dit Jeff Calder.

— Serais-tu en train de me dire que tu veux pas savoir ?

— Non, non, je s'rais heureux de savoir. Je voulais juste dire… euh, vous savez… Je suis pas du genre à fourrer mon nez dans les affaires des autres.

— Eh bien puisque tu as tant envie de savoir, je vais te dire. J'ai passé un peu de temps dans un foyer pour mauvais garçons, et là, y avait un surveillant-chef. Ce surveillant-chef, chaque fois qu'il me parlait, il le faisait sur ce ton-là, comme notre maquereau vient de le faire. Lorsqu'un gamin faisait des siennes, il le convoquait dans son bureau et le ligotait sur une chaise, au coin, comme un cancre à l'école – Hé, sers-nous une autre tournée, Jambe-de-Bois ! Et sers-t'en un aussi ! Profite : c'est le patron qui régale ! Eh ben figure-toi que ce surveillant-chef a rapidement gagné mon respect, parce qu'il savait s'y prendre pour punir les gens. Il savait vraiment s'y prendre. J'ai compris ça quand les gardiens m'ont attrapé parce que j'étais excité comme n'importe quel garçon américain normal et qu'ils m'ont emmené dans le bureau du surveillant-chef. Il m'a souri et m'a fait signe d'aller m'asseoir sur la chaise. J'ai traversé le bureau et je me suis assis en souriant de manière impertinente, comme se doit de le faire un jeune gars qui veut montrer au monde qu'il est prêt à souffrir courageusement tout ce qui va suivre. Les gardiens sont venus vers moi pour me ligoter sur la chaise, mais le surveillant leur a dit non. “Non, ne ligotez pas ce jeune M. Lieder. Je vais lui faire confiance pour qu'il reste assis là de son plein gré sans bouger jusqu'à la tombée de la nuit. Il n'y aura nulle corde pour l'entraver. Mais je serai là pour raffermir la volonté de M. Lieder. S'il dit un mot, ou bouge d'un pouce, je le punirai. Ah, et une dernière chose, monsieur Lieder. Vous ne pourrez pas non plus aller aux toilettes.” Et il se remit à ses tâches administratives tandis que les gardiens s'asseyaient à côté de la porte en arborant un sourire carnassier parce qu'ils avaient déjà assisté à ce châtiment.

J'étais donc assis là, face au coin. Et le temps passait. Et j'entendais le grattement de la plume du surveillant sur le papier. Mais bientôt j'eus une féroce envie de pisser. C'est là que j'ai compris que le vrai châtiment ne consistait pas à être assis au coin, mais à se pisser dessus comme un bébé, avec des gardiens qui te regardent en ricanant. Bon. Eh bien c'est peut-être pas marrant de se pisser dessus parce qu'on est ligoté sur une chaise et qu'on a pas le choix, mais se pisser dessus alors qu'on est retenu par rien d'autre qu'un ordre du surveillant, ça c'est vraiment… humiliant. Bon, au bout d'un moment, j'en pouvais plus, alors je l'ai sorti et je me suis mis à pisser sur le mur. Et les gardiens m'ont attrapé et m'ont collé dos au mur avec le zob toujours dehors, et le surveillant est venu vers moi en brandissant une règle et en secouant la tête d'un air triste. N'avait-il pas demandé au jeune M. Lieder de rester sagement assis sur cette chaise sans bouger le moindre muscle ? Et n'avait-il pas eu la bonté de ne point ligoter M. Lieder sur sa chaise ? Voyez maintenant comme ce M. Lieder l'avait déçu. Et il m'a frappé avec sa règle sur le bout du zob. Des gros coups ! Cinq gros coups ! Il les a comptés un par un ! Et il avait le visage tout bouffi et empourpré de rage, en même temps que d'une sorte de… joie. Au bout d'un moment, il a fini par se maîtriser et par se calmer. Il m'a dit de me rhabiller correctement au lieu de rester là comme ça le zob à l'air. Il a demandé aux gardiens de me faire rasseoir sur la chaise, et il m'a dit que si je bougeais de nouveau, j'aurais droit à dix coups de règle, et que cette fois, ce serait moi qui les compterais. Je suis resté assis. Tu veux savoir si j'avais mal au zob ? J'avais foutument mal au zob ! Et ça me remontait jusqu'au ventre, cette douleur. Mais le truc drôle, c'était que j'avais plus besoin de pisser. Ce surveillant m'avait tellement foutu les jetons que ça m'avait coupé l'envie de pisser !

Et Lieder éclata d'un rire tonitruant.

Minus rit quant à lui si fort qu'il dut frapper le bar de la paume de sa main à plusieurs reprises avant que la douleur ne le fasse s'arrêter, et Jeff Calder rit de concert, secouant la tête et se frottant les yeux avec les poings en lâchant de longues bordées de hi hi hi suraigus.

Lorsque son rire s'étiola, Lieder se tourna vers M. Delanny, les yeux encore moites d'allégresse, et dit :

— Je n'ai pas l'intention de donner de la règle avec vous, Monsieur Maquereau, parce que c'est un traitement dégradant. Si vous me désobéissez en parlant ou en vous levant de cette chaise, je me contenterai de... vous abattre. Vous voyez, je vous ai choisi pour être mon Nègre d'exemple, afin que la ville sache combien il est dangereux et stupide de me contrarier. Vous vous demandez sans doute pourquoi c'est à vous que revient cet honneur. Eh bien, à vrai dire, je me le demande un peu moi-même. Je crois que c'est à cause de votre ton. J'ai vraiment horreur des gens qui me parlent sur ce ton.

M. Delanny leva ses yeux aux paupières lourdes de la nouvelle partie de réussite qu'il avait disposée par défi, puis les baissa de nouveau sur ses cartes. Il avait fait ce léger mouvement d'une manière volontairement lente et indifférente, et ses mains ne tremblaient pas, mais Frenchy était nerveuse parce qu'il avait oublié de poser le neuf rouge sur le dix noir, et que Delanny ne loupait jamais le moindre coup.

Sans détourner un seul instant son regard amusé de M. Delanny, Lieder demanda à Jeff Calder comment son patron s'appelait.

— M. Delanny, monsieur.

— Delanny, hein ? J'aime bien connaître le nom des gens. On sait à quoi accrocher sa haine. Ça te dérange pas, Jambe-de-Bois, de travailler pour un maquereau visqueux qui parle aux voyageurs fatigués sur ce ton ?

Jeff Calder découvrit ses dents en une esquisse de sourire peu concluante.

— Oh, M. Delanny joue les raffinés, les supérieurs. Mais il ne restera pas raffiné et supérieur bien longtemps, parce que tôt ou tard l'envie de pisser montera en lui, comme elle monte fatalement chez tout homme né du ventre d'une femme. Et c'est là que nous verrons de quel bois ce M. Delanny est fait. Soit il restera assis sans bouger et se pissera simplement dessus comme un bébé, auquel cas il n'aura plus tout à fait l'air aussi raffiné et supérieur. Soit il tentera de se lever de cette chaise pour se soulager, auquel cas il sera mort, parce que j'ai promis de l'abattre s'il bougeait et que je suis un homme de parole. Ce sera intéressant de voir quelle voie il choisira, vous ne trouvez pas ?

Tandis que Jeff Calder avalait sa salive, le bruit d'une porte que l'on claque se fit entendre à l'étage, suivi par un long grognement indistinct de Queeny : Mon-P'tit-Bobby les poussait, elle et Chinky, vers l'escalier. Chinky était vêtue seulement d'une nuisette et de son caleçon en coton de tous les jours ; Queeny d'un vieux peignoir défraîchi, et ses cheveux orange à racines grises n'étaient qu'un vaste nid de nœuds tombant sur ses yeux bouffis de sommeil. Elles avaient dormi jusque tard après le travail de la veille.

— Ben t'en as mis du temps pour nous ramener ces deux putes ! lui lança Lieder d'un ton accusateur, avant de poursuivre de la voix que l'on prend pour dire "vilain petit garnement !" : Alors, Mon-P'tit-Bobby ? On a testé la marchandise ? Hein ? Avoue !

Minus éclata de rire et se mit à frapper le bar ; Jeff Calder ricana ; Mon-P'tit-Bobby protesta avec véhémence qu'il n'avait rien fait du tout.

— Ça serait pas gentil de commencer sans attendre tes camarades, dit Lieder avant de se tourner vers Jeff Calder : Tu aurais du vin de salsepareille, Jambe-de-Bois ?

— Non monsieur. Y a deux ou trois vieilles bouteilles de bière de bouleau, mais je ne sais pas si elles sont encore bonnes. Ça fait un bail qu'elles traînent par là.

— Sers-m'en une, on va tester ça. Tu vois, je ne bois pas de boissons fortes, parce que j'ai pas besoin de boire pour me chauffer les sangs. J'ai les sangs toujours chauds.

Calder essuya une des bouteilles, fit sauter son bouchon serré au fil de fer et en servit un verre.

Lieder en but une petite gorgée prudente, puis plissa les yeux en faisant une moue de connaisseur.

— Vous savez quoi ? C'est loin d'être imbuvable. J'ai plutôt un faible pour la salsepareille, mais ça fera l'affaire. (Puis, en un de ses brusques changements de sujet conçus pour destabiliser inlassablement son interlocuteur, il dit :) Alors, raconte-moi, l'ancien. Où t'as laissé ta jambe ?

— Ah… Je l'ai perdue dans la bataille de la Wilderness, dit Jeff Calder.

— Mazette ! Un vétéran de la lutte du Sud pour son droit constitutionnel à l'auto-dé-ter-mi-na-tion ! (Il articula ce mot en dansant d'une syllabe à l'autre à la manière d'un prédicateur illuminé.) Les banquiers et les industriels du Nord ont raconté à la stupide chair à canon yankee qu'elle se battait pour la libération des esclaves. Libération des esclaves mon cul ! Les propriétaires de ces industries textiles en avaient rien à foutre des esclaves, que ce soient les esclaves noirs dans les champs ou les esclaves blancs salariés ! Ils voulaient juste empêcher le Sud d'être maître de son destin. Libérer les esclaves, et pour qu'ils fassent quoi ? Qu'ils vagabondent dans le pays, affamés et sans travail ? Qu'ils titubent ivres morts dans nos rues, à pousser les Blanches dans le caniveau ? Est-ce qu'ils ont libéré les Noires pour qu'elles finissent dans des bordels miteux – comme Miss Balafre là-bas ? – à vendre leur cul à qui veut le prendre ? Libérer les esclaves !

Jeff Calder ne vit aucune raison de préciser qu'il avait combattu sous l'uniforme bleu, ni qu'il avait discrètement quitté l'armée la veille de cette grande bataille en se glissant dans le wagon vide d'un train de marchandises en partance pour l'arrière. Sa jambe, il l'avait perdue dans un accident d'aiguillage.

— Comment on vous appelle, par ici, l'ancien ?

— Jeff Calder… Monsieur.

— Eh bien, monsieur Calder, servez-nous donc ces verres à ras bord ! Et n'oubliez pas ces dames. On veut qu'elles soient d'humeur folâtre et généreuse pour leur nuit de travail. À la vôtre, mesdames et messieurs ! Et que rien n'entrave nos réjouissances !

Mais lorsque la bouteille de bourbon s'approcha de son verre, il le couvrit d'une main en fronçant les sourcils, et Calder s'empressa de le lui remplir de bière.

Cela faisait plusieurs minutes que Frenchy se concentrait de toutes ses forces sur M. Delanny, pour lui transmettre magiquement l'image mentale du derringer qu'il cachait dans sa botte. Elle savait qu'il ne pourrait jamais abattre trois hommes avec un derringer à deux coups, mais au moins pourrait-il agir comme un homme et… Sentant la concentration de Frenchy sur sa personne, Delanny leva les yeux de ses cartes. Elle fixa ses bottes et fit de tout petits mouvements de menton pour lui dire *fais-le.* Fais-le ! Elle était certaine qu'il comprenait, mais il se contenta de serrer les lèvres et de baisser les yeux en soulignant le tout d'un fantomatique haussement d'épaules. Frenchy comprit qu'il allait accepter son humiliation. Tout comme il l'avait poussé à pourrir dans cette ville morte uniquement pour son air pur des montagnes, son avide désir de quelques années de vie supplémentaires, si vide et morne fût-elle, allait lui faire avaler la honte de rester assis dans ce silence couard, sur une chaise de son propre saloon. Et quand il n'en pourrait plus, allait-il juste se pisser dessus comme ça ? Ou tenterait-il sa chance ? Frenchy pensait connaître la réponse. Elle se tourna vers la fenêtre en éprouvant de la pitié pour lui, mais aussi, et pour la première fois, du mépris.

La nuit approchant, Lieder décida d'aller déambuler dans la ville, pour "se faire une idée des lieux". Il traversa la rue vers le bureau du marshal et eut une longue conversation avec Matthew, au cours de laquelle il lui dit que s'il jouait ses atouts correctement il pourrait faire partie de son armée et peut-être même devenir son dauphin. Puis le révérend Hibbard revint de ses prêches au Filon Surprise, alors il l'accompagna au vieux dépôt pour y prendre le revolver qu'il gardait dans sa table de chevet, à côté de sa Bible.

Kersti ouvrit la porte des cuisines de l'hôtel en la poussant du pied, puis la referma derrière elle d'un coup de talon. Comme elle avait les mains prises par deux grosses marmites de fonte, l'une pleine de ragoût, l'autre de petit salé aux haricots et aux oignons, elle dut se pencher pour se faufiler sous les sous-vêtements dégoulinants que les filles avaient étendus à sécher sur les fils de la cuisine. Agacée de sentir quelques gouttes lui couler dans le cou, elle posa violemment ses marmites sur les feux – à l'instant même où Jeff Calder entrait précipitamment dans la cuisine.

— Voilà vot' bouffe, dit-elle sèchement. Maman dit qu'y a largement d'quoi pour tout l'monde.

Et ils se mirent tous deux à servir les assiettes.

— Oubliez notre brave et puissant M. Delanny, dit Lieder depuis la salle, où il venait juste de rentrer après avoir réquisitionné le revolver du révérend. Il ne dînera pas avec nous ce soir. Il est beaucoup trop raffiné et supérieur pour manger en compagnie de la racaille que nous sommes. Et de toute façon, le pauvre ami semble avoir perdu l'appétit. Il boude. Vous êtes la fille de l'auberge, c'est ça ? Vous vous appelez comment, joli cœur ?

— Kersti Bjorkvist, dit-elle d'un ton bougon sans cesser de verser des louches de ragoût dans les assiettes en fer-blanc.

— Ah ben ça, regardez-vous un peu, Kersti Bjorkvist ! Bon sang, mais vous êtes un sacré bout de viande de fille rayonnante de santé, j'exagère pas ! Vous êtes pas du genre petit chichi décoratif. Ça non ! Vous êtes bâtie pour servir et durer à l'usage. Regardez-moi ces épaules, hein ? Et ces hanches ! Vous êtes faite pour porter de la marmaille sans effort, jeune fille. Vous nous la pondrez en grognant le matin, et vous serez déjà à travailler aux champs l'après-midi. Et on dirait bien que vous aurez pas non plus de peine à les nourrir. Mais Dieu nous aime, Kersti chérie, avec vos grosses mamelles et cette belle botte de paille de cheveux blonds que vous avez, vous êtes la chose la plus fraîche que ces yeux fatigués aient vue depuis un sacré foutu bail ! Vous vous cachiez derrière la porte quand les fées sont passées distribuer la beauté, ou quoi ? Mais holà, hein, vous en faites pas pour ça. Vaut mieux être laide que sale, et vaut mieux être laide et sale qu'avoir la chtouille. En fait, la laideur peut se voir comme un cadeau de Dieu, parce que c'est une grande aide pour garder sa vertu !

Kersti serra les dents mais s'interdit de tourner la tête vers Lieder. Elle dit à Jeff Calder qu'elle voulait récupérer ses marmites dès qu'ils auraient fini. Sa mère en avait besoin pour le déjeuner du lendemain. Puis elle partit en s'ouvrant sans ménagement un passage entre les sous-vêtements des filles puis en claquant la porte.

Lieder rit et regagna le bar juste au moment où le Pr Murphy, qui avait dormi toute la journée, y entrait pour dîner. Voyant les trois inconnus, il se figea entre les deux battants de la porte qu'il tenait encore ouverts.

— Je parie un joli dollar d'argent flambant neuf contre un coup de pied dans le cul que c'est notre célèbre Pr Murphy qui arrive ! lança Lieder en s'approchant de lui d'un pas décidé, main tendue.

Entrez, Professeur, entrez ! Faites comme chez vous ! On m'a dit que vous preniez vos repas ici, à l'hôtel, et j'avais hâte de jouir de votre compagnie. (Il broya la main molle et hésitante du barbier puis l'attira vers le centre de la salle.) Mais faisons d'abord les choses dans l'ordre. Je vois que vous ne portez pas d'arme. Vous devez sûrement en avoir une quelque part dans votre salon, hein ? Pour vous protéger contre les gens vicieux et mauvais, qui sait ? (Il sourit.) Les gens dans mon genre, par exemple ?

Murphy cligna des yeux et tourna la tête vers M. Delanny, qui repliait son mouchoir pour cacher la morve rouge qu'il venait d'y cracher. Debout contre le mur, Frenchy l'observait sous ses paupières mi-closes ; et deux inconnus à l'air mauvais, un grand et un petit, se trouvaient assis à une table à côté de Queeny, qui descendit un verre de bourbon puis s'essuya la bouche du revers de la main, tandis que Chinky faisait non de la tête pour refuser l'alcool que Mon-P'tit-Bobby tentait de la forcer à boire. Le regard inquiet de Murphy se reposa sur Lieder juste au moment où Jeff Calder sortait de la cuisine avec deux assiettes fumantes dans les mains.

— Posez-les là, monsieur Calder, dit Lieder. Le professeur et moi, nous mangerons au bar. Pardon, Professeur Murphy, j'ai dû mal entendre. C'est bien "merci beaucoup" que vous venez de dire ?

— Euh… merci…

— Mais je vous en prie, c'est tout naturel ! Et ces armes que vous gardez pour vous protéger de nous autres vilains vicieux étrangers ? Elles sont où, au juste ?

— Je… je n'en ai qu'une. Un vieux colt double action.

— Bah, c'est pas grave, allez pas vous faire de mouron parce que vous avez qu'un seul revolver à m'offrir. C'est l'intention qui compte, pas vrai ? Minus, file au salon et ramène-nous l'offrande de M. Murphy. Il est où, vous disiez ?

— Euh… il est… sous mon oreiller.

— Oouh ! Voilà un endroit bien dangereux pour cacher une arme ! Imaginons que vous fassiez un cauchemar et que vous vous retrouviez comme ça à vous battre avec votre oreiller pour essayer de faire fuir un monstre, et tout d'un coup : bang ! vous vous retrouvez avec un œil supplémentaire en plein milieu du front. Tu comptes rester là comme ça à béer comme un grain de lune stupide, Minus, ou tu vas nous chercher ce flingue ?

Minus s'en alla par la double porte battante.

— Donne-nous cette bouffe tant qu'elle est encore chaude, Jambe-de-Bois. Dites-moi, Professeur Murphy, vous êtes professeur *ès* quoi, exactement ?

— Oh, c'est que... vous savez. Les barbiers se disent tous professeurs... c'est juste...

— Ho-no-raire, articula Lieder. C'est ce que l'on appelle un titre ho-no-raire. Murphy. Ça, c'est du bon vrai nom irlandais, non ?

— Euh... Si.

— Allez-y, attaquez ! Mangez, Professeur ! Montrez-moi votre coup de fourchette ! J'imagine que vos ancêtres sont venus dans ce pays pour fuir la Grande Famine ?

— Oh... eh bien...

— Et pourquoi pas, nom de Dieu ? Toute la racaille et toute la lie du vieux monde déferlent sur l'Amérique pour se gaver des richesses produites par la sueur de mes ancêtres, alors pourquoi les Irlandais auraient pas le droit de se joindre au festin ? Plus on est de fous, plus on rit, voilà ce que je pense ! Allez-y, plongez votre groin dans l'auge ! (Comme s'il avait accepté sa propre invitation, Lieder commença à manger la nourriture qu'il avait dans son assiette ; il serrait sa fourchette dans son poing comme un petit enfant, et parlait en mangeant.) Vous avez entendu parler de la statue de la Liberté, Professeur Murphy ? Elle se dresse à l'entrée du port de New York, tel un phare guidant la pourriture du monde venue bâfrer la générosité de notre beau pays ! Et pourquoi pas, hein ? Plein nos rues pavées d'or ! Vous direz ce que vous voulez des nègres, ils sont tout de même pas aussi fourbes que les immigrants. C'est pas leur faute s'ils sont ici, à traîner, à nous voler et à violer nos femmes. C'est nous les fautifs, dans l'affaire. C'est nous qui les avons amenés ici et qui les avons poussés à se reproduire pour soutenir le marché. Maintenant, nous devons payer le prix de notre folie. (Il s'étouffa une seconde en avalant de travers, mais se remit à parler dès qu'il eut recouvré sa respiration.) Et qu'est-ce qu'on fait, hein, à Washington D.C., pour protéger les Américains de souche de ces nuées de sauterelles européennes ? On lève pas le moindre putain de petit doigt, voilà ce qu'on fait. Allez-y, venez ! Frayez-vous un chemin, bousculez les autres pour atteindre votre auge ! Et vous savez pourquoi le gouvernement veut accueillir tous ces immigrants ici ? Vous devriez le savoir, si vous êtes professeur, mais je vois bien que vous en avez pas la moindre idée, alors je vais vous l'dire, moi. C'est pour que les riches propriétaires d'usines aient de la main-d'œuvre meilleur marché qu'ils n'en auraient si y avait que les bons Américains. Mais vous en faites pas, Professeur. Les immigrants auront pas ce pays sans qu'on se batte. Le destin m'a amené dans cette ville, où il y a de l'argent à gogo pour acheter des armes et équiper ma milice pour une Amérique libre, et nous nous battrons contre la plaie des immigrants venus infester ce pays béni. Holà tout le monde ! Mangez ! Buvez ! Nous fêtons la Seconde Révolution américaine !

À peine Minus était-il revenu avec le revolver de Murphy que Lieder annonça qu'il serait heureux de voir le révérend Hibbard se joindre à leurs libations.

— Et ramène-moi aussi les hommes de l'auberge. Prends Mon-P'tit-Bobby avec toi.

— Mais j'ai toujours pas mangé, moi !

— Alors avale ton assiette vite fait, puis va chercher nos voisins pour une nuit de joie et de ju-bi-la-tion ! Je préfère foutument les avoir là à boire et à chanter plutôt que je sais pas où, à bouder dans le noir et à comploter pour me faire du mal !

Tandis que Mon-P'tit-Bobby engloutissait son repas, Minus demanda s'ils devaient aussi ramener les Bjorkvist femmes.

— Non, on va plutôt se faire une soirée entre hommes. Que des mâles et des putes.

— Et le jeune gars, là ? Et le vieux chnoque de l'écurie ? Et l'autre, là-bas, au magasin ?

— Touche pas au jeune gars. Il est réglo. Il a des tripes. Quant aux vieux chnoques, y a pas de danger. Y en a un qu'a pas assez d'couilles pour appuyer sur une détente, et l'autre est rien qu'un vieux juif qui passe son temps à compter ses pièces en fantasmant sur les Blanches.

M. Bjorkvist et Oskar entrèrent en trébuchant par la porte à double battant du saloon sous l'effet d'une puissante bourrade de Mon-P'tit-Bobby. Ils regardèrent autour d'eux d'un air hébété, pleutre et terrifié, mais Lieder les accueillit jovialement en leur disant qu'ils étaient partis pour passer une sacrée foutue bonne soirée, avec tout ce qu'il faut de chansons, de boisson et de joyeux chahut.

Lorsqu'un peu plus tard le révérend Hibbard fut à son tour propulsé à l'intérieur du saloon, le col de son manteau d'alpaga noir remonté jusqu'au menton après avoir été traîné par le colback depuis chez lui, les Bjorkvist mâles avaient déjà rentré le vieux banc patiné de la terrasse de l'hôtel et se trouvaient assis dessus, l'air penaud, mains croisées sur les cuisses, avec chacun une arcade sourcilière ouverte, la gauche pour l'un, la droite pour l'autre, après s'être fait cogner les têtes comme des cymbales. Lieder fit signe au révérend Hibbard et au Pr Murphy de rejoindre les Bjorkvist sur son "banc des diacres".

— Bien ! Pour détendre l'atmosphère, je vais vous offrir quelques rafraîchissements spiritueux, que vous boirez cul sec. Jambe-de-Bois ?

— Monsieur ? dit Jeff Calder en se figeant en une sorte de garde-à-vous arthritique.

Pour une raison obscure, il avait échappé à l'inclusion dans le groupe des citoyens voués à la maltraitance et à la terreur, et il n'avait aucune intention de mettre en péril ce statut avantageux.

— Apporte des verres et une bouteille de bourbon pour mes diacres, et sers-les généreusement ! Que le spiritueux coule à flots afin que l'esprit puisse s'élever ! Ça ne dérange pas M. Delanny qu'on lui boive tout son bourbon, si ?

Sans répondre, M. Delanny prit une carte de la pioche et la plaça sur une autre. Seule Frenchy était assez proche pour voir sa main trembler.

— Allez les gars ! Cul sec !

Les quatre "diacres" vidèrent leur verre de bourbon pur, mais des larmes montèrent aux yeux d'Oskar Bjorkvist et sa pomme d'Adam dut travailler dur pour tout garder en bas.

— Ressers-les, Jambe-de-Bois ! Tu vois pas que mes diacres ont encore soif !

Le deuxième verre descendit difficilement pour tout le monde à l'exception du révérend Hibbard, qui avait souvent combattu le démon rhum au corps à corps. Mais même lui eut du mal à vider le troisième.

— Messieurs, nous visons les cinq verres. Encore deux à avaler ! Vous savez quoi ? On va en faire un jeu. Quiconque échouera à boire cinq verres écopera d'un gage. Voyons voir, quel genre de gage pourrait être intéressant ? Ça y est. Je sais ! Celui qui n'arrivera pas à boire ses cinq verres se fera troncher par Mon-P'tit-Bobby devant tout le monde. Et vous pouvez me croire, Mon-P'tit-Bobby saura vous défoncer bien comme il faut. En prison, c'est lui qui dépucelait tous les petits nouveaux, et c'était vraiment un régal que d'entendre ces jeunes gars glapir et geindre, et de voir les larmes de gratitude qui leur montaient aux yeux. (Lieder sourit.) Donc je crois que ça sera cul sec, les gars !… quoi qu'il arrive.

Minus et Mon-P'tit-Bobby furent pris d'une explosive quinte de gloussements gras.

Après leurs cinq pleins verres de bourbon avalés rapidement les uns après les autres, les "diacres" avaient la mâchoire tombante et le teint gris. Le jeune Oskar ne parvenait à respirer que par petits halètements buccaux.

— Et maintenant, messieurs, lança Lieder en prenant le rôle de maître de cérémonie, nous allons inaugurer notre camaraderie nocturne en entonnant une chanson qui a toujours été chère à mon cœur, comme, je l'espère, aux vôtres : *Rock of Ages.* (Il leva les bras pour diriger la chorale.) Et mettons-y du sentiment, d'accord ? Prêt ? Et…

Après un départ timide et haché, le chant gagna en volume, sinon en raffinement mélodique, parce que chacun des diacres voulait pleinement faire entendre sa contribution sous la direction vigoureuse de Lieder, dont la gestuelle exubérante et l'air exagérément pénétré étaient des imitations parodiques du chef de chœur de l'église fondamentaliste de ses parents, où il se faisait régulièrement frapper pour avoir rêvassé au lieu de vouer toute son attention à la parole du Rédempteur. Les Bjorkvist ne connaissaient pas cet hymne chrétien américain, mais ils firent de leur mieux pour suivre la mélodie en marmonnant. Le Pr Murphy ne connaissait que les paroles du premier couplet, qu'il répéta avec une telle ardeur que le révérend se vit forcé de l'imiter. Au quatrième couplet (donc au premier couplet chanté pour la quatrième fois), Minus eut l'idée d'inviter Queeny au centre de la salle pour danser sur ce rythme lugubre. Il était encore en train de la ballotter plus ou moins en rond lorsque Lieder amena la fin de la chanson d'un geste théâtral avant de se retourner pour saluer, torse incliné, bras écartés, récoltant des applaudissements auxquels tout le monde contribua généreusement, à l'exception de Frenchy et de Delanny, qui échangèrent un regard en coin, et de Chinky, qui ne comprenait pas ce qui se passait.

Ce furent ce chant et ces applaudissements qui firent se demander aux quatre hommes assis dans le noir, en face, dans le Grand Magasin, ce qui se passait à l'Hôtel des Voyageurs.

Revenant vers sa table en traînant derrière lui une Queeny titubante qu'il tenait par le poignet, Minus passa derrière le banc des diacres. Il attrapa la perruque de M. Murphy et, avec ce trophée, couronna Mon-P'tit-Bobby, qui le garda sur la tête, de biais vers l'avant, couvrant un de ses yeux, tout en continuant à s'efforcer de faire boire Chinky, qui quant à elle continuait à tourner la tête de droite à gauche pour éviter de boire le verre qui tintait contre ses dents. Lieder s'approcha et demanda ce qui n'allait pas. Cette face de citron de crachoir à sperme se trouvait-elle trop noble et trop puissante pour boire avec l'un de ses apôtres ? Sans lever les yeux, et d'une voix si faible qu'elle dut le répéter deux fois, Chinky répondit qu'elle n'aimait pas le bourbon. Ça la rendait malade.

— Oouuh, ça, c'est vraiment dommage, dit Lieder d'un ton dégoulinant de compassion. Elle n'aime pas le bourbon ! Zut alors.

Il se retourna et déclara à l'assemblée que dès que sa milice pour une Amérique libre aurait écrasé les forces coalisées des immigrants et des barons de Wall Street, la liberté de choix deviendrait un droit constitutionnel inaliénable… même pour les seaux à foutre aux yeux bridés. Et bon Dieu, pourquoi attendre ? Il allait la lui accorder sur-le-champ, sa liberté de choix !

— Apporte-nous un verre, Jambe-de-Bois ! Toi, Minus, je veux que tu me le remplisses de pisse.

Lorsque Minus eut accompli sa mission, avec l'aide du barbier qui lui tenait le verre en grimaçant et en tournant la tête de côté pour éviter les conséquences de la visée aléatoire de Minus – suscitant le plus grand amusement chez tous les autres diacres –, Lieder posa le verre de liquide trouble à côté du verre de bourbon pur de Chinky et dit :

— Voilà, joli cœur. Tu as le droit de choisir le verre que tu veux boire. Mais tu vas en boire un, tu m'entends ?

Elle avala le verre de bourbon avec des haut-le-cœur. Puis elle en but un deuxième. Puis un troisième.

Alors que l'on était en train de lui servir son quatrième verre, elle se leva brusquement et sortit en titubant par la cuisine pour gagner la cour de derrière, où elle vomit sur les rails de chemin de fer. Le banc des diacres rugit de rire, le plus tonitruant des quatre étant le révérend Hibbard, qui avait alors achevé de noyer ses démons.

Lorsque Chinky revint, pâle et frêle, sa vulnérabilité dut pincer quelque corde sensible chez Mon-P'tit-Bobby, car il la saisit par le poignet et la ramena dans la cuisine, où il la fit se plier en deux sur l'évier et la viola tandis qu'elle se tordait le cou pour garder le visage hors de l'eau sale. Quand il eut fini, il appela Minus, qui vint et prit son tour.

Ils la ramenèrent dans le bar ; elle s'effondra sur sa chaise et y resta immobile mais frissonnante, le regard fixé sur la table, cependant qu'à ses côtés Queeny adressait au monde un sourire ébahi et béat de bienveillance.

Soucieux de divertir ses hôtes, Lieder concentra ensuite son attention sur Frenchy, qui lui renvoya un regard noir de menace. Il renifla et lâcha un petit sourire sardonique, mais décida tout de même de choisir Queeny pour la suite de leurs réjouissances.

— Est-ce qu'il marche, le piano mécanique, là-bas ? demanda-t-il.

— Pour sûr ! s'empressa de répondre Jeff Calder. Mais il nous faut quelqu'un pour pomper sur les pédales. Je serais ravi de le faire, mais vu que j'ai qu'une seule jambe, ce foutu piano risque de jouer qu'une note sur deux.

Il gloussa de sa plaisanterie personnelle éculée puis scruta l'assistance en quête d'appréciation.

— Alors vous allez pomper pour nous sur les pédales, Professeur. À moins que le fait d'être chauve soit aussi un handicap pour pomper.

Murphy s'installa devant le piano mécanique fort usé mais richement décoré.

— Que voulez-vous entendre ?

— Qu'est-ce que vous proposez ?

— Euh... (Il regarda dans la pile de partitions perforées.) Tenez, que diriez-vous de *Filons d'argent dans une mine d'or* ?

— Ça alors, si c'est pas une coïncidence ! De l'argent ! Comme celui qui descend par le train chaque semaine. Je vois ça comme un bon signe. Mais ça reste une chanson pourrie. Y a quoi d'autre ?

— Euh... Y a *Ça va chauffer en ville ce soir*, la chanson des Rough Riders. Non ? Alors, voyons voir... euh... *Y a Juste une fille dans une cage d'or.*

— Parfait ! Un air sentimental qui nous adoucisse le cœur et nous embrume les yeux. Enclenche-le et commence à pomper. Et toi, la vieille ! Tu vas chanter pour nous. Ensemble, nous allons offrir un joyeux tintamarre au Seigneur... comme Paul nous enjoint de le faire en Séminales, 7, 13.

— Moi ? fit Queeny en pressant une main sur sa gorge. Vous voulez que moi je chante ? Bon, je suis pas Jenny Lind, mais quand j'étais jeune, sur scène...

— Ça doit faire un sacré bail, la coupa Lieder. À ton allure, je dirais que t'étais déjà plus dans la fine fleur de l'âge quand tu vendais ton cul aux fantassins du pharaon ! Maintenant chante ! Hé, les diacres ? Je veux que vous l'accompagniez !

Les membres de la chorale peinèrent à trouver un compromis pour la note de départ. *C'est juste un oiseau... un bel oiseau... oiseau doré... dans sa cage dorée, ô vi-si-on ma-gni-fi-que...* Leur volume combiné était coiffé par le soprano hésitant de Queeny... *car son amour impé-ri-eux, pour l'or d'un homme si vi-i-i-eux... C'est une fille dans une cage...*

— Ho Ho ! cria Lieder, et le silence se fit. Alors ça, mesdames et messieurs. (Il secoua la tête et partit d'un fou rire.) Ça, mes amis, c'est ce que j'appelle… du terrible ! Et je ne saurais me permettre d'embarrasser plus longtemps une vieille dame en la faisant chanter alors qu'elle possède une voix à casser un crachoir à cinquante yards. Alors vous savez quoi ? Voilà ce qu'on va faire. Vous allez danser pour nous, mamie. Minus, ressers-lui du bourbon. Et pour mettre un peu de piment, mamie, je crois bien que je vais vous demander de danser… nue. J'ai vraiment hâte de voir toute cette chair flasque se trémousser et gigoter ! Ça devrait être un spectacle à vous dégoûter de la fesse pour toujours ! Messieurs les choristes, offrez à la petite dame votre plus bel accueil ! Professeur Murphy, musique s'il vous plaît !

La chorale applaudit. Jeff Calder mit deux doigts dans sa bouche et siffla une note à déchirer les tympans.

— À poil !

— Montre-nous comment t'es faite !

Les doigts dodus de Queeny hésitaient sur les nœuds de son peignoir. Elle avait beau être ivre, elle répugnait à montrer les sous-vêtements d'une propreté moins que sidérante qu'elle portait en semaine quand il n'y avait pas de clients. Mais Minus vainquit ses réticences en lui arrachant son peignoir, lui baissant son caleçon et la poussant sur la piste de danse. Elle se prit les pieds dans son caleçon et trébucha contre Mon-P'tit-Bobby, qui la repoussa vers le centre de la salle, où elle se tint sous le gros lustre à pétrole, les bras croisés pour cacher sa poitrine, son caleçon ratatiné autour d'une de ses chevilles. Le Pr Murphy se mit à pomper sur les pédales du piano, le front luisant de sueur, et elle commença à se dandiner d'un pied sur l'autre, d'abord piteusement, misérablement, honteuse de son âge et de sa corpulence. Mais… tous les regards étaient braqués sur elle. Elle était au centre de toutes les attentions. Elle était de nouveau sur scène ! Un rictus sensuel plissa ses joues alors que le bourbon la ramenait vers des temps plus heureux. Aiguillonnée par les sifflets et apostrophes salaces de son public, elle se lança dans une grotesque singerie de sa vieille danse des Sept Voiles, se servant de ses mains pour cacher, puis timidement exposer d'aguicheuses mais fugaces visions de ses tétons bulbeux et de son sexe flasque. Sous ses aisselles, la sueur semblait creuser des ravines pour ruisseler de bourrelet en bourrelet. Ses lolos pendulaires se balançaient et se secouaient. Chaque fois qu'une ondulation du bassin faisait hurler et siffler son public, elle le tançait d'un index sévère en formant de ses lèvres un long O-o-o-les-vilains réprobateur.

La scène !

Ce n'est que petit à petit... progressivement, et avec un ahurissement croissant... qu'elle se rendit compte qu'ils ne l'acclamaient pas. Qu'ils disaient des choses cruelles, blessantes sur son corps. Bon sang, qu'ils lui faisaient des remarques personnelles !

Queeny cessa de se dandiner d'un pied sur l'autre et, debout sous la grosse lampe à pétrole, se mit à sangloter dans ses mains qui ne cachaient désormais plus que son visage. La ballade s'acheva sur un crescendo d'accords ; le dernier pouce de partition perforée s'enroula dans le piano ; et la salle fut silencieuse.

Soudain, Queeny releva la tête et ses yeux lancèrent des éclairs du fond de leurs orbites noyées de larmes. Une féroce bordée d'insultes déferla de sa bouche. Elle les traita des noms les plus vils qui lui passaient par la tête tandis que les larmes coulaient doucement de ses yeux vers les coins de sa bouche et que l'éclairage zénithal faisait luire des taches d'humidité glissante sur sa chair nue.

Lieder rit et dit à Minus d'offrir un verre à la vieille dame. Elle l'avait bien mérité ! Mais Queeny arracha la bouteille des mains de Minus et la lança sur Lieder. Ce dernier l'esquiva de peu, et elle se fracassa contre le mur à côté de sa tête. Ses yeux se vidèrent d'un coup et ses lèvres se retroussèrent pour dévoiler ses dents.

— Tire ton gros cul d'ici avant que je te bute, lâcha-t-il d'un ton hargneux. Tire-toi ! (Puis sa voix redescendit vers les graves pour se caler sur un feulement tendu.) Et si je te revois, vieille dame, je t'organiserai une petite rencontre romantique avec un tesson de bouteille. Une nuit d'amour que tu n'oublieras jamais. Mon-P'tit-Bobby, arrête de ricaner et raccompagne cette dame dehors, tu veux ?

Mon-P'tit-Bobby attrapa Queeny par les cheveux, lui donna une claque et la propulsa à travers la porte, dont les battants heurtèrent violemment le mur de l'hôtel tandis qu'elle trébuchait, puis tombait sur les genoux, les écorchant à vif sur la rugueuse terrasse de bois. Elle essaya de se relever, mais le bourbon inondait tous ses sens, et elle s'étendit sur les marches.

De l'autre côté de la rue, dans le Grand Magasin obscur, M. Kane se leva pour aller à la fenêtre et observer, un peu en biais, ce qui se passait dans la flaque de lumière déversée par la porte de l'Hôtel des Voyageurs.

— Mon Dieu, elle est… (Il retourna à table et s'assit lourdement.) Ils l'ont déshabillée et jetée à la rue.

Dans l'Hôtel des Voyageurs, Lieder se tenait sous le grand lustre, les yeux perdus dans l'ombre de ses sourcils. Il scrutait le visage des diacres silencieux, en quête du moindre signe d'amusement lié au fait qu'il s'était vu forcé d'esquiver la bouteille. Il n'en vit point.

— Allez, tout le monde en chœur ! Active-moi ce putain de piano, Bouclettes ! Remplis-moi ces verres, Jambe-de-Bois !

Il ponctua ses ordres en prenant son revolver et en tirant une balle vers le plafond, ce qui fit sursauter M. Delanny, qui en écorna la carte qu'il était en train de poser. Le piano lâcha ses arpèges luxuriants et sirupeux et tout le monde chanta, tête en arrière, bouche grand ouverte… *car son amour impé-ri-eux, pour l'or d'un homme si vi-i-i-eux…*

Après les avoir forcés à engloutir deux verres supplémentaires "pour la route", Lieder escorta ses hôtes vers la sortie.

— Et reposez-vous bien, hein ! Parce qu'on passera vous prendre demain soir pour de nouvelles et amicales réjouissances ! Hop hop hop, Professeur. Vous allez attiser votre chaudière et nous remplir trois belles baignoires, bien pleines et bien chaudes !

— Tout de suite ? demanda le barbier nauséeux en jetant un regard vitreux et jaloux vers ses collègues diacres qui rentraient chez eux en titubant sous la pleine lune.

— Oui, tout de suite ! Y en a pas un d'nous qu'a pris un vrai bon bain depuis je sais plus combien de temps. Et vous vous demandez s'y on va s'y vautrer ? On va s'y vautrer très très longtemps. Et j'veux de l'eau bien brûlante qui nous fasse fondre jusqu'à la moelle ! (Il dit à Minus de ramasser leur "arsenal" et de l'emporter dans le salon du barbier, qu'ils puissent le surveiller pendant qu'ils tremperaient dans leurs baignoires.) Faut pas laisser la tentation à portée de main de ces bonnes gens. Y sont pas de taille pour lutter contre. Pas vrai, monsieur Delanny ?

Delanny ne leva pas les yeux.

— Évidemment, on sait tous que l'instinct qui pousse à faire quelque chose de brave et dangereux n'est pas très prononcé chez les maquereaux, mais mieux vaut tout de même ne pas prendre de risque… Jambe-de-Bois, va me couper un bon bout de corde à linge dans la cuisine et ligote-moi M. Delanny sur sa chaise. (Il marcha vers la table où M. Delanny continuait à faire sa réussite avec une lassitude affichée.) Je ne pense pas que M. Sur-ce-Ton verra d'inconvénient à ce qu'on le ligote sur sa chaise… juste pour l'aider dans sa ferme résolution à se montrer pleutre. Qu'en dis-tu, Jambe-de-Bois ?

— Oui monsieur. Enfin, je veux dire… non, monsieur.

Jeff Calder couvrit sa confusion en filant à la cuisine, où il arracha les sous-vêtements qui pendaient et coupa un bout de corde à linge.

— Et je serrerais tout ça bien fort si j'étais toi, Jambe-de-Bois, dit Lieder, parce que si ce maquereau n'est plus là quand je reviens de mon bain…

Il laissa le serveur imaginer les conséquences.

Calder serra la corde et doubla ses nœuds. Delanny sourit faiblement pour masquer la douleur causée par ses poignets écorchés vifs. Alors qu'elle détournait son regard de la fenêtre pour le poser sur le visage de Lieder, Frenchy s'arrêta un instant sur la botte droite de M. Delanny. Si l'occasion d'attraper ce revolver se présentait…

Minus revint de son opération de transport de “l'arsenal” jusqu'au salon du Pr Murphy, où Mon-P'tit-Bobby était resté à le surveiller.

— Vous savez ce que j'ai vu ? demanda-t-il à Lieder.

— Quoi ?

— Le jeune gars, là, il a aidé la vieille pute en la traînant jusqu'à chez lui. Celle qu'a essayé d'vous frapper avec la bouteille.

— Pas de problème. Ce gars est juste ce qu'on appelle un bon Samaritain. Généreux à l'excès. Il est comme moi, sur ce plan-là. Maintenant, mesdames, je veux que vous enleviez vos chaussures et que vous les donniez à Minus. Pour qu'il vous vienne pas en tête de filer à la mine ou bien à Destiny.

Frenchy fit valser ses chaussures d'un coup de pied à l'approche de Minus, mais il dut les enlever lui-même des pieds sans résistance de Chinky.

— Monte à l'étage et ramasse toutes les chaussures, dit Lieder. On va les fourrer dans la chaudière du barbier pour aider à chauffer notre eau. Comme ça, elles se rendront utiles.

Alors que Minus filait à l'étage, Lieder se tourna vers Frenchy, qui lui renvoya son regard en levant les sourcils au-dessus de ses paupières toujours mi-closes.

— Comment tu t'appelles, poulette ?

Voyant qu'elle ne répondait pas, Jeff Calder intervint :

— On l'appelle Frenchy.

— Frenchy, hein ? Je suppose que ça veut dire que tu vendais de la fesse dans le Sud, à la Nouvelle-Orléans, pas vrai ? (Frenchy ne répondit pas. Lieder sourit et secoua la tête.) Tu as un regard vraiment impertinent, poulette. Vraiment impertinent. Mais je t'aurai. T'en fais pas pour ça, Frenchy. Je t'aurai. Je te le promets. (Il lui fit un sourire narquois puis se tourna vers Jeff Calder.) Jambe-de-Bois, je te nomme responsable de ces bonnes gens. Tu sauras te montrer à la hauteur, hein ?

— Oui monsieur, répondit Calder en bombant légèrement le torse.

— Et pour te prouver toute la confiance que j'ai en toi, je vais te laisser ton fusil de l'armée avec une balle dedans... pour que tu puisses te faire respecter de ces gens. Mais... (Il leva son index.) S'il y a le moindre problème pendant que je suis parti profiter de mon long bain bien chaud, devine dans le bide de qui je tirerai en premier.

Jeff Calder déglutit.

Lieder hocha la tête.

— Parfait, dit-il, et il sortit du bar.

Un moment plus tard, Minus redescendit les escaliers bruyamment en portant une taie d'oreiller pleine de chaussures.

Les battants de la porte d'entrée oscillaient encore derrière lui quand Frenchy s'approcha de M. Delanny pour prendre...

Lieder ouvrit de nouveau la porte et se tint dans son embrasure en secouant la tête et en souriant.

— Tu pensais vraiment que j'allais juste partir comme ça, poulette ? Allons allons ! J'ai toujours su que Delanny planquait probablement une sorte de revolver miniature dans sa manche ou dans sa botte. Les gens comme lui ont ça, d'habitude. J'ai pas arrêté de le regarder du coin de l'œil et de me demander s'il allait tenter sa chance. Mais j'étais à peu près sûr qu'il n'avait pas les tripes pour dégainer face à moi. Toi, ma poulette, en revanche… Hop hop hop, tu es d'une tout autre trempe. Jambe-de-Bois, va me chercher l'arme de M. Delanny. Tu me le palpes partout jusqu'à ce que tu la trouves. Non, vraiment, tu es d'une tout autre trempe. Tu es du genre à pouvoir réellement blesser un homme – et je veux pas dire juste en lui refilant la chtouille ou en l'effrayant à mort avec cet affreux visage que t'as. (Il prit le minuscule derringer que Calder avait trouvé dans un petit holster cousu dans la doublure d'une des bottes de M. Delanny.) Ah ben dis donc, regardez-moi ça. Un Remington Double Derringer .41. Exactement le type de pétoire qu'on s'attend à trouver chez un maquereau, pas vrai ? Un homme en bonne santé peut pisser plus loin que ce truc peut tirer, mais les pruneaux qu'il envoie se mettent à faire n'importe quoi dès qu'ils sortent de ce canon risible, et ils peuvent faire un sacré trou dans le corps d'un homme. Réponds-moi franchement, Frenchy. N'as-tu pas senti un petit frisson d'espoir te chatouiller tout au fond de ce cœur noir que t'as, au moment où tu pensais que je t'avais laissée seule à proximité de l'arme de ton mac ? Allez, avoue ! Et quand tu m'as vu revenir, ce petit cœur noir ne s'est-il pas brusquement ratatiné ? Reconnais-le ! Des espoirs ont vu le jour, puis des espoirs sont morts. C'est ce qu'on appelle la torture de l'espoir, et c'est la pire de toutes, parce qu'une source d'espoir, même insaisissable, vous empêche de vous en tirer à bon compte par le suicide. C'est l'espoir qui vous maintient la tête dans la boue. C'est l'espoir qui vous fait rester cloué sur la croix. C'est l'espoir qui tourne et retourne le couteau dans la plaie. (Il la tança d'un petit mouvement de l'index et dit d'une voix chantante :) Je t'avais prévenue que je t'aurais, Frenchy, je t'avais prévenue.

Puis il partit prendre son bain.

MATTHEW SE RÉVEILLA EN SURSAUT, le cœur palpitant et le dos raidi à cause du fauteuil dur. L'affreuse odeur de bourbon qui émanait de Queeny s'était infiltrée dans son cauchemar sur des trucs rouges spongieux… non, sur le visage de son père tordu par la colère… non, sur le canon d'une arme qui tonne et… non, il y avait des petits garçons blessés et des apôtres et… non, il ne s'en souvenait pas. Les bouts de rêve se dispersaient rapidement, se camouflaient très vite.

De la rue lui parvinrent des bruits de rire et d'éclaboussure et des cris et…

… Des éclaboussures ?

Il y eut un grand Houplà ! puis un deuxième plouf, puis un reniflement, puis un jappement haut perché. Quelqu'un venait de verser de l'eau froide sur quelqu'un d'autre. Ces hommes devaient être en train de prendre des bains dans les baignoires de bois, derrière le salon. Il y avait quelque chose d'étrange, quelque chose de répugnant à l'idée de ces hommes assis jusqu'au cou dans des baignoires d'eau sale, jouant et s'éclaboussant comme des gamins dans une rivière.

Matthew décida de lire jusqu'à ce que les derniers fragments de son cauchemar se fussent ratatinés et carapatés loin de sa mémoire. Pour ne pas réveiller Queeny, il approcha lentement la Lucifer du fauteuil et baissa lentement sa mèche jusqu'à ce qu'elle ne produise plus qu'une toute petite flamme crachotante.

Juste avant l'aube, son menton s'affaissa dans le col de sa veste, et *Le Ringo Kid abat son dernier as* glissa de ses doigts gourds pour tomber dans la flaque de lumière.

EN SE RÉVEILLANT, il trouva son livre par terre, mais le halo de la lampe à pétrole s'était d'abord dilué puis avait été complètement absorbé par la pâle lumière de l'aube qui se diffusait à travers la fenêtre. Il souffla la lampe et se passa les doigts dans les cheveux, puis sortit sur la pointe des pieds pour ne pas réveiller Queeny. Ce n'est qu'une fois dehors, dans la fraîcheur de la rue déserte, qu'il se rendit compte que sa veste était encore à l'envers. En l'enlevant pour la remettre à l'endroit, il regarda l'aube naissante et la trouva étrange… verdâtre, huileuse. Et l'atmosphère singulièrement figée était lourde d'une odeur sale. Chez lui, dans le Nebraska, ces signes eussent signifié l'imminence d'un gros orage. Mais le ciel était d'une clarté impeccable et les premiers rayons d'un soleil automnal enrobaient les lointains contreforts des montagnes d'une croûte d'or. Si un orage se préparait, il se cachait derrière la montagne qui dominait Twenty-Mile. Il pensa à Ruth Lillian, qui devait être montée à l'écurie avant l'aube, puis s'être mise en chemin à la rencontre de Coots dès qu'il avait fait assez clair pour qu'elle puisse voir où elle mettait les pieds. Il imaginait B.J. à sa fenêtre du fond, guettant l'arrivée de Coots par Shinbone Cut, une cafetière bien au chaud sur le poêle, prêt à l'accueillir.

Il poussa la porte de derrière de l'hôtel et traversa la cuisine à pas de loup pour jeter un œil dans la salle du bar. Minus, Mon-P'tit-Bobby et Chinky n'y étaient pas. À l'étage, sans doute. Frenchy était assise à une table près du mur, la tête posée sur ses bras. M. Delanny était près d'elle, dos vers Matthew, mais il y avait quelque chose d'étrange dans sa posture raide et gauche. Lieder était assis sur une chaise penchée en appui sur le mur, face aux petites portes battantes de l'entrée, un fusil sur les cuisses. Matthew ne voyait que son profil, mais il avait le menton calé sur le torse et sa respiration était longue et régulière.

Si seulement Coots était là, maintenant, avec son revolver. Il pourrait le dégommer, et ensuite…

Mais Coots n'était pas là, alors Matthew regagna sans bruit la cuisine pour allumer le four et préparer le petit déjeuner, faisant tout ce qu'il devait faire aussi silencieusement que possible, et chacun des bruits inévitables qu'il produisait le poussait à rentrer la tête dans les épaules et à aspirer de l'air entre ses dents serrées.

Après avoir précautionneusement lancé sa première fournée de biscuits, Matthew trancha du bacon et le mit à frire à feu moyen dans une grande poêle à deux anses, puis remplit d'eau la cafetière en fer-blanc, y versa une bonne poignée de café et la posa sur le feu le plus chaud, au milieu. Lorsque la première fournée de biscuits fut cuite, il la couvrit pour la tenir au chaud et commença à en préparer une seconde.

— Salut!

Matthew sursauta et faillit lâcher le sac de farine qu'il était en train de verser dans son saladier.

— Ça pèle comme dans le cul d'une sorcière, ce matin! dit Lieder debout dans l'embrasure de la porte.

— Je croyais que vous dormiez!

— Je ne dors jamais, petit. Juste des sommeils de chat, vite faits. Apparemment, contrairement aux hommes ordinaires, je n'ai pas besoin de sommeil. Et je ne bois jamais d'alcool fort. Je n'ai besoin ni de repos, ni de stimulation.

— Je ne bois pas d'alcool non plus, dit Matthew. Rien que l'odeur me donne envie de vomir.

— À propos de trucs qui donnent envie de vomir, par pitié ne me dis pas que tu as trempé ton engin dans cette vieille pute que j'ai jetée dehors hier soir! Tu mérites mieux que ça, petit! Bon Dieu, même la veuve poignet vaut mieux que ce triste trou usé. Et elle est foutument plus propre.

Le café déborda; des gouttes crépitèrent et dansèrent sur le plateau du Dayton Imperial. Matthew attrapa un chiffon et tira la cafetière vers le bord du poêle.

— Je vous en sers une tasse, monsieur?

— Volontiers. C'est juste ce qu'y faut par un petit matin froid comme ça. Il y a un je-ne-sais-quoi dans l'air qui annonce la tempête.

Matthew servit une tasse et la passa à Lieder, qui s'assit sur les marches de la cuisine et but une bruyante première gorgée. Matthew posa sur une assiette deux biscuits et une boîte de sirop de maïs ouverte, l'apporta à Lieder puis se remit à la préparation de sa pâte pour la seconde fournée.

— Bon! dit Lieder en se réchauffant les mains sur sa tasse en émail ébréché. Tu dis que tu n'as pas sauté la vieille... comment déjà?

— Non, je l'ai juste ramenée chez moi pour qu'elle reste pas comme ça dehors dans le froid.

— J'en étais sûr! Je leur ai bien dit que tu faisais juste une bonne action et que c'était pas contre moi. J'admire la bonté plus qu'aucune autre qualité… en dehors du patriotisme. Si j'ai jeté ce vieux trou à la porte, c'est uniquement parce que j'ai tout de suite vu que c'était qu'une roulure. (Il trempa un biscuit dans son café.) Et je ne permets pas à mes apôtres de frayer avec les roulures. Tu veux savoir pourquoi ? demanda-t-il en tenant son biscuit dégoulinant et en en mangeant la moitié par en dessous pour attraper les gouttes.

— Pourquoi ?

— Parce que dès l'instant où un homme accepte des roulures, il se condamne à n'avoir que ça. Pour le restant de ses jours : des roulures et les vieux restes dont personne ne veut. Bon sang, même Minus et Mon-P'tit-Bobby avaient pas envie de se taper ce tas de lard frétillant ! Et je te parle d'hommes qui sont restés à l'ombre si longtemps qu'ils se taperaient à peu près n'importe quoi du moment que c'est un peu tiède… Ils se taperaient même l'un l'autre ! C'est pas une vision à faire gerber une gerbille, ça ?

Il rit et finit son biscuit. Matthew se concentrait sur la tâche consistant à disposer des cuillerées de pâte les unes à côté des autres sur la plaque de cuisson.

— Bon Dieu, il sent vraiment bon, ce bacon ! reprit Lieder. Ça fait un quart d'heure que je le sens, et tu te demandes si j'en ai l'eau à la bouche ? J'en ai foutument l'eau à la bouche.

Matthew plaça la deuxième plaque de biscuit dans le four et le ferma.

— Vous pensez vraiment que vous êtes réveillé depuis tout ce temps ?

— J'te l'ai dit, petit, j'ai pas besoin de dormir comme les gens ordinaires.

Matthew haussa les épaules.

— J'te mens pas, petit !

— J'ai pas dit que vous me mentiez, mais des fois, on pense qu'on est réveillé alors qu'on l'est pas. Ça arrive.

— J'étais réveillé ! T'avise pas de me contredire. Je t'ai entendu entrer dans la cuisine, sur la pointe des pieds. Et puis t'es venu à la porte et t'as regardé la salle du bar.

— Mais… comment vous avez pu me voir ? Vous me tourniez le dos.

— Je le sens, quand on me regarde. C'est un don que j'ai reçu comme un signe de faveur. Une sorte d'armure pour me protéger de mes ennemis, afin que je puisse accomplir ma mission. Bon Dieu, je peux même voir les yeux fermés ! Tu ne me crois pas, mais c'est vrai ! Des fois, quand je lis le soir, j'ai tellement sommeil que j'arrive plus à garder les yeux ouverts, mais je continue à lire. À travers mes paupières, comme ça. Je passe beaucoup de temps sur chaque page, c'est sûr, mais je lis ! Je lis ! (Son regard s'adoucit, et sa voix prit un ton à la fois suave et émerveillé.) T'as déjà remarqué comme le bruit d'une poêlée de tranches de bacon qui frit ressemble à celui de la pluie sur un toit de tôle ?

— Non monsieur, dit Matthew la bouche soudain sèche parce que si cet homme pouvait voir les yeux fermés, c'était une bonne chose que Coots n'ait pas été là avec lui, debout dans l'embrasure de la porte du bar.

— Moi, je remarque les choses. Comme la ressemblance entre du bacon qui frit et la pluie sur un toit de tôle. Des choses poétiques dans ce genre. Ça fait pas de mal d'être sensible à la beauté des choses.

— Avez-vous réfléchi à ce que vous alliez faire, monsieur ?

— Comment ça, ce qu'on va faire ?

— Quand le train arrivera et que vous vous retrouverez face à face avec tous les mineurs.

Lieder se laissa aller en arrière sur son coude et lâcha une longue expiration.

— Ouais, j'y ai pensé. Et je me suis dit que ces mineurs étaient pas forcément une menace. Qu'ils étaient peut-être plutôt une chance.

— Une chance ?

— Je leur parlerai. Je leur dirai ce qui arrive à notre beau pays. Et je parie qu'ils se joindront à ma cause ! Quelque chose m'a guidé jusqu'ici. Ce quelque chose, c'était peut-être la possibilité d'enrôler ces mineurs dans ma milice. Hé, mais j'y pense : ces mineurs sont de sang aryen, pas vrai ?

— Qu'est-ce que ça veut dire ?

— Les Aryens sont des gens qui descendent de la bonne lignée saine d'Europe du Nord. Ça se voit tout de suite. La plupart des

Méditerranéens sont des petits basanés aux yeux de fouine. Les Slaves, c'est plutôt du genre visage plat et nez pointu, comme le canon d'un colt qu'ils brandiraient vers toi.

— Je sais pas quel type de gens sont les mineurs. C'est juste des gens.

— Y a pas d'Chinois dans le lot, si ?

— Pas que je sache.

— J'préfère ça, parce que la prophétie du Guerrier dit que le Chinois est l'ennemi ultime de ce pays. Le Péril Jaune. Y sont des millions, là-bas, à trépigner pour nous envahir et prendre nos Blanches, parce qu'ils ont tellement tué leurs bébés filles pour pas avoir à les nourrir qu'ils sont à court de femmes. Tu savais que les Chinois estropient leurs filles en leur bandant les pieds ? C'est pour pas qu'elles s'enfuient pendant qu'ils les violent. Je te jure ! Et les vieux Chinois riches payent des fortunes pour faire massacrer les tigres et les rhinocéros, pour manger leurs cornes et leurs couilles et ranimer leur vieux zob tout flétri juste assez pour pouvoir baiser encore deux ou trois fois avant de mourir. Si y a bien une chose dont ce pauvre vieux monde a pas besoin, c'est de satanés foutus Chinois supplémentaires ! (Lieder retourna dans le saloon et cria :) Debout là-dedans ! Le petit déjeuner est servi ! (Il donna une grande claque sur le bar.) Debout tout le monde ! C'est l'clairon ! C'est l'clairon ! Faut s'lever !

Les muscles de la nuque de M. Delanny se crispèrent à chaque cri, mais il ne se tourna pas vers Lieder. Frenchy frissonna et leva la tête péniblement, clignant des yeux comme si elle se demandait où elle était. Puis elle vit M. Delanny ligoté à sa chaise et elle sut que ses mauvais rêves n'étaient pas des rêves.

Lieder alla ensuite se poster en bas de l'escalier et cria d'une voix de trompette sardonique de sergent prenant plaisir à tirer ses hommes de leur éphémère havre de sommeil.

— C'est bon, les gars, on descend ! À table ! À table ! Le dernier n'aura rien !

À quatre pattes, Jeff Calder sortit péniblement de derrière le bar, où il s'était effondré à même le sol, raide saoul. Il souffrait d'une gueule de bois si carabinée qu'il en avait mal à la racine des cheveux.

Lorsque Matthew arriva de la cuisine avec, dans une main, la cafetière fumante qu'il tenait par son anse enveloppée d'un chiffon et, dans l'autre, un bouquet de tasses enfilées sur ses doigts comme des bagues, Minus et Mon-P'tit-Bobby descendaient les escaliers, paupières crues et poisseuses, puant la sueur, le bourbon et le sexe. Minus traînait Chinky derrière lui par le poignet, comme un chien en peluche. Elle le suivait tout engourdie, pieds nus et frissonnante en nuisette et culotte. Elle avait un teint de cendre et le visage meurtri d'ecchymoses. Les deux hommes l'avaient utilisée rudement et à plusieurs reprises pendant la nuit.

— Ah, regardez qui voilà ! dit Lieder. La jeune mariée prude et ses deux époux vannés. Si c'est pas mignon.

Après avoir resservi du café à Lieder, Matthew s'occupa de la table où Chinky était assise entre Minus et Mon-P'tit-Bobby. Comme Chinky ne levait pas les yeux lorsqu'il posa sa tasse, il la rapprocha d'elle et lui dit :

— Tenez, miss Chinky, ça vous fera du bien.

Elle ne réagit pas. Il posa ensuite la tasse de Jeff Calder sur le bar, puis alla servir Frenchy, qui aspira une longue gorgée assoiffée à la surface de la sienne, au risque de se brûler. Ce n'est que lorsqu'il s'approcha de M. Delanny pour le servir qu'il vit le triste état dans lequel il était. Comme ses bras étaient ligotés aux accoudoirs de sa chaise, il n'avait pas pu se servir de son mouchoir de toute la nuit, et il avait des croûtes de sang sur le menton et sur son plastron à jabot d'ordinaire blanc comme neige. Ses doigts étaient violets et boursouflés parce que, dans son désir de se montrer coopératif, Jeff Calder avait noué la corde aussi serrée que possible. Matthew imaginait sans peine comme ces doigts gonflés de sang avaient dû le faire souffrir avant de s'engourdir totalement, et par empathie, il ouvrit grand la main et dit :

— Je pourrais vous tenir votre tasse, monsieur Delanny. À moins que vous ne préfériez un verre d'eau ?

— Non, notre M. Maquereau ne prendra pas de café ce matin, dit Lieder depuis sa chaise inclinée adossée contre le mur. Il fait pénitence pour ses écarts d'hier soir. Pas sur le bourbon, comme mes choristes. Raides comme des porcs, qu'ils étaient ! Une vraie honte pour cette ville ! Non, M. Delanny s'est outrageusement laissé aller à des écarts de supériorité orgueilleuse et de mépris morveux. Mais je lui reconnais un talent. Il sait se retenir de pisser. Ça, c'est sûr. Dieu nous aime, sa vessie doit être tendue plus raide qu'une chatte de vierge ! Vous m'impressionnez, monsieur Delanny. Vraiment.

Matthew ne put s'empêcher de baisser les yeux : en réalité, M. Delanny ne s'était pas retenu. Lorsqu'il les releva, son regard accrocha celui, intense, de M. Delanny, qui le cloua en le mettant au défi de dire un mot.

Matthew lui renvoya un petit haussement d'épaules impuissant et retourna en cuisine. Après avoir servi les assiettes de bacon et de biscuits, il alla vers M. Delanny et nettoya ses plaques de sang séché avec un torchon mouillé. Les muscles de M. Delanny fonctionnaient, et ses lèvres se serrèrent en une ligne bien fine. Il fixait Matthew d'un regard plein de haine pour ce témoin de son impuissance et de son humiliation. Il ouvrit la bouche pour parler, mais toussa et commença à cracher du sang, alors Matthew porta le torchon à ses lèvres en regardant ailleurs pour ne pas le gêner. Son regard croisa celui de Frenchy. Ses yeux jaunes paraissaient friables et elle avait la mâchoire serrée. Matthew se demanda si elle avait vu la tache de pisse sombre. Il espérait que non.

— Hé ! Hé ! Qu'est-ce que tu crois faire, là, petit ? demanda Lieder.

— Je m'occupe de M. Delanny, dit Matthew calmement.

— Je t'ai donné l'autorisation ?

— Non, monsieur, vous me l'avez pas donnée.

Il continua à nettoyer les croûtes de sang. Lieder le fusilla du regard. Minus donna un petit coup de coude d'anticipation à Mon-P'tit-Bobby. Après un silence lourd de menaces, Lieder dit :

— C'est bon… vas-y, petit. Tu as ma permission pour suivre tes instincts chrétiens. S'occuper des autres est une des choses qui distinguent les bons Américains de ces immigrants qu'en ont rien à foutre de personne à part eux et leurs portées. Mais prends garde, petit, prends garde qu'ils profitent pas de ta bonté.

Mon-P'tit-Bobby et Minus furent déçus… et jaloux.

Lieder se tourna vers eux et leur parla d'un ton faussement bourru.

— Bon, j'espère que vous aussi vous vous êtes partagé la mariée avec la charité chrétienne dont ce gamin fait preuve à l'égard de notre impertinent maquereau.

Ils clignèrent des yeux. Ils n'avaient rien compris.

— Ce que je veux dire, c'est que j'espère que vous lui avez donné beaucoup d'occasions de tendre son autre joue.

Au bout d'un moment d'incompréhension sidérée, ils lâchèrent tous deux un éclat de rire lourdement chargé en postillons de biscuit. *Tendre son autre joue!*

Les yeux étincelant de plaisir sous l'effet de son trait d'esprit, Lieder trempa un biscuit dans le bol de sirop de maïs et le tourna adroitement dans un sens puis dans l'autre jusqu'à ce que le sirop en eût nappé l'essentiel de la surface, avant de se l'enfourner entièrement dans la bouche. Sans cesser de mâcher et de déglutir, il se mit en tâche d'édifier Matthew:

— Moi, j'ai rarement besoin des plaisirs de la chair. Je garde ma vitalité pour la croisade qu'il m'est échu de mener. Mais je ne suis qu'un mortel, un fils de l'homme, et je reconnais qu'il m'arrive d'éprouver un ardent désir pour ce type d'apaisement spirituel que seul peut procurer une partie de jambes en l'air. Mais je ne m'autoriserais jamais, ô grand jamais, à utiliser une chinetoque ou une négresse comme les deux qu'on a là. (Il fit descendre le biscuit en avalant le reste de son café et tendit sa tasse pour que Matthew la remplisse de nouveau.) Je ne me ferai jamais complice d'un aussi bâtard mélange de races. As-tu déjà vu un chien monter une chatte? Bien sûr que non! Et tu sais pourquoi? Parce que le mélange des races est à la fois contraire à la nature et contraire à Dieu. Vous n'êtes pas de mon avis, monsieur Delanny?

Le joueur ne répondit pas.

— Non, petit, poursuivit Lieder. Je ne laisserai jamais ma bonne semence américaine tomber en terre ennemie. Mais bientôt, très bientôt, il va pourtant falloir que je la laisse tomber quelque part. Ce qu'il me faut, c'est une magnifique jeune vierge qui offre un vase à ma semence. Par son corps, je produirai un fils qui achèvera mon œuvre ici-bas, et elle sera reconnue et bénie entre les femmes. Mais en attendant... (Il lança un regard maléfique et ricana tandis que Matthew éprouvait un immense réconfort de savoir Ruth Lillian hors de danger, loin de la ville.) En attendant ma vierge et sa matrice bénie, je crois bien que je dirais pas non pour un peu de bon temps ordinaire et sans chichis. Ça fait très très longtemps ! Et c'est pas sain pour un homme de rester sec comme ça si longtemps, parce que toute cette sève contenue lui bouche le cerveau et embrouille ses pensées. J'ai pensé à cette jeune Suédoise qui apporte les repas depuis l'auberge. Bon, elle est pas sculpturale, c'est sûr, mais elle a de jolis cheveux bien épais où passer ses doigts, et des grosses mamelles où poser sa tête lasse. L'un dans l'autre, je crois qu'elle serait plutôt honnête pour de la jambe en l'air de classe utilitaire. Dis-moi, petit, est-ce que tu as déjà sauté cette Suédoise ? Elle est comment ?

Matthew haussa les épaules et marmonna quelque chose de négatif tout en s'affairant à resservir du café çà et là.

— Oui, ça vaut le coup d'y jeter un œil. Juste un petit en-cas pour tenir jusqu'à ce que le destin me livre la vierge immaculée qui fera fructifier ma semence. Hé, tu m'apportes d'autres biscuits ? Allez, tout le monde ! On mange, on boit, on rit Mary ! Ah, ça serait drôle, hein, si cette Chinky s'appelait Mary ? Non ? Non ?

— Vous l'avez déjà faite, celle-là, dit Minus.

— Me dis pas les blagues que j'ai faites et celles que j'ai pas faites ! répliqua Lieder en se tournant brusquement vers lui. Ne refais jamais ça ! Tu m'entends ? Jamais !

Matthew était en train de faire la vaisselle dans la cuisine lorsque Frenchy s'y glissa sans un mot et prit un torchon pour l'aider. Il commença à lui parler, mais elle fit non de la tête d'un geste sec, alors il continua à battre l'eau froide avec le fouet rempli de vieux rogatons de savon. Frenchy plongea la main dans la maigre mousse qu'il avait réussi à faire monter et en tira le couteau de boucher à lame fine qu'il avait utilisé pour trancher le bacon. Elle le glissa dans la ceinture de sa robe de chambre, puis adressa à Matthew un regard calme et glacé. Il ne dit pas un mot.

Ils entendirent la voix de Lieder, dans la salle de bar :

— Ah ben ça ! Quelle bonne surprise ! L'instituteur est passé dire bonjour !

Suivant Frenchy dans la salle, Matthew sentit son cœur se mettre à battre de plus en plus vite : l'arrivée de B.J. signifiait qu'il avait retrouvé Coots au débouché de Shinbone Cut et qu'il était venu occuper l'attention de Lieder pendant que Coots descendait par le pré aux ânes.

Lieder était assis sur sa chaise inclinée contre le mur et son visage arborait un grand sourire à l'adresse de B.J., qui se tenait quant à lui debout dans l'embrasure de la porte, un battant dans chaque main.

— Entrez, entrez, monsieur l'instituteur ! Petit, sers une tasse de café à notre hôte.

— Je ne veux pas de café, dit B.J. d'un ton sec.

— Bon, mais dites-moi, si vous n'êtes pas venu pour être aimable, que me vaut alors l'honneur de votre auguste présence ? Ou peut-être devrais-je dire : Qu'est-ce que tu viens foutre ici, nom de Dieu ?

Minus et Mon-P'tit-Bobby sourirent jusqu'aux oreilles. La vache, c'est qu'il en avait, d'la réplique !

— Je suis venu vous raisonner un peu.

— Ça alors ! Eh bien, disons que tant que ça reste un peu, allez-y. Je vous écoute.

— Vous n'avez aucune chance de mettre la main sur cet argent.

— Et qui va m'en empêcher ? Vous ? Le petit épicier juif ? Tous les autres habitants de la ville semblent heureux de ma présence. Je mets un peu de couleur dans leurs mornes existences.

— Mais soixante mineurs armés, ça risque de vous ralentir un peu. Et le train n'arrive que samedi. C'est dans cinq jours.

— Je suis quelqu'un de patient. Et si je m'ennuie, vous en faites pas pour moi. Je trouverai à me divertir.

— Mais pourquoi passer cinq jours entiers ici, au même endroit, alors que vous savez pertinemment que vous êtes recherché, et qu'à l'heure qu'il est les hommes de loi qui vous poursuivent ont dû trouver le prospecteur que vous avez tué ? Vous pourriez être à Destiny en une demi-journée par la voie de chemin de fer.

— Une demi-journée, hein ? Alors comme ça, vous nous conseillez de descendre le long des rails pour aller nous jeter dans une ville pleine d'hommes armés ? (Il refit basculer sa chaise sur ses quatre pieds et leva les yeux vers le plafond, comme s'il se fut livré à une étude approfondie de cette option.) Bon, c'est vrai que nous pourrions faire ça. D'un autre côté, nous pourrions juste rester ici à nous faire servir de vrais repas, à boire le bourbon de ce bon M. Delanny à l'œil et à nous payer un peu de jambes en l'air chaque fois que ça nous chante. Merde, c'est sacrément difficile de choisir entre se faire tirer dessus par une pleine ville d'hommes en colère, ou rester ici à se la couler douce en se payant du bon temps. Dis-moi, l'instit, qu'est-ce que tu ferais, toi ?

C'est alors que B.J. pensa à un aspect de la question qui lui avait échappé jusqu'ici.

— Vous croyez que c'est quoi, l'argent qu'arrive par le train ? Des sacs de pièces ? Eh ben non. C'est juste du minerai. Du minerai bocardé et préparé pour être fondu à Destiny. Y a pas de trésor d'argent qui vous attend dans ce train. Y a juste soixante mineurs armés.

La manière dont le visage de Lieder s'obscurcit trahit sa soudaine déception lorsqu'il comprit que son trésor de métal précieux n'était… que de la roche broyée. Il fusilla B.J. du regard tout en analysant les différentes possibilités.

— D'accord ! D'accord ! Mais… mais peut-être que le trésor que je cherche, c'est les mineurs eux-mêmes ! Hein ? T'avais pas pensé à ça, l'instit ! Non non non ! Peut-être bien que je vais prendre ces mineurs. Leur montrer la Lumière et la Voie. Et qu'ils me rejoindront dans mon combat pour repousser les étrangers et les renvoyer d'où ils viennent !

— Et si vous n'arrivez pas à les convaincre ?

— Eh bien… dans ce cas, ça va faire du foutu putain de vilain en ville ! Ça sera l'Armageddon, à brides abattues ! Voyez le tableau ! D'un côté, moi et mes apôtres, les défenseurs de tout ce qui fait la grandeur de nos États-Unis. De l'autre, tes mineurs, des hommes qui gagnent leur vie en violant notre mère patrie, en volant l'or et l'argent qu'elle porte en son ventre pour remplir les fouilles des banquiers de Wall Street! Si je gagne, je gagne un train plein de minerai d'argent.

— Et si vous perdez?

— Si je perds? Si je perds? Eh bien... pensez aux fabuleuses histoires qu'on racontera sur moi! Et aux chansons qu'on chantera! On placardera des affiches trois couleurs illustrant mon martyre du Maine jusqu'en Californie! Les générations futures glorifieront ma lutte contre un gouvernement corrompu! (Ses yeux se plissèrent, et il poursuivit:) Vous lisez, monsieur Stone. Connaissez-vous ce livre intitulé *La Révélation de la vérité interdite*?

— Jamais entendu parler.

— C'est vrai? Eh bien *La Révélation de la vérité interdite* fut écrit par un homme qui dut prendre le pseudonyme de Guerrier parce que la Conspiration cosmopolite cherchait à l'assassiner pour avoir déjoué son plan et l'avoir jeté sous les feux de la vérité. Il dut le faire imprimer en secret parce que toutes les maisons d'édition sont impliquées dans la Conspiration. Et voyez comme il était malin: il a même glissé quelques fautes d'orthographe pour tromper ses ennemis en leur laissant croire que son livre n'était qu'un tas d'inepties écrites par un inculte. Au bout d'une demi-douzaine de pages, j'ai su – au plus profond de moi – que ce livre était destiné à me tomber entre les mains. Je l'ai lu jusqu'à ce que ses mots coulent dans mon sang et résonnent dans mon crâne. Je peinais parfois à comprendre ce que le Guerrier essayait de me dire. Il y avait des mystères. Certaines choses semblaient n'avoir aucun sens malgré tous mes efforts de lecture et de relecture. Et puis un soir... un soir, j'étais allongé par terre, dans ma cellule, à lire dans le rai de lumière qui filtrait sous la porte, et soudain... il y eut... (Sa voix s'adoucit sous l'emprise d'une forme de terreur sacrée.) Je ressentis comme une explosion de lumière bleue dans mon cerveau! Tout était clair d'un seul coup. Tout. J'ai compris que la Conspiration cosmopolite était jalouse parce que l'Amérique était devenue la plus grande nation aryenne du monde, et c'est pourquoi ils se sont tous ligués pour nous détruire. Pas en nous affrontant sur le champ de bataille, non! Ils sont trop pleutres pour ça! Non: en nous envoyant la lie de leurs caniveaux et de leurs ghettos pour affaiblir notre esprit national, pour diluer notre lignée pure dans un afflux de sang dégénéré ! Chaque immigrant que ces pays nous envoient les rend plus forts et plus riches car ils se débarrassent de leur vermine, tandis que nous, nous nous affaiblissons et nous appauvrissons. Vous voyez le principe ? Vous voyez le principe ?

B.J. ferma les yeux et secoua la tête comme s'il éprouvait de la pitié pour Lieder.

— *La Révélation de la vérité interdite* explique pourquoi la majorité des Américains stupides et aveugles n'a même jamais entendu parler de la Conspiration cosmopolite. C'est parce qu'elle tient tous les journaux par les couilles et qu'ils osent pas publier la vérité. Bon sang, c'est comme ça que la plupart des Américains savent même pas que le pape a ordonné aux Irlandais, aux juifs, aux Mexicains et à tous les autres de croître et de se multiplier aussi vite que possible. Se multiplier ! Et vous vous demandez s'ils le font ? Ils le font ! Bientôt, ils nous surpasseront en nombre et ils éliront l'un d'entre eux à la présidence de nos États-Unis ! Vous imaginez ? Les Américains blancs et protestants se retrouveront en minorité parce qu'on se fait baiser ! Au sens propre !

Mon-P'tit-Bobby et Minus échangèrent un petit coup de coude approbateur. Ils adoraient voir Lieder entrer ainsi dans une furie de prédication et entendre ses mots qui jaillissaient de sa bouche comme une musique.

B.J. Stone maîtrisa sa puissante envie de fuir ce mélange rancunier de haine et d'ignorance, car sa mission consistait à retenir l'attention de Lieder le temps que Coots descende en ville. Il continua donc à argumenter.

— Mais tous les Américains sont des immigrants, même les Indiens, si on remonte assez loin.

— Ah, oui, la vieille rengaine ! “Nous sommes tous des immigrants ! Nous sommes tous des immigrants !” C'est ce que la Conspiration veut nous faire croire, mais c'est faux. Nos ancêtres étaient des colons, pas des immigrants ! Et il y a un monde entre un colon et un immigrant. Le Guerrier explique comment les colons sont venus pour ouvrir des clairières dans les bois et ensemencer les vastes prairies. Ils ont mêlé leur sang et leur sueur à cette terre généreuse pour donner naissance à la plus grande nation au monde. Les immigrants ? Les immigrants sont venus récolter ce que nous avons semé. Piller des hommes durs à la tâche ! Voler nos boulots en travaillant pour des salaires de nègre. Nous mettre en faillite en s'arrangeant entre eux pour casser les prix. Ils s'accrochent comme des sangsues aux mamelles du pays et le pompent de tout ce qu'il a de bon. Le Guerrier donne l'exemple des juifs. Hé, tu m'écoutes, petit ! dit-il en lançant un regard furieux à Matthew qui se faisait très discret à côté de la porte de la cuisine. Tu m'écoutes, parce qu'il faut que tu saches bien tout ça si tu dois devenir mon apôtre. (Il se tourna de nouveau vers B.J.) Dis-moi, l'instit, combien de fermiers juifs tu connais ? Ou de mineurs juifs ? Ou de pêcheurs juifs ? Ou de bûcherons juifs ? Pas un, voilà combien ! Et pourquoi ? Parce que les fermiers et les mineurs et les pêcheurs et les bûcherons, eux, ils créent la richesse de la nation. Mais les juifs sont venus pour se goinfrer de cette richesse ! Cela dit, je dois reconnaître qu'avant de lire *La Révélation de la vérité interdite*, j'ai passé toute ma vie d'enfant et d'homme dans l'ignorance totale de ce simple fait.

— Simple ? dit B.J. Simple d'esprit, vous voulez dire. Tout ce fatras de "Conspiration cosmopolite" est absurde ! C'est une fiction inventée par les jaloux et les fainéants pour justifier leurs échecs. Ça serait risible si ce n'était aussi misérablement bête. Et dangereux.

— Pour être dangereux, c'est dangereux, tu peux me croire ! répliqua Lieder d'un ton grinçant en se levant pour se planter face à B.J. Dangereux pour tous les ennemis de mon pays !

Il arma son poing et B.J. leva les coudes pour se protéger.

Lieder rit.

— Toujours que de la gueule et pas de couilles, hein ? Mais ça, on le sait, pas vrai ? Sinon, tu m'aurais abattu quand t'en as eu l'occasion. (Il lança un clin d'œil à Matthew et se rassit en pouffant de rire.) En réalité, tu n'aurais pas pu m'abattre, quoi que tu aies tenté. Et tu sais pourquoi ? Parce que je suis invincible. Jusqu'à ce que j'accomplisse ma mission. Le Guerrier a prophétisé qu'un chef surgirait et libérerait le commun de la menace des étrangers et de l'oppression du gouvernement de Washington D.C. Et en lisant ces mots j'ai soudain... compris que ce chef, c'était moi ! J'ai soudain tout compris ! J'ai regardé autour de moi et j'ai vu sans peine ce qui était bon et ce qui était mauvais, ce qui était vrai et ce qui était faux. Tout m'avait été révélé. Tout était clair.

— C'était ça, la lumière bleue dans votre tête ?

La bouche de Lieder se ferma ; ses lèvres se serrèrent. Il fixa longuement B.J. avant de dire, très lentement et très clairement :

— Tu ne devrais vraiment pas me parler sur ce ton, l'instit, parce qu'il n'y a rien – absolument rien ! – sur la verte terre du Bon Dieu qui soit plus dangereux que de se moquer de moi.

B.J. soutint le regard de Lieder sans sourciller, mais sa bouche était sèche de peur.

— Oh, je sais bien ce que tu te dis, l'instit ! Tu te dis "Cet homme est fou." (Il renifla.) Le Guerrier nous a prévenus que les pleutres et les obscurantistes nous traiteraient de fous, nous, les patriotes. D'accord, je l'admets, je suis peut-être un petit peu fou. Je suis ce qu'on appelle un enthousiaste ! Tu connais le vrai sens de ce mot, l'instit ? Tu l'as déjà cherché dans le dictionnaire ? Un enthousiaste est un homme animé par une inspiration divine.

— Et vous croyez que c'est votre cas ?

— Eh bien ce qui est sûr, nom d'un chien, c'est qu'il y a en moi quelque chose qui m'anime, le vieux. Quelque chose qui me ronge les tripes. (L'espace d'une seconde, son regard fit deux allers-retours entre B.J. et Matthew. Il sourit.) J'ai peut-être mangé un truc trop épicé. (Il lança un clin d'œil à Matthew.) Tu crois que c'est ça, petit ? (Il rit.) Allez, quoi, personne a d'humour, ici ?

B.J. tourna la tête et remarqua pour la première fois l'étonnante raideur de la posture de M. Delanny à sa table de cartes. Il était resté tellement concentré sur sa mission consistant à détourner l'attention de Lieder qu'il avait à peine jeté un coup d'œil aux autres personnes présentes dans la pièce.

— Vous allez bien, monsieur Delanny ? demanda-t-il.

Le joueur ne répondit pas.

— Monsieur Delanny ?

Toujours aucune réponse.

— Qu'est-ce qui se passe, ici ?

— Hop hop hop, l'instit, dit Lieder en secouant l'index en signe de mise en garde, il ne faut pas tenter notre maquereau comme ça. Je lui ai ordonné de se taire, et s'il me désobéit, je devrai le punir. Et ça sera votre faute. Vous vous souvenez de ces pauvres mules ? Ça aussi, c'était votre faute.

B.J. traversa la salle jusqu'à M. Delanny, qui tourna la tête pour cacher l'écume de sang à moitié séché qu'il avait sur les lèvres. Il baissa les yeux sur la corde qui lui ligotait si fermement les avant-bras à la chaise que ses doigts en étaient bouffis, peau tendue et luisante.

— Le sang ne circule plus. Il risque la gangrène.

— La gangrène ? Mince alors, fit Lieder d'un ton faussement lourd d'inquiétude.

— Je vais le détacher.

— Hop hop hop, l'instit, pas si vite ! Peut-être que Môssieur Sur-ce-Ton a pas envie qu'on le détache, parce qu'il sait que s'il bouge de cette chaise, je vais lui faire du mal. Cela dit, vous pouvez le libérer si vous êtes prêt à en assumer les conséquences. Mais vous devriez peut-être tout de même demander son avis à M. Delanny. Il n'a pas le droit de vous parler, mais il peut hocher la tête. Allez-y. Demandez-lui.

Minus et Mon-P'tit-Bobby tournèrent leurs regards de Lieder vers B.J. Stone puis vers M. Delanny, les yeux luisants de joie anticipée.

B.J. adressa un haussement de sourcils à M. Delanny. Les yeux du joueur clignèrent, puis il les ferma et baissa la tête.

— Là, voyez ? dit Lieder. M. Delanny ne veut pas qu'on le libère. Comme nous l'enseigne le Guerrier, la liberté implique certaines responsabilités et certains risques. Il se peut que ces cordes fassent mal à M. Delanny, qu'elles lui corrompent les chairs, mais au moins est-il vivant. La plupart des hommes sont prêts à subir des tonnes d'humiliation juste pour continuer à respirer. Oh, pas les hommes supérieurs, pas les hommes qui lisent, comme vous et moi, non. Nous, on préférerait mourir que de subir un traitement dégradant, humiliant. Mais les maquereaux et autres moins que rien, eux, ils s'accrochent à la vie pour ce qu'elle vaut… même si c'est pas grand-chose. Je vois dans vos yeux que vous me croyez pas. Vous pensez que l'homme est une créature noble que seul le mauvais sort fait déchoir de temps à autre. Mais la réalité, c'est que l'homme est un être fondamentalement mauvais qui passe son temps à larmoyer, à geindre, à s'aplatir. C'est un être répugnant et indigne de la pitié de Dieu… comme de la mienne, pour tout dire. (Lieder se leva de sa chaise avec une énergie soudaine.) Vous savez quoi ? Je crois qu'il est grand temps de donner une leçon à l'instit, pour changer. Je vais vous montrer combien l'homme sait se montrer répugnant à force de geindre et de s'aplatir. Regarde aussi, petit. C'est ta première leçon en tant qu'apôtre. Écoute-moi, Delanny ! Je te donne la permission de parler. En fait, je t'ordonne de répondre à la question que je vais te poser. Regarde attentivement, l'instit. Minus, tu prends ton colt et tu le plantes dans l'oreille de M. Delanny. Vous n'entendrez rien. La balle détruira votre cerveau avant que le son l'atteigne. Bon ! Nous allons jouer à un petit jeu. Je vous explique. Vous avez le choix, monsieur Delanny. Si vous voulez… mais seulement si vous le voulez vraiment… Vous pouvez demander à Mon-P'tit-Bobby de vous donner un coup de poing dans la figure, de toutes ses forces. Y a des chances pour qu'il vous brise ce joli nez à l'ossature délicate que vous avez, mais on n'a rien sans rien. Votre autre option est la suivante. Vous pouvez agir en homme et refuser de demander à Mon-P'tit-Bobby de vous frapper aussi fort qu'il le peut. Si vous choisissez ça, alors Minus vous collera une balle dans l'oreille et elle ressortira par l'autre. C'est votre choix. Mais il y a une chose qui doit d'abord être tout à fait claire. Ne commettez pas l'erreur de croire que je n'irai pas jusqu'au bout. J'ai dit à l'instit que j'allais lui donner une leçon, et vous savez que je n'accepterai pas de m'humilier en me rétractant. Bon, tout le monde est prêt ? La leçon commence ! Je vais compter mentalement jusqu'à vingt, monsieur Delanny. Et quand j'arriverai à vingt, je hocherai la tête, Minus appuiera sur la détente et vous vous retrouverez instantanément projeté dans le grand claque éternel de l'au-delà – mais… mais… vous aurez la consolation de savoir que vous m'avez prouvé que j'avais tort, et prouvé que l'humanité est fondamentalement digne et noble. D'un autre côté, si vous arrivez à dire “Monsieur Mon-P'tit-Bobby, s'il vous plaît, frappez-moi de toutes vos forces au visage", et si vous arrivez à dire ces mots exacts – assez fort pour que je les entende d'ici ! –, alors Mon-P'tit-Bobby fera ce que vous demandez, j'arrêterai de compter et la leçon aura été claire pour tout le monde. C'est bien compris, monsieur Delanny ? Dites oui ou non.

La voix de M. Delanny était devenue rauque par manque d'usage, car il n'avait pas prononcé le moindre mot depuis que Lieder le lui avait interdit. Il émit un son à la fois fluet et pâteux.

— Plus fort ! Vous avez compris, oui ou non ?

— ... Oui...

— Attendez une minute... ! commença B.J.

Mais Lieder le coupa :

— Je suis déjà en train de compter. Ne gaspille pas son temps, l'instit, il ne lui en reste plus tant que ça... quatre... cinq... six...

M. Delanny marmonna quelque chose.

— Je ne vous entends pas ! lança Lieder d'une voix enfantine et chantonnante... huit... neuf...

Derrière le bar, Jeff Calder arrêta d'essuyer les verres et regarda le spectacle, bouche bée, figé dans une stase parfaite de fascination et d'effroi.

— Oui, dit M. Delanny dans un demi-geignement.

— Voulez-vous dire que vous voulez que Mon-P'tit-Bobby vous frappe ?

— Oui !

— Fort ?

— Oui !

— Dans ce cas, il vaudrait mieux le lui demander. Avec les mots. Je vous écoute : "Mon-P'tit-Bobby..."

— ... Mon-P'tit-Bobby...

— Voulez-vous s'il vous plaît me frapper au visage de toutes vos forces ?

— ...me frapper au visage... de toutes vos forces...

— S'il vous plaît !

— ...S'il vous plaît... S'il vous plaît !

— C'est bon, allez, Mon-P'tit-Bobby, arrête de pousser cet homme à te supplier et à geindre comme ça. Donne-lui ce qu'il demande.

Le coup aurait propulsé M. Delanny loin de sa chaise s'il n'y avait pas été solidement ligoté. Il s'affaissa dans ses cordes, vacillant sous la douleur et le choc d'avoir senti la moitié de ses dents du haut descellées et le cartilage de son nez écrasé contre une de ses pommettes. Du sang coulait au coin de sa bouche et suintait de son nez et de son oreille.

— Pour l'amour de Dieu ! cria B.J.

Matthew se sentit filer vers l'Autre Endroit... puis il se retrouva à poser des yeux doux et rêveurs sur le dehors, au-delà des portes battantes, dans la furieuse clarté de la rue... Il s'était plongé loin, très loin dans son regard trouble, et l'avait dépassé.

— Ça suffit ! dit B.J.

— C'est moi qui dis quand ça suffit, répliqua Lieder. Vous, vous me dites juste qui avait raison, vous ou moi ? Est-ce que vous voyez maintenant quel être vil et geignard est l'humain ordinaire ? Bon, c'est sûr, ni vous ni moi n'aurions agi de la sorte. Nous leur aurions craché à la gueule : qu'ils aillent au diable, qu'ils fassent ce qu'ils ont à faire ! Mais nous sommes des êtres supérieurs. Nous lisons des livres, nous avons des idées – Hé, il m'en vient une, justement. Et elle est chouette. Écoutez, monsieur Delanny. Peut-être que ce soir, j'offrirai un petit spectacle aux habitants, pour leur plus grande joie et leur plus grande édification. Et vous en serez la vedette. Je vais demander à Mon-P'tit-Bobby et Minus de vous enculer, chacun son tour, un qui encule, l'autre qui vous colle son colt contre la tempe, et vous sangloterez et geindrez et les supplierez de vous enculer aussi fort qu'ils veulent mais pitié pitié non ne me tuez pas ! Je crois que nous aurons là une lumineuse illustration de la fragilité de l'homme. Qu'en dis-tu, l'instit ? demanda Lieder en souriant.

— J'en dis que vous êtes fou.

— Vous croyez ? Bah, c'est peut-être pas ma faute. (Ses yeux scintillèrent.) Soyez pas trop sévère avec moi, maître. Mon enfance cruelle a fait de moi un monstre. Personne ne m'a jamais aimé, personne ne m'a jamais félicité, et on m'a forcé à rester à table jusqu'à ce que je finisse mes légumes. (Il sourit.) Bon, l'instit, toute façon j'en ai strictement rien à foutre de ce que tu... Hé ! Éloigne-toi de lui, poulette !

Mais Frenchy avait déjà enfoncé la lame du couteau de boucher entre les côtes de Delanny. Il lâcha un petit grognement presque soulagé et s'affaissa contre ses cordes. Il n'y eut pas beaucoup de sang. Juste une tache qui s'élargissait sur son jabot.

— Prenez-lui ce couteau !

Elle le lâcha aux pieds de Mon-P'tit-Bobby et fixa Lieder avec un calme insolent.

— Regarde ce que tu as fait, poulette ! dit-il en s'approchant d'elle d'un air menaçant. Tu as tué un Blanc ! Je serais en droit de te pendre pour ça !

— Elle ne l'a pas tué, dit B.J. Elle l'a juste mis hors de votre portée.

Lieder esquiva cette remarque d'un mouvement de tête irrité. Le cœur battant fort à ses tempes, il scrutait les profondeurs du regard arrogant de Frenchy, ses pupilles à lui oscillant en d'incessants allers-retours entre ses deux yeux jaunes à elle. Sans tourner la tête, il fit un geste en direction du cadavre.

— Minus et Mon-P'tit-Bobby, virez-moi ce truc de là !

— On le met où ?

— Où vous voulez ! Dans le ravin, ça m'est égal ! Mais virez-le-moi d'ici ! Jambe-de-Bois !

Jeff Calder essaya de déglutir et de parler en même temps.

— Monsieur ?

— Ramène-toi avec un seau et nettoie-moi ce sang et ce... toute cette saleté. On peut pas vivre dans la crasse comme ça !

D'un bond, Calder commença à s'agiter à sa manière rhumatismale et boitillante.

Minus et Mon-P'tit-Bobby sortirent péniblement par la porte battante en portant le corps mou de M. Delanny, Minus à reculons, tenant les pieds, Mon-P'tit-Bobby de face, portant l'essentiel du poids. Ils traversèrent la ligne de mire du regard de Matthew sans en altérer l'intense douceur et la lointaine portée, là-bas, vers le soleil éclatant de la rue. Il savait que Frenchy avait tué M. Delanny, comme on peut savoir un fait historique. Nathan Hale n'avait qu'une vie à offrir à son pays, et Frenchy avait tué M. Delanny. Frenchy... M. Delanny... Nathan Hale. Il soupira et s'enfonça plus profondément dans son néant ouaté.

Lieder continuait à scruter le regard de Frenchy avec un mélange de dégoût et d'admiration.

— Je t'ai dit que tu étais d'une autre trempe, et je ne me trompais pas ! T'as vraiment quelque chose de spécial, poulette ! Et vas-y que je te poignarde un homme comme ça, sans sourciller. (Son regard se glaça.) Tu ferais mieux de disparaître hors de ma vue. Et tant que je serai en ville, t'as intérêt à te faire rare, parce que si j'entraperçois ne serait-ce qu'un tout petit bout de ce visage atroce que t'as, je te tue. Et bien comme il faut : en prenant tout mon temps.

Elle ne bougea pas.

B.J. s'avança.

— Viens avec moi, Frenchy. Matthew, y a du travail à l'écurie… Matthew !

Matthew cligna des yeux et revint au monde sans à-coups ni problème.

— Monsieur ?

— Y a du boulot qui t'attend à l'écurie ! dit B.J. d'une voix faussement sévère.

— Hop hop hop, un instant, dit Lieder. Il a peut-être pas fini celui d'ici.

B.J. sentit poindre une once de rivalité pour l'allégeance de Matthew. Il évita la confrontation en demandant lui-même à Matthew s'il en avait fini ici.

— Comment ? Ah… euh… presque. J'ai plus qu'à laver les assiettes.

— C'est bon. Tu laves les assiettes et puis tu montes à l'écurie. Je te paie pas pour que tu flemmardes la gueule ouverte. Viens avec moi, Frenchy.

Frenchy ne bougea pas. B.J. la prit par le bras et l'emmena dans la rue, vers l'écurie.

Matthew était seul en cuisine, à laver les dernières assiettes en marmonnant une mélodie triste et informe.

— Hé, comment ça va, petit ? demanda Lieder depuis la porte.

Matthew décrocha de sa ceinture le torchon qu'il utilisait comme tablier et s'essuya les mains avec.

— Y a du boulot qui m'attend à l'écurie.

Lieder soupira et abandonna le ton enjoué avec lequel il avait espéré transcender les événements récents. Il s'assit sur la marche.

— J'ai entendu cet instituteur t'appeler Matthew. Bon, écoute… Matthew. Je veux que tu comprennes ce que je fais ici, parce que toi et moi, on est pareils. On est tous les deux des garçons brisés. (La sincérité de Lieder était si profonde qu'on eût dit que des larmes perlaient à la surface de chacun de ses mots.) Et on aime ce pays, toi et moi. On en aime chaque brindille, chaque caillou et chaque foutue flaque de boue, parce que les garçons brisés ont rien d'autre à aimer que leur patrie. Ils ont pas de famille, pas d'amis, rien ; tu vois ce que je veux dire ? Et c'est seulement parce que j'aime notre pays comme ça que je suis parfois obligé de faire des choses qui peuvent sembler cruelles. Mais ce qui est vraiment cruel, c'est la manière dont notre gouvernement transforme ce pays en une foutue fourmilière d'étrangers puants. Tu t'en rends compte, Matthew, hein ?

— Et vous croyez que ça vous donne le droit de torturer et d'assassiner les gens ?

— Hop hop hop ! Je l'ai pas tué, ce maquereau ! C'est l'autre négresse, là !

— Non. Non, monsieur. B.J. a raison. Elle ne l'a pas tué, elle l'a juste mis hors de votre portée.

— Nom de Dieu, petit, tu mérites beaucoup mieux que de citer un pauvre instit à deux balles et sans couilles ! (Il fusilla Matthew du regard… puis baissa les yeux, soudain diminué.) Non, c'est vrai, tu as raison, petit. Tu as parfaitement raison. Je perds le contrôle. Mais il faut humilier le Nègre d'exemple ; c'est la seule manière de maîtriser les gens. Je me suis laissé emporter, je le reconnais. J'aurais pas dû laisser Mon-P'tit-Bobby le frapper comme ça. J'en ai rien à faire de ce que pensent les autres, mais toi et moi on est de la même étoffe. Pareil. Des garçons brisés. Alors j'en appelle à ta compréhension. Et à ton pardon.

Matthew se sentit misérable et gêné.

— J'imagine que vous allez partir, maintenant que vous savez qu'il n'y a pas d'argent... juste du minerai.

— Cette ville ne se débarrassera pas de moi aussi facilement que ça. Je pourrais tout simplement faire descendre ce train de minerai à Destiny et me le faire raffiner là-bas. Bon Dieu, petit, je suis une force de la nature ! Rien ne me résiste ! Je peux faire faire ce que je veux à qui je veux ! On dit de moi que je serais capable de persuader les oiseaux de descendre de leurs arbres rien qu'en leur parlant ! Matthew, je veux t'entendre me dire que tu me pardonnes pour ne pas avoir empêché ce qui est arrivé à M. Delanny.

— C'est pas à moi de vous pardonner. C'est pas à moi que vous avez fait du mal.

— Alors tu me refuses ton pardon ?

— Je... Il faut vraiment que j'y aille.

Les yeux de Lieder s'emplirent de douleur et de récrimination.

— C'est bon. Va-t'en. Mais souviens-toi bien de ça. J'ai demandé ton pardon et tu me l'as refusé. Souviens-toi juste bien de ça.

— Oui monsieur, je m'en souviendrai.

Matthew accrocha son torchon à son clou et se faufila à côté de Lieder, toujours assis sur la marche du seuil, tête baissée, les yeux fixant le plancher.

Alors que Matthew traversait la salle du bar, la porte battante s'ouvrit et Queeny entra, drapée dans sa couverture Hudson Bay, comme une squaw. Elle avait le visage pâteux, les cheveux en bataille et le regard vitreux, mais elle se tenait au milieu de la pièce et considérait les lieux d'un air hautain et hébété. Hébété à cause de la quantité de tord-boyaux qu'elle avait ingurgitée la veille ; hautain parce qu'elle s'était éveillée sans plus aucun souvenir de l'humiliation qu'elle avait subie, sinon quelques lambeaux lui rappelant qu'elle avait exécuté sa danse des Sept Voiles sous les hourras d'un public médusé. Sa mémoire sélective, devenue cruciale pour la survie de son estime de soi, ne lui fournissait aucun indice quant à la manière dont elle avait pu finir dans un lit inconnu, nue sous les couvertures, mais elle supposait qu'un membre du public – ou plusieurs, ce n'était pas impossible – avait dû tout simplement être transporté de passion par sa danse aguicheuse.

Elle s'était réveillée dans le lit de Matthew, s'était mise en position assise... puis s'était de nouveau effondrée, abattue par une douleur à la fois vive et lancinante derrière les yeux à chaque pulsation de son cœur. Dieu tout-puissant, ce qu'elle avait soif! Elle se redressa à nouveau, avec plus de précaution cette fois, et se dirigea vers la fenêtre en traînant derrière elle l'une des couvertures. L'Hôtel des Voyageurs se trouvait de l'autre côté de la rue, en biais. Ce qui faisait qu'elle-même devait se trouver... Elle observa la pièce chichement meublée: deux chaises, une table bancale avec une rangée de westerns bon marché. Où diable...? Ses yeux tombèrent sur le peigne et la brosse de Matthew en corne authentique, et elle se passa deux ou trois fois la brosse dans les cheveux avant de s'envelopper dans la couverture Hudson Bay et de sortir dans la rue – Dieu tout-puissant, ce soleil vous rentre dans les yeux comme du verre pilé! Elle se dirigea vers l'hôtel, sa dignité obstinée à peine diminuée par l'absence de chaussures.

Ce n'est qu'une fois dehors, lorsqu'elle se retourna, qu'elle comprit qu'elle avait dormi dans le bureau du marshal, où le petit avait établi son campement. Ah ben ça, Dieu la foudroie! Le sale garnement! Et lui qui jouait tout le temps le brave gars à qui on donnerait le bon Dieu sans confession, et vas-y que je te parle de ma mère! Mais bon, les jeunes de cet âge ont le sang chaud et se laissent facilement emporter. Le vil petit vaurien! Voilà ce qui arrive quand on fait de la scène.

Maintenant, elle tance Matthew en secouant son index tout en lui adressant un regard amusé et complice.

— Sers une tasse de café à ta vieille Queeny, mon chou, tu lui dois bien ça. Et du fort. J'ai la langue tellement pâteuse qu'on croirait que la nation apache tout entière lui est passée dessus... pieds nus.

— Je suis désolé, Queeny, on n'a plus de café. Et je suis en retard pour mon boulot là-haut à...

— Eh ben eh ben eh ben! Regardez ce que le chat a rapporté à la maison! dit Lieder depuis la porte de la cuisine.

Minus et Mon-P'tit-Bobby entrèrent dans le bar à la suite de Queeny, l'ayant vue traverser la rue après qu'ils eurent balancé Delanny dans le ravin. Ils fixèrent Lieder d'un œil avide, anticipant sa furie, parce qu'il l'avait prévenue qu'il ne voulait plus jamais revoir son gros cul.

Lieder secoua lentement la tête.

— Ça me la coupe. Ça me la coupe propre et net ! Je sais pas si vous avez des tripes à revendre, ou juste de la bêtise à revendre. Dans les deux cas, c'est sûr que vous aimez braver la mort, vieille dame.

— Vous avez dit que vous alliez prendre un tesson de bouteille, lui rappela Minus. Vous allez pas la laisser vous narguer comme ça ?

— Bah, cette pauvre vieille chienne était trop ivre pour se souvenir de ce qu'elle a fait. Elle n'a aucune idée du danger qu'elle court en venant parader ici comme ça.

— Ouais, mais… vous allez pas la laisser s'en tirer sans rien faire, si ? demanda Minus d'une voix que la déception faisait virer à la supplication.

— Non, on va la laisser tranquille. Et toute façon, j'ai des chattes plus douces à fouetter. (Il sourit et fit un clin d'œil à Queeny.) Je m'en vais faire ma cour. Monte dans ta chambre, vieille femme. Lave-toi et habille-toi. Personne a envie de t'imaginer cul nu sous cette couverture. Bon sang, on vient juste de manger !

D'un geste impérial, Queeny drapa le coin de sa couverture sur son épaule et monta à l'étage en frôlant Lieder au passage. En haut, elle trouva Chinky assise sur le bord de son lit, le visage enfoui dans ses mains.

— Hé, où est Delanny ? demanda Queeny.

Chinky secoua la tête : elle l'ignorait.

— Où est Frenchy alors ?

Chinky l'ignorait et s'en fichait.

— Qu'est-ce qu'ils ont tous, ce matin ? se demanda Queeny en entrant dans sa chambre.

Puis elle sortit sa robe rouge du placard pour l'aérer… au cas où on lui demanderait encore de danser ce soir.

En sortant pour aller faire sa cour, Lieder s'arrêta à côté de Matthew ; debout sur la terrasse, il regardait deux mini-tornades tracer leur chemin ivre dans la rue, l'une à la poursuite de l'autre. Elles traversèrent la voie ferrée puis s'approchèrent du ravin, où elles furent soudain aspirées dans le vide et l'oubli.

— Y a un putain d'orage qui se prépare, dit Lieder en enfonçant fermement son chapeau sur son crâne. Y va pleuvoir comme vache qui pisse sur de la roche plate.

Matthew ne dit rien.

— Tu vas monter à l'écurie, c'est ça ?

Matthew acquiesça.

— Eh bien… c'est parfait. C'est parfait, Matthew, parce que c'est exactement ce que je veux que tu fasses. Et garde les yeux grands ouverts, hein ? Cet instituteur pourrait bien être assez sot pour tenter quelque chose, et ça serait la plus grosse erreur qu'il aurait jamais faite. (Lieder plissa les yeux et leva la tête vers le jaune-vert maladif du ciel.) Oui mon p'tit gars, on est bons pour un sacré putain d'orage. Au fait, j'espère que tu as remarqué comme j'ai laissé cette vieille Queeny tranquille, alors que je lui avais promis de grandes souffrances si elle se remontrait. Un véritable chef est au-dessus du mépris et de l'esprit de vengeance. Il est assez grand pour pardonner aux gens. J'ai retenu la leçon, Matthew. (Il se tut un instant avant d'ajouter :) Quel dommage que toi, non.

En arrivant à l'écurie, Matthew trouva l'atelier de ferrage désert, mais les deux ânes avec lesquels Coots était redescendu étaient dans le pré, à renifler la vieille vache que le train avait apportée de Destiny. Il regarda dans la cuisine. Personne.

— Par ici, petit, dit Coots en un puissant murmure.

Il monta l'escalier et se trouva pour la première fois dans la chambre à coucher que Coots et B.J. partageaient. Coots était assis sur le bord de leur lit double ; B.J. dans un rocking-chair Lincoln, la tête appuyée contre le dossier, yeux fermés – c'était lui qui paraissait de loin le plus fatigué des deux. Le stress de la confrontation avec Lieder, le fait de devoir occuper son attention le temps que Coots descende en ville, puis d'avoir été le témoin forcé de l'humiliation et de la mort de M. Delanny l'avaient vidé de ses forces et laissé à bout de nerfs.

— Je n'ai entendu tes pas que quand tu es entré dans la cuisine, dit Coots. Ça doit être à cause du vent.

— Poste-toi à la fenêtre et surveille la rue, Matthew, dit B.J. sans ouvrir les yeux. On ne peut pas se permettre de laisser l'un d'eux nous tomber dessus par surprise.

Matthew s'installa à la fenêtre qui donnait par-delà le cimetière sur l'extrémité de la ville.

— Donc Ruth Lillian vous a trouvé sur le sentier ? demanda-t-il à Coots.

— C'est un sentier étroit, fiston. Elle aurait eu du mal à me rater.

Coots avait compris que quelque chose n'allait pas lorsqu'il avait trouvé la fille Kane marchant en plein milieu de la piste, juste avant de faire la descente vers Shinbone Cut avec ses deux ânes. C'était une descente abrupte et éprouvante pour les nerfs, et les ânes étaient fébriles à cause de l'orage imminent dont Coots avait vu les bouillons de colère sur l'horizon septentrional lorsqu'il était là-haut, au Filon, mais qui n'étaient pas encore visibles dans le ciel de Twenty-Mile.

— Y a une vraie arracheuse qu'arrive. Et ça peut être bon pour nous. Ce soir, ils seront coincés à l'intérieur et ils n'entendront rien, avec la pluie, le tonnerre et tout le bazar.

— Qu'est-ce que vous comptez faire ? demanda Matthew, l'esprit embrouillé. Je croyais que nous devions attendre que les mineurs arrivent, demain matin, avant l'aube.

Coots lança un coup d'œil à B.J., qui hocha la tête, les yeux toujours fermés :

— Vas-y, dis-lui.

— En fait, commença Coots, ils ne vont pas descendre, petit. Pas d'ici samedi. Comme d'habitude.

— Mais… pourquoi ? Je veux dire… dès que Ruth Lillian leur aura dit ce qui se passe ici, c'est sûr qu'ils vont…

— Ruth Lillian leur dira rien du tout. Je l'ai ramenée avec moi.

— Quoi ? Mais l'idée, c'était justement de l'éloigner d'ici !

— Elle n'aurait jamais réussi à monter jusqu'au Filon, fils. Quand il pleut, ce sentier devient un piège mortel. Tout glissant et boueux, avec des plaques qui s'effondrent dans le ravin. Le vent l'aurait emportée au premier coude venu le long de la falaise. Oh, elle était prête à tenter sa chance. Cette petite a plus de tripes que de jugeote. Mais je pouvais pas la laisser faire ça.

— Elle est où, maintenant ?

— Là-haut, dans le grenier, avec Frenchy.

Matthew se passa les mains dans les cheveux et les tira de rage. Dans tous ces événements, la seule chose qui lui faisait du bien était de savoir Ruth Lillian en sécurité. Et voilà que…

— Elle court un horrible danger. Ce Lieder cherche une vierge pour porter sa semence.

— Tout ira bien, dit Coots. Je vais m'occuper d'eux ce soir. C'est déjà décidé.

Son rapide coup d'œil vers B.J. signifiait que c'était Coots qui l'avait décidé malgré les réticences de son compagnon.

— Comment allons-nous nous y prendre ? demanda Matthew. Quel est votre plan ?

— Mon plan ? Franchement, j'appellerais pas vraiment ça un plan, reconnut Coots. Ces hommes ignorent que j'existe et que j'ai une arme. Ça nous donne un avantage. B.J. m'a dit que tous les hommes de la ville seront à l'hôtel ce soir, à chanter et à boire. C'est parfait. Je me planquerai jusqu'à ce que l'orage batte son plein, puis je descendrai par la voie ferrée et remonterai par l'arrière de l'hôtel. La porte de la cuisine est pas fermée à clef, si ?

— Aucun risque, y a pas de verrou.

— Parfait. Dites-moi comment je fais pour reconnaître le chef.

— Il a l'air étrange, dit B.J., et Matthew vit ses yeux bouger sous ses paupières, comme s'il eût été en train d'examiner le visage de Lieder dans sa mémoire. Il a des traits anguleux, poursuivit-il. Presque raffinés. Mais ses yeux sont opaques. Comme de la porcelaine. Impossible de savoir ce qui se passe derrière.

— Il est grand ?

— Moyen.

— Quel âge ?

— Difficile à dire. Quelque part entre trente et cinquante ans, tout est possible. Il a le visage couvert de rides très fines. On dirait un homme dévoré par la haine et la méchanceté. Un homme qui cherche à se venger… de tout le monde.

— Savez-vous ce qui est arrivé à M. Delanny? demanda Matthew à Coots.

— Ouais, B.J. me l'a dit. Je suis content que Frenchy soit dans notre camp.

— C'était ma faute… du moins en partie.

— Comment ça?

— C'est moi qui ai laissé Frenchy prendre le couteau. Je croyais qu'elle allait s'en servir contre Lieder.

— C'est peut-être ce qu'elle comptait faire, dit B.J. en ouvrant les yeux. Mais quand elle a vu comment il traitait M. Delanny…

Il haussa les épaules.

— Et Ruth Lillian? Vous lui avez dit, pour M. Delanny?

— Inutile de l'inquiéter plus que nécessaire. Tout ce que je lui ai dit, c'est de rester bien planquée dans le grenier.

— Et vous, monsieur Coots? Vous devriez pas vous planquer, vous aussi?

— Je ne compte pas bouger d'ici jusqu'à ce que ce soit le moment d'y aller.

Il posa sa tasse de café sur la table, tira le vieux colt Walker-Whitney de sa ceinture et le posa à côté de la tasse, puis s'allongea en poussant un grognement de muscles courbatus, et pour la toute première fois, B.J. ne lui fit pas de scène au sujet de ses satanées fichues bottes.

— Y a pas à dire, on est dans un foutu merdier, lâcha Coots en poussant un long soupir vers le plafond.

— Ça, c'est sûr, monsieur. (Matthew baissa le regard par terre avant de demander:) Alors, qu'est-ce que vous allez faire?

— Comment ça?

— Quand vous serez dans l'hôtel, qu'est-ce que vous ferez? Vous l'appellerez pour qu'il sorte?

— Je quoi?

— L'appellerez pour qu'il sorte?

— Oh Bon Dieu. Tu lis trop de Ringo Kid. Non, Matthew, je ne ferai pas ça, ni rien d'autre de stupide du même genre. Ce que je ferai, c'est que je m'approcherai de lui autant que je le pourrai sans me faire repérer, et je le descendrai. Dans le dos, si possible. Je l'abattrai comme on abat un chien enragé.

— Vous… l'abattrez… comme ça ?

— Comme ça.

— Mais il a eu des tas de problèmes et de souffrances dans sa vie. Il a été… brisé. Oh, je sais qu'il est méchant et dangereux ! Mais tout de même, c'est…

Matthew haussa les épaules.

— Mais tout de même, c'est quoi ? demanda B.J. en échangeant un regard avec Coots. Qu'est-ce que tu essaies de dire, Matthew ?

— Je sais pas. C'est juste que… bah, ce que les gens font, c'est pas toujours leur faute. Des fois, les choses arrivent et puis c'est tout. Les gens sont brisés et les choses arrivent sans que ce soit la faute de personne !

B.J. se souvint de ce qu'il avait lu dans le *Nebraska's Plainsman* : cet homme et cette femme trouvés dans une ferme près de Bushnell.

— Dis-nous ce que tu voudrais qu'on fasse, Matthew.

— Ben, peut-être qu'on pourrait… on pourrait… merde, j'en sais rien !

— Mais tu comprends bien que cet homme est malade, pas vrai ? Et tu te rends compte qu'il n'y a aucun moyen de le raisonner ?

— Écoute, petit, dit Coots. Le serpent à sonnette tue. Pas parce qu'il est mauvais, juste parce que c'est un serpent à sonnette et que tuer, c'est ce qu'on fait quand on est serpent à sonnette. Donc quand tu en trouves un lové dans ta couverture…

B.J. sentait les affres de doute avec lesquels Matthew se débattait, et il soulagea le fardeau qui pesait sur ses épaules en demandant à Coots :

— Si tu as ce chef dans ta ligne de mire et que tu le touches, qu'est-ce que tu…

— Si je l'ai dans ma ligne de mire, je le toucherai, t'inquiète pas pour ça.

— Bon d'accord. Et qu'est-ce que tu feras des deux autres ?

Coots hocha la tête.

— Ouais, j'y ai pensé. Je me suis représenté ce que je ferai et ce qui se passera. C'est ça qu'y faut faire : se représenter les choses à l'avance, l'une après l'autre, pour n'avoir aucune surprise. À la seconde où je tirerai mon premier coup, ça sera l'enfer là-dedans, avec tous les habitants et les filles qui se mettront à s'agiter dans tous les sens pour se mettre à l'abri et qui croiseront ma ligne de feu. Ça risque d'être un peu sale, pour abattre les deux autres. Des balles perdues pourraient toucher des gens. La chose cruciale, c'est d'abattre le chef du premier coup. Quand tu décapites un serpent, son corps peut continuer à frétiller, mais il ira plus bien loin.

Matthew acquiesça. Il savourait ces détails concrets, fournis qui plus est par un homme de main expérimenté.

— Si nous avions une autre arme, je pourrais te seconder, dit B.J.

Coots releva le bord de son chapeau et le fixa d'un air affolé.

— Benjamin Joseph Stone, tu es un homme cultivé et un partenaire que je qualifierais d'honnête à tolérable – même si t'as jamais su cuisiner. Mais dans une fusillade, la seule chose qui soit plus dangereuse qu'un ennemi fin de la gâchette, c'est un ami con de la gâchette. Non, tout bien considéré, ça vaut sans doute mieux qu'on ait justement pas d'autre arme.

— Moi, j'… commença Matthew.

— Qu'est-ce qu'y a, petit ?

— Ben… vous semblez avoir oublié le fusil de mon père. Peut-être que je…

— Ce vieux tromblon ?

— Oui monsieur.

Coots renifla.

— C'est pas une arme pour le combat rapproché. Surtout de nuit.

— Mais peut-être que je pourrais descendre là-bas de jour…

— Tu te vois descendre comme ça en pleine la rue la bouche en cœur, avec ce canon dans les bras ? Bon Dieu, t'aurais même pas le temps de t'approcher à trente yards. Ils t'abattraient avant que tu… Non, oublie, petit. Je sais ce que je fais. Et ça vaut mieux que je le fasse seul. Au moins, je risque pas de me mettre dans ma propre ligne de tir.

— Écoute, tu ferais mieux de descendre au Grand Magasin, Matthew, dit B.J. C'est l'heure du dîner, et tu le prends toujours là-bas. Il faut pas susciter le moindre soupçon qui risquerait de les faire sortir de leur tanière et fouiner partout. Dis à M. Kane que sa fille est ici et qu'elle est en sécurité. Explique-lui pour l'orage. Tâche de le rassurer. C'est un homme âgé et il doit sûrement s'inquiéter.

Coots partit d'un petit rire sec :

— Il est pas plus âgé que toi. Peut-être même qu'il est plus jeune.

— Et, Matthew… poursuivit B.J. sans relever la remarque.

— Oui monsieur ?

— Dis bien à M. Kane que nous ne laisserons pas sa fille partir d'ici tant qu'il fera jour. Ça lui plaira pas d'apprendre qu'elle n'a pas réussi à quitter la ville, alors tu vas devoir… tu sais, quoi… le rassurer.

— Oui monsieur. Et vous voulez que je revienne vous voir après avoir parlé à M. Kane ?

— Non, n'attire pas l'attention vers chez nous plus que nécessaire. Tu n'auras qu'à traîner dans le bureau du marshal.

— Bien monsieur. Peut-être que je devrais d'abord monter voir si Ruth Lillian a un message à transmettre à son père.

— Comme tu voudras.

Lorsque Matthew souleva la trappe du grenier, Ruth Lillian et Frenchy baissèrent toutes deux la tête vers lui, tenant chacune une page d'un vieux numéro de *Harper's Illustrated*. Elles le feuilletaient pour passer le temps, séparant soigneusement les pages collées par l'humidité, lorsque le bruit des bottes de Matthew sur les barreaux de l'échelle les avait fait se figer sur place.

— Je… Je voulais juste vous dire que je descends au Grand Magasin, dit-il comme pour s'excuser.

Il sentit bien qu'il aurait dû trouver quelque chose à dire à Ruth Lillian pour s'excuser de les avoir ainsi terrifiées, mais il ne trouva rien de mieux que :

— Y a-t-il quelque chose que tu aimerais que je dise à ton père ?

— Dis-lui juste que je serai de retour après la tombée de la nuit. Et de ne pas s'inquiéter. Coots s'occupe de tout.

— D'accord.

Il se sentait stupide, debout sur l'échelle, comme ça, avec le haut du corps dans le grenier, et elles deux assises côte à côte sur le lit de camp en fer qui occupait l'essentiel de l'espace, le regard baissé vers lui.

— Y a autre chose que tu voudrais que je lui dise ?

— Juste que tout va bien.

— D'accord. (Il commença à descendre. Puis il repoussa la trappe vers le haut.) On dirait qu'on est bons pour une de tes sacrées arracheuses.

— Oui.

Matthew hocha la tête.

— Bon, ben… J'crois qu'y faut que j'y aille.

— D'accord.

Il commença à descendre, puis :

— Tout va bien, Frenchy ?

— Ouais, ça va.

— Je peux faire quelque chose pour vous ?

— Non, je crois pas – enfin, tu pourrais leur dire en bas que s'ils avaient un petit casse-croûte… et des chaussures…

— Des chaussures ?

— Ouais, n'importe lesquelles, ça m'est égal.

— Ah. Bon, ben… Je leur dirai pour les chaussures et pour… Bon, j'crois qu'y faut que j'y aille.

— D'accord, dirent les deux femmes d'une seule voix, et avant qu'il ait refermé la trappe elles feuilletaient de nouveau leurs magazines, presque joue contre joue.

Il resta un moment au pied de l'échelle, comme aspiré par un vertige de réalité. Ça semblait si bizarre, ces deux femmes assises là-haut, dans ce tout petit grenier qui sentait la poussière et les vieilleries. La petite Blanche, la grande Noire. La vierge et la putain, joue douce contre joue balafrée, regardant toutes deux des images de jeunes hommes et de jeunes femmes urbains et souriants en train de parader dans leurs tenues à la mode lors du défilé de Pâques de l'an dernier, sur la Cinquième Avenue. À peine quelques heures plus tôt, l'une était prête à risquer sa vie dans un orage ; et à peine une heure plus tôt, l'autre avait enfoncé un couteau de boucher entre les côtes d'un homme.

MATTHEW TROUVA M. KANE ASSIS À SA TABLE à la même place que la veille au soir, et il eut le sentiment étrange qu'il n'avait pas bougé d'un pouce. Mais c'était impossible, parce que, en arrivant, il avait vu Mme Bjorkvist sortir du magasin avec un sac de courses.

— Ruth Lillian doit être presque arrivée au Filon à l'heure qu'il est, dit M. Kane avant que le carillon de la porte eût fini de tinter. J'espère qu'elle ne se fera pas prendre par la pluie.

— Euh, non, monsieur. En fait, elle…

— Qu'est-ce qu'il y a ? Qu'est-ce qui s'est passé ?

— Surtout ne vous inquiétez pas, monsieur ! Elle va bien. Très bien. Elle a rencontré Coots et l'a prévenu, mais il y a un terrible orage qui arrive, et Coots a jugé que ce serait trop dangereux d'essayer de monter par le sentier. Alors il l'a ramenée avec lui – mais ne vous inquiétez pas. Elle est bien à l'abri dans le grenier de B.J. Elle m'a dit de vous dire de surtout pas vous inquiéter, elle sera là dès qu'il fera nuit. B.J. a dit que le fait qu'elle monte comme ça prévenir Coots, c'était pour ainsi dire la chose la plus courageuse qu'il ait vue de toute sa vie d'homme, et qu'elle était en sécurité, et… tout ça. Alors vous devez pas vous inquiéter.

— Tu as entendu combien de fois tu m'as dit de ne pas m'inquiéter ? Quand on te répète comme ça de pas t'inquiéter… c'est qu'il y a de quoi s'inquiéter. (M. Kane baissa les yeux vers son livre de compte et cligna des yeux.) Alors… elle est revenue. Revenue, avec ces hommes en ville.

Il ferma les yeux, paupières serrées, et secoua lentement la tête.

Matthew remarqua que M. Kane ne s'était pas rasé. Il se rasait tous les jours, même quand son cœur lui jouait des tours.

— Qu'est-ce qu'elle voulait, Mme Bjorkvist ? Elle achète pour ainsi dire jamais rien.

— … Hmm ? Quoi ? On eût dit que M. Kane s'était évanoui l'espace d'une seconde.) Oh… du bicarbonate de soude et de la poudre contre le mal de tête. Ses hommes ont trop bu hier, et il faut qu'ils y retournent ce soir.

— Ah. Bon, je suppose que je devrais fermer le magasin pour l'heure du déjeuner, hein ?

— Pardon ? Ah… oui, je suppose que oui. Mais je… je… Je n'ai pas…

Il ne termina pas sa phrase. Il ferma son livre de comptes et en caressa doucement la couverture de la paume de sa main en fronçant les sourcils comme si quelque chose l'intriguait. Puis il leva la tête en clignant des yeux vers Matthew.

— Euh… Je n'ai rien préparé pour le repas.

— Je m'en occupe, monsieur ! (Matthew ferma la porte à clef et tourna le panneau "Fermé jusqu'à une heure" de manière qu'il soit visible de l'extérieur.) Je vais juste ouvrir une boîte de tomates et faire frire un peu de… ce que je trouverai. Ne vous inquiétez pas, on va se débrouiller.

M. Kane le suivit d'un air sombre à l'étage, dans les appartements privés où Matthew commença à préparer un repas improvisé, comme il le faisait quand il rentrait de l'école et qu'il trouvait sa mère trop amochée pour cuisiner… ou trop désespérée pour en avoir quoi que ce soit à faire. Tout en s'activant dans la cuisine, il se creusait les méninges pour trouver un sujet de conversation qui lui permette d'éviter de mentionner la mort de M. Delanny. Et il était parfaitement hors de question qu'il dise à M. Kane que Lieder cherchait une jolie vierge pour porter sa semence !

— Mon Dieu mon Dieu mon Dieu, le temps est vraiment bizarre aujourd'hui.

— Comment ça, bizarre ?

— Eh ben, on dirait qu'il retient sa respiration. Y a pas le moindre souffle. À un moment, il fait bon, et la seconde d'après, l'air est moite et poisseux. Et il a un drôle de goût… l'air, je veux dire. Je pense que c'est une de vos arracheuses qui s'annonce. Ruth Lillian m'a parlé du jour où le Double-Six a été frappé par la foudre, et comment vous l'avez enveloppée dans une couverture et emmenée sur la terrasse pour le regarder brûler, et comment il pleuvait si fort que vous entendiez pas l'incendie rugir et crépiter. Bon sang, ça a dû être un sacré foutu…

— Qu'est-ce qu'il y a, Matthew ? dit M. Kane d'un ton irrité.

— Monsieur ?

— Pourquoi tu bavasses comme ça ? Tu essaies d'éviter de me dire… Il y a un problème avec Ruth Lillian ! Je le sais !

— Non monsieur ! Non, elle va bien. Elle est là-haut, dans le grenier, à lire un magazine, aussi pimpante qu'on puisse l'être. Non, c'est juste que…

Il prit une grande cuillère et servit deux assiettes.

— C'est juste que quoi ?

Matthew apporta à table le "rata" qu'il avait préparé avec des boîtes de haricots mélangées à des boîtes de tomates, plus un oignon émincé pour "donner un peu de croustillant" à l'ensemble.

— Et voilà, monsieur. C'est pas terrible, mais comme disait mon père, c'est mieux qu'un coup dans l'œil avec une tige pointue !

— Dis-moi ce qui se passe.

— D'accord, monsieur, je vais vous dire. B.J. et Coots m'ont demandé de vous expliquer leur plan, pour que vous sachiez comment nous comptons protéger Ruth Lillian. Voilà ce qu'on va faire. Dès qu'il fera bien nuit et que l'orage grondera et tonnera bien fort, Coots va descendre à l'hôtel et s'y faufiler par la cuisine sans se faire voir. Et quand ils seront tous en train de chanter et de boire, il restera bien tapi dans l'ombre, il prendra tout son temps pour viser, et il abattra le chef. Après, il devra faire de son mieux pour s'occuper des deux autres avec toute la panique qu'y aura dans le saloon. B.J. voulait le seconder, mais on a jugé qu'il était pas fait pour les fusillades. Et de toute façon, on n'a qu'une arme. On a bien pensé prendre le fusil de mon père, mais je crois pas que cette vieille grosse pétoire soit adaptée au combat rapproché. Surtout dans l'obscurité. Ce qu'il faut que je fasse, c'est trouver moyen de traverser la rue en plein jour avec ce vieux tromblon sans qu'ils se mettent à défourailler sur moi. J'ai pas encore trouvé, mais j'y travaille.

M. Kane prit sa cuillère et touilla ses haricots et ses tomates d'un air morne, avant de la reposer.

— J'imagine qu'il n'y a pas d'autre solution ? Pas d'autre solution que de tuer ?

— Non monsieur, y en a pas. Les serpents à sonnette, faut les tenir à l'écart des couvertures, c'est comme ça et y a rien d'autre à faire.

M. Kane cligna des yeux, décontenancé.

— Quoi ?

— Après tout, c'est pas nous qui avons commencé le carnage. (Matthew se rendit compte qu'il venait de gaffer, et jugea qu'il valait mieux raconter ce qui est arrivé à M. Delanny.) Y a une chose que vous devez savoir, monsieur. M. Delanny est mort.

— Ils ont tué M. Delanny ?

— Euh… oui… c'est-à-dire que… (Et il raconta ce qu'il s'était passé à l'Hôtel des Voyageurs, en laissant de côté les détails les plus sordides de l'attitude de Lieder, pour arriver à :) et B.J. a dit que c'était pas vraiment Frenchy qui l'avait tué, qu'elle l'avait juste mis hors de portée de Lieder, pour qu'il puisse plus le torturer et… voilà, c'est plus ou moins ça qui s'est passé.

M. Kane ferma les yeux.

— Oh mon Dieu. (Il se frotta rudement le visage avec les mains.) Et qu'est-ce qu'ils ont fait à Frenchy ?

— M. Lieder a dit que si jamais il revoyait sa face répugnante, il la tuerait, alors on l'a fait sortir, B.J. et moi, et maintenant elle se cache. Vous devriez essayer de manger, monsieur. Je sais que je suis pas un grand cuistot comparé à vous, mais…

— C'est la meilleure tasse de thé qu'on m'ait servie de toute ma vie d'homme, madame, dit Lieder en reposant soigneusement la tasse de Mme Bjorkvist sur sa soucoupe bleu et blanc.

C'étaient les deux seules pièces du service de porcelaine familiale à avoir survécu au long périple depuis la Suède ; les deux derniers symboles de la respectabilité de la maîtresse de maison. Le frêle fauteuil en rotin était un peu trop étroit pour ses hanches, mais Lieder s'y sentit parfaitement à l'aise pour dire à Mme Bjorkvist que ce n'était pas tous les jours qu'un voyageur comme lui était accueilli avec une telle hospitalité, et qu'il l'en remerciait.

Mme Bjorkvist était assise, nerveuse, sur le bord de sa chaise ; Kersti se tenait debout à la fenêtre, jouant sans y penser avec l'ourlet du rideau ; et les hommes de la famille allaient et venaient sur la terrasse en ressassant un mélange d'envie de meurtre frustrée et d'impuissance craintive. Lieder sirotait son thé.

Incapable de supporter plus longtemps cette tension, Mme Bjorkvist lui demanda s'il était satisfait du repas qu'elle avait livré à l'hôtel. Oui, c'était parfait. Elle savait que ce n'était rien d'extraordinaire, juste de la cuisine de tous les jours, mais… Lui, c'était ce qu'il préférait, la cuisine de tous les jours. Et s'il n'y avait pas assez, elle prévoirait des plus grandes quantités pour le dîn… Non non ! C'était parfait ! S'il y avait bien un spectacle qui lui faisait chaud au cœur, c'était de voir des hommes planter vigoureusement la fourchette et manger tout leur content, et que personne puisse dire qu'elle était radine ou…

— Madame Bjorkvist ? Je crois que je ferais mieux de vous faire part des raisons de ma visite. Premièrement, j'aimerais inviter votre mari et votre fils à se joindre à un nouveau moment de camaraderie festive ce soir à l'hôtel.

— Ah, che ne crois pas qu'ils ze zentent…

— Et deuxièmement, je voulais vous dire combien j'étais désolé pour la manière dont mes disciples les ont traités hier soir. Oh, c'est vrai que vos hommes se sont montrés désobéissants et irrespectueux, mais de là à leur claquer la tête comme ça… Bon, je voulais m'excuser et vous dire que je ferai tout ce qui est en mon pouvoir pour que cela ne se reproduise pas.

— Eh pien, che…

— Mais je vais être franc avec vous, madame. Mes gars sont pas franchement ce qu'on peut appeler des hommes civilisés. Ils ont la rancune sacrément tenace. Évidemment, je ferai tout ce que je peux pour les empêcher de venir vous voir et faire des dégâts chez vous, mais…

— Vaire des dékâts… !

— Des sacrés gros dégâts, madame. Des sacrés… gros… dégâts. Dieu nous aime, je me souviens de la fois où ils ont eu de la rancune pour une famille, là. On aurait pu croire que ça leur suffirait de tabasser les hommes et de faire un feu de joie avec les meubles. Mais non ! Non, il a fallu que ces sauvages attrapent les femmes et les emmènent dans la grange, où ils… Bah, je vais pas vous décrire comment ils ont utilisé ces pauvres femmes dans tous les sens qu'il est possible d'utiliser une femme, mais…

Il aspira à travers ses dents et secoua la tête.

— Mais… mais… pourquoi nous ? On n'a rien vait.

— Ça semble injuste, hein ? Mais que voulez-vous, la vie est rarement juste, et la justice est plus rare que la vertu dans un bordel, comme l'a dit Paul aux Ioweens en 7, 13. Sur ce, madame… (Il se leva.) Il faut que j'y aille. Dieu seul sait ce que ces sauvages peuvent être en train de faire à la seconde où je vous parle. (Il fit quelques pas vers la porte ; les deux Bjorkvist mâles s'écartèrent balourdement pour lui laisser le passage en se marchant sur les pieds l'un l'autre. Arrivé sur la terrasse, il s'arrêta et se frappa le front.) Ah, mais c'est pas vrai, qu'est-ce qui cloche chez moi ? J'oublie tout ! (Il se tourna vers elle et sourit.) J'oublierais ma propre tête si elle était pas correctement vissée sur mes épaules. Il y a autre chose que je voulais vous demander, madame Bjorkvist. Mes hommes, ils ont soulagé leurs besoins grâce à l'autre Chinoise, là, à l'hôtel. Voyez qui ? Moi, par contre, je peux pas faire ça, parce que je crois pas que ce soit bon qu'un Blanc donne sa sève à des femmes de race inférieure. Vous êtes pas d'accord, madame Bjorkvist ?

— Pff ! fit-elle entre ses lèvres pincées. Ces voutues catins ! Non, non, che crois pas que ce soit une ponne chose qu'un Planc…

— Mais je reste un homme, madame Bjorkvist. Un frêle être de chair, de sang et de nerfs. Et moi aussi j'ai des besoins à soulager. Alors voilà ce que je me suis dit, madame. Je me suis dit que je pourrais – avec votre permission – donner ma sève à votre jeune Kersti, parce que c'est une fille solide, pleine de santé et bien élevée, qui fait honneur à sa famille. Bien évidemment, je ne la prendrai que si elle est d'accord et si sa famille est d'accord parce que je ne suis pas du genre à forcer une fille, et je sais que vous laisseriez jamais votre fille fricoter avec un homme qui serait de ce genre. Je suis à peu près sûr que mes brutes n'oseraient pas venir ici faire du mal à vos hommes et des gros dégâts partout s'ils savaient que Kersti et moi on est en haut, à se réconforter l'un l'autre. Bon, je vous laisse parler de tout ça en famille, pour décider ce qui vous paraît juste. Suivez ce que vous dictent vos consciences, c'est tout. On fait jamais rien de mal quand on suit sa conscience, voilà ce que je pense.

Il mit son chapeau, en toucha le bord en signe de salut à l'adresse de Mme Bjorkvist, et tourna les talons. À la porte, il s'arrêta de nouveau et dit par-dessus son épaule :

— Je la voudrais pour dans une heure environ.

MATTHEW ÉTAIT ALLONGÉ SUR SON LIT, mains croisées sous la nuque, à écouter le vent qui commençait à chuinter dans la cheminée du poêle. En revenant du Grand Magasin, il avait vu l'avant-garde des nuages noirs se presser contre le flanc de la montagne, bouillants de colère.

... Comment pourrait-il s'approcher de ces hommes avec ce fusil sans qu'ils... ?

Il décrocha l'arme au-dessus de la porte et la serra des deux mains. Mais il sentit sa poigne s'amollir de dégoût, alors il la raccrocha et s'assit un moment sur le bord de son lit, les yeux fixés sur le plancher, sans le voir. Quand le temps fut venu, il s'ébroua et plongea un bras loin sous son lit pour en tirer son sac de toile et le vider sur son matelas : tous ses trésors. Douze énormes cartouches artisanales, l'étoile à six branches que Ruth Lillian lui avait donnée, la petite flasque bleue que quelqu'un avait enterrée (pourquoi ?), la bille avec le drapeau américain en inclusion (comment diable ?), la pierre couverte de minuscules cristaux brillants dont son père s'était moqué en disant que c'était de l'or des fous (mais qui sait ?... peut-être pas).

... Comment pourrait-il faire passer ce fusil de l'autre... ?

Il prit un des *Ringo Kid* bien rangés sur sa table et le soupesa, comme s'il eût pu s'en inspirer par osmose, puis le remit en place et fit glisser son pouce contre le dos de sa collection afin qu'elle fût parfaitement alignée.

À deux reprises, il alla à sa fenêtre pour regarder la rue et l'Hôtel des Voyageurs. Puis il plongea sur son lit et scruta le plafond, les yeux plissés, en quête d'inspiration.

Le vent feulait de plus en plus fort dans le conduit du poêle et hurlait contre les murs du bureau du marshal, quémandant qu'on le laissât entrer.

... Comment le Ringo Kid... ?

MINUS S'ENNUYAIT. Appuyé contre le rebord de la fenêtre de l'hôtel, à regarder le vent chasser des tornades de poussière dans la rue, il s'ennuyait... Il s'ennuyait... comme un rat mort. Ça faisait plus d'une heure que Lieder avait emmené cette jeune Suédoise à l'étage, et Mon-P'tit-Bobby était assis dans le coin avec Chinky qu'il forçait à jouer avec son engin. Comme un rat mort ! Il prit le fusil de chasse qu'il avait réquisitionné chez Sven Bjorkvist, le mit en joue et visa le cœur d'un tourbillon de poussière, un œil fermé, l'autre plissé, suivit ainsi le tourbillon jusqu'à ce qu'il se retrouve momentanément coincé contre l'angle d'un bâtiment, puis pressa le doigt sur la détente et lâcha un petit bruit de détonation entre ses lèvres. Un mouvement sur la gauche de son champ de vision attira son attention, et il décolla sa joue de la crosse.

— Ben ça alors !

C'était le petit jeune, celui pour qui le chef s'était pris d'affection. Il arrivait par la rue en portant une énorme putain de pétoire ! Il la tenait sur l'épaule, canon dans une main, crosse en l'air, comme une massue.

Minus arma son fusil et alla jusqu'à la petite porte à double battant, par-dessus laquelle il cria :

— Ne bouge plus, petit !

Mon-P'tit-Bobby quitta sa table, braguette ouverte, et le rejoignit à la porte. Il tira son revolver de sa ceinture.

— Ne bouge plus, petit !

Minus lui adressa un regard las.

Sans s'arrêter, Matthew sourit, fit un grand salut de la main et dit quelque chose que le vent emporta.

— J'ai dit : ne bouge plus ! cria Minus.

Mon-P'tit-Bobby arma son revolver.

À l'étage, Lieder cria pour demander ce qui se passait, bordel. Minus cria que le petit était en train de se pointer avec un fusil. Et qu'il refusait de s'arrêter quand on le lui demandait.

Lieder fit se lever Kersti, agenouillée, en la tirant par les cheveux et la poussa sur le côté. Il commençait de toute façon à en avoir sa claque de l'entendre gémir et pleurnicher. Collé contre le mur, il jeta un coup d'œil par le coin de la fenêtre et vit Matthew debout dans la rue avec le fusil de son père sur l'épaule. Le vent gonflait les pans de sa veste et faisait battre son col contre son cou. Matthew mit une main en visière, leva la tête vers Lieder et cria quelque chose dans le vent. Puis il haussa théâtralement les épaules et sourit d'un air bête. Lieder rit et cria à ses hommes de laisser le petit entrer.

— Mais, son fusil ? s'enquit Minus.

— J'ai bien peur que cette énigme-là, vous ayez à la résoudre tout seuls.

Il ricana et se retourna vers Kersti.

Minus fit signe à Matthew de venir, tout en lui criant qu'il ferait mieux de laisser ses doigts bien loin de la détente de ce flingue.

Matthew porta sa main libre à son oreille et haussa les épaules.

— J'entends rien ! cria-t-il. Vous me dites que je (il posa l'index sur son torse) peux entrer dans le bar (il désigna l'hôtel) ?

— Viens, entre ! cria Minus. Mais ne tente rien de stupide !

— Ne tente rien de stupide ! répéta Mon-P'tit-Bobby.

Minus fusilla Mon-P'tit-Bobby du regard.

Matthew s'approcha de la porte, un sourire détendu aux lèvres, serrant le canon du fusil d'une main, levant l'autre grande ouverte pour bien montrer qu'elle était vide. Dès qu'il eut franchi le seuil, Minus lui arracha le fusil des mains.

— Qu'est-ce que vous en dites, hein ? demanda Matthew. C'est du fait maison. Y en a pas deux comme lui au monde. Pour fabriquer des cartouches, mon père devait utiliser la poudre et les plombs de deux cartouches double zéro ordinaires. Et vous vous demandez si ça dépote ? Ça dépote.

Il ne s'attendait pas à ce que Lieder fût à l'étage, loin des deux autres, et s'en trouva décontenancé.

Mon-P'tit-Bobby prit le fusil des mains de Minus et le soupesa.

— L'est lourd.

Minus le reprit d'un geste vif.

— Est-ce qu'il est chargé ?

— Non monsieur. Y a plus de cartouches, et c'est pas dans ce putain de trou que j'aurais risqué d'en trouver. C'est pour ça que je suis prêt à le vendre. À le brader, même.

— Qu'est-ce qu'on peut tirer avec un truc comme ça ? Une vache dans un couloir ?

Matthew rit et reconnut qu'elle était bonne.

— Il n'a qu'un coup, mais qui fait un foutu putain de trou. Alors, ça intéresse l'un d'entre vous ?

— Un fusil sans munitions, ça vaut pas mieux qu'un violon pour pisser, dit Minus.

— C'est vrai, reconnut Matthew. Mais vous voyagez, vous, et je suis sûr que vous pourriez trouver quelqu'un pour vous en fabriquer, des munitions.

— Nan, un gros tromblon comme ça, c'est pas fait pour des hommes qui voyagent, dit Minus. Bon sang, y faudrait trois hommes plus un tambour-major rien que pour le trimballer.

Matthew rit de nouveau, encore plus fort.

— Je croyais que c'était le type d'en haut qu'avait toute la cervelle du groupe, mais vous en avez lâché trois bonnes à la suite ! La première sur la chasse à la vache de couloir, puis celle sur le violon pour pisser, et maintenant vos trois hommes plus un tambour-major !

Le visage de Minus se contorsionna encore plus que de nature sous l'effet de l'afflux d'autosatisfaction. Matthew se tourna vers Mon-P'tit-Bobby et lui demanda :

— Et vous ? Je me disais que vous étiez assez costaud pour faire votre affaire de cette arme.

— Pour sûr !

— Alors vous me l'achetez ?

— Non.

— Écoutez, vous savez quoi ? Je vais vous faire un prix que…

Une main se posa lourdement sur l'épaule de Matthew, dans son dos.

— Matthew? Je viens de penser une chose vraiment marrante. (Lieder avait descendu l'escalier à pas de loup tout en remettant les pans de sa chemise dans son pantalon.) J'étais en haut, à m'amuser, quand cette affreuse pensée m'est venue. (Sa poigne se resserra sur l'épaule de Matthew.) Tu devines ce que c'était, cette affreuse pensée?

— Non monsieur. J'étais juste en train de demander à vos hommes s'ils voulaient pas acheter le fusil de mon père. Je pensais pas que ça pourrait vous embêter, vu que je vous avais déjà proposé et que vous aviez dit n...

— Je t'ai demandé si tu devinais ce que c'était, mon affreuse pensée.

— Non, monsieur, non, je devine pas.

— Hmm. Eh bien, j'étais là-haut, debout, en train de me faire comme qui dirait gâter, lorsqu'une petite voix dans ma tête m'a dit: et si ce vieux tromblon était pas vraiment déchargé?

— Je ne compr... Mais je vous ai déjà dit qu'y avait plus de cartouches. Le père a tiré les dernières y a un siècle.

— Je sais que tu m'as dit ça. Et je sais que tu me mentirais pas. Mais y se pourrait que tu croies honnêtement qu'il est pas chargé, et que tu te trompes? Qu'est-ce qui se passerait alors, Matthew? (Il sourit.) Ça t'embêtera pas, que je te mette un peu à l'épreuve, hein? Un homme qui veut devenir un de mes apôtres devrait pas avoir peur d'une petite épreuve.

— Quel... quel genre d'épreuve?

— Mon-P'tit-Bobby, tu veux bien me tenir Matthew en respect avec ton colt? T'inquiète pas, petit. Ça fait partie de l'épreuve... Toi, Minus, tu lui rends son fusil. (Il passa un bras sur l'épaule de Matthew et se serra suffisamment contre lui pour ne pas pouvoir être la cible de cette arme à canon long.) Je vais rester près de toi, petit, pour pas te déranger. Bon. Je te crois parfaitement quand tu me jures qu'il est pas chargé, mais tu sais ce qu'on dit... c'est bien souvent les armes soi-disant pas chargées qui tuent. Alors voilà l'épreuve. Toi et moi, on va marcher ensemble jusqu'à la table où la prude mariée est assise, tout excitée et pantelante d'impatience. (Il tira Matthew vers la table où Chinky se trouvait. À leur approche, elle leva un regard morne vers eux.) Maintenant, Matthew, arme le chien de ton fusil. Vas-y!

— Monsieur, il est pas chargé, je le jure devant D…

— Discute pas et arme le chien, petit!

Du pouce, Matthew releva le chien jusqu'à ce que ça fasse clic.

— Parfait. Maintenant tu mets la jeune mariée en joue, là. Oh, vise n'importe où au milieu, ça ira, parce que si ce truc s'avère être chargé – par quelque mystérieux miracle –, il dézinguera tout, des trous de nez au trou de balle.

Chinky chercha le regard de Matthew d'un air perdu, puis ses yeux s'écarquillèrent d'effroi lorsqu'elle comprit. Elle se leva et mit ses mains devant son torse, paumes ouvertes, comme pour arrêter le tir.

Matthew déglutit.

— Ne t'inquiète pas, Chinky. Il est pas chargé. On… On s'amuse, c'est tout.

— Appuie sur la détente, petit.

La bouche de Chinky s'ouvrit; sa tête fit non, non; ses yeux se plantèrent dans ceux de Matthew en une supplique muette.

— Appuie sur la détente!

Pour ne pas tourmenter Chinky davantage, Matthew appuya sur la détente, et le chien s'écrasa.

Le visage de Chinky se vida de son sang. Ses genoux flageolèrent. Elle tomba lourdement sur sa chaise.

— Voyez? dit Matthew. Je vous avais bien dit qu'y avait plus de cartouches. Bon sang, Chinky, je suis vraiment désolé.

Lieder hurla de rire et sa prise sur l'épaule de Matthew se changea en une caresse bourrue.

— Je le savais! Je savais que tu étais d'une sacrée trempe! Je le sentais dans mes os, qu'aucun de mes apôtres me trahirait jamais! Mais il fallait que je te mette à l'épreuve, Matthew, parce que les prémonitions et tout ce genre de choses, ça peut être des messages de Dieu, et quiconque méprise les messages de Dieu doit s'attendre à se faire botter le cul par le destin. J'espère que tu me comprends, Matthew. Et j'espère que tu me pardonnes – oh, mais j'allais oublier. Le pardon, c'est pas vraiment ton truc, hein?

Lieder gloussa et lui ébouriffa les cheveux; Matthew remarqua qu'il avait les phalanges meurtries.

TREMPÉ JUSQU'AUX OS, frissonnant sous la couverture dans laquelle il s'était enveloppé, Matthew était assis dans la pénombre du bureau du marshal tandis que la pluie crépitait sur le toit de tôle. Il était en train de retraverser la rue depuis l'hôtel, le fusil de son père négligemment posé sur l'épaule, quand brusquement, l'air s'était rafraîchi et le ciel obscurci. Les premières gouttes dodues firent éclater des petits cratères au creux desquels elles gisaient un instant, couvertes d'une fine pellicule de poussière. Avant que Matthew n'eût le temps de se mettre à courir, il se retrouva sous des trombes d'eau; et le temps qu'il atteigne le bureau du marshal en courant à toutes jambes, la poussière de la rue avait été battue en une mousse boueuse.

Il avait encore l'estomac noué et un arrière-goût acide dans la bouche à cause l'espèce de roulette russe à laquelle il venait de jouer. Il ne lui était jamais venu à l'esprit que Chinky pût se trouver impliquée, et il n'aurait de toute façon absolument pas pu lui dire qu'il n'avait pas chargé son fusil. Après sa longue cogitation de l'après-midi, il avait jugé que c'était comme ça que le Ringo Kid jouerait l'affaire. La partie la plus délicate du "stratagème" (ainsi que M. Anthony Bradford Chumms appelait les ruses du Ringo) avait été de lutter contre l'instinct qui l'avait poussé à se réfugier dans l'Autre Endroit quand cette main s'était brusquement posée sur son épaule. Mais le stratagème avait fonctionné; la prochaine fois qu'ils le verraient avec le fusil, ils seraient détendus et ne se méfieraient pas.

Il décida que ça ne valait pas le coup de commencer un feu dans son poêle, vu qu'il irait dîner une demi-heure plus tard au Grand Magasin conformément à sa routine quotidienne, comme B.J. le lui avait demandé, pour ne pas attirer l'attention. Dès qu'il commencerait à faire sombre, Ruth Lillian descendrait par l'arrière des maisons puis se faufilerait par la porte du fond du magasin, et lui et M. Kane sauraient tous deux s'il y avait des changements dans le plan de Coots. Matthew serra la couverture contre sa gorge et alla allumer sa lampe car, bien qu'il ne fût que 5 heures de l'après-midi, la rue était déjà noire à cause de l'orage. Il eut du mal à allumer la mèche en raison des frissons qui faisaient trembler son allumette. La mèche s'alluma ; il reposa le tube de verre ; le halo de lumière en expansion repoussa la pénombre et fit de nouveau exister le fusil de son père, posé contre le mur, là où il l'avait laissé. Il s'agenouilla au bord de son lit et sortit son sac de toile, puis il cassa le fusil et prit une des grosses cartouches du sac. Il essaya de la charger dans la culasse… mais pas moyen ! La texture à la fois cireuse et visqueuse de la cartouche le fit frissonner, et il la lâcha sur son lit. Il se frotta vigoureusement les mains sur son pantalon pour se débarrasser de cette sensation et toussa violemment pour expulser le début de panique qui lui nouait la gorge. Il prit quelques longues et profondes respirations puis, serrant les dents, se força à tendre de nouveau la main vers la cartouche pour toucher…

La porte de derrière s'ouvrit avec fracas.

Kersti franchit le rideau de pluie qui tombait du toit et entra. Elle était trempée jusqu'à l'os ; ses tétons sombres étaient visibles sous sa robe ruisselante.

— Kersti !

Il rangea vite la cartouche dans son sac qu'il poussa sous son lit, puis traversa la pièce jusqu'à la porte et tendit le bras à travers le rideau de pluie pour la fermer, trempant sa manche du poignet jusqu'au coude. Le fait de fermer la porte modifia le bruit de la pluie, ôtant le son mat des grosses gouttes qui faisaient mousser les flaques d'eau boueuse du crépitement plus aigu du toit de tôle.

— Tiens, dit-il en drapant sa couverture sur ses épaules. Qu'est-ce qui te prend de venir ici sous un orage pareil ? Ta mère va t'en passer une b…

Il se tut brusquement. Elle avait été frappée au visage. Elle avait une ecchymose sur une pommette et sa lèvre supérieure était enflée.

— Qu'est-ce qui s'est passé ? (Elle restait immobile, pleurant de froid et de souffrance ; ses cheveux en bataille dégoulinaient à grosses gouttes.) Viens, assieds-toi. Je vais faire du feu. (Il décrocha du fil où il l'avait mise à sécher deux ou trois jours plus tôt son "autre chemise", tout amidonnée de savon.) Tiens, essuie-toi le visage avec ça. Qu'est-ce qui s'est passé, Kersti ?

— Ma mère, elle… (Kersti peinait à s'exprimer, parce qu'elle claquait des dents dès qu'elle ouvrait la bouche.) Elle veut plus me voir à la maison ! Elle m'a dit… que j'avais qu'à… retourner à l'hôtel.

Matthew alluma un petit tipi de bois sec, des bouts de tasseaux cassés arrachés aux murs des maisons en ruine que toute la ville utilisait pour démarrer ses feux.

— Là, viens t'asseoir près du poêle. Comment ça, retourner à l'hôtel ?

Tandis qu'elle expliquait d'une voix hachée par le froid et l'émotion, il s'agenouilla à ses pieds pour alimenter le feu de bouts de bois plus gros, puis d'éclats de charbon à locomotive. Elle raconta comment Lieder avait dit à ses parents qu'il voulait qu'elle vienne le faire avec lui, et que si elle refusait, ses hommes tabasseraient son père et Oskar encore une fois, et saccageraient la maison, et feraient de vilaines choses à sa mère et à elle. Puis Lieder était parti en disant à ses parents d'y réfléchir et d'agir selon leur conscience. Alors sa mère, elle a… Kersti se tut.

Sans lever les yeux de son feu, Matthew demanda :

— Ta mère t'a demandé de le faire ?

— Non. Non, elle m'a pas demandé de le faire. Elle a juste… (Kersti renifla ; son nez coulait.) Elle a juste…

— Là. Pose tes mains sur le poêle. Il commence à chauffer.

Elle mit les mains sur le poêle tiède puis les porta à ses joues pour y transférer leur chaleur.

— Elle a juste… quoi ? demanda Matthew.

— Elle a dit que je faisais comme je voulais. Comme ça me paraissait juste. Mais elle était pas sûre que papa et Oskar supporteraient un autre tabassage. Ils risquaient de répliquer, et ils se feraient tuer, c'était couru… mais c'était à moi de voir. Et ça lui briserait le cœur de voir toutes ces choses pour lesquelles elle avait trimé, sué sang et eau pendant toutes ces années, fracassées et puis réduites en cendres… mais je devais faire ce qui me paraissait juste. Et puis elle a seulement planté son regard perdu dans un coin du salon… et pleuré sans un bruit. Puis elle a…

Kersti haussa les épaules et renifla.

— Elle a quoi ?

— Ben, elle a dit que si j'allais pas m'offrir à ce chef, alors ses hommes viendraient et nous violeraient toutes les deux, et vu que j'allais perdre ma vertu dans tous les cas… mais c'était à moi de voir.

— Alors t'es allée à l'hôtel ?

Elle fit oui de la tête, puis son visage s'élargit et s'aplatit soudain lorsqu'elle éclata en longs sanglots entrecoupés d'une respiration sifflante, mâchoires serrées.

Le plateau du poêle était maintenant trop chaud pour qu'on le touche, mais pas ses flancs, alors Matthew y appuya les mains jusqu'à ce qu'elles fussent aussi chaudes qu'il pût le supporter, puis il les posa sur la gorge de Kersti… comme sa mère le faisait quand il rentrait trempé et frigorifié de l'école.

— Ça va aller, Kersti, dit-il du ton à la fois chantant et doux que prenait sa mère. Ne t'inquiète pas. Tout ira bien.

Mais il se souvenait que, petit déjà, il savait que c'était un mensonge ; tout n'irait pas bien. Maintenant que le feu avait bien pris, il ouvrit la trappe et y jeta le reste du charbon qu'il avait pu glaner du côté du vieux dépôt de chemin de fer.

— Là, voilà ! Tu vas être chaude comme un bon toast en un rien de temps !

Il entendait l'optimisme faux et impuissant de la voix de sa mère dans la sienne, et il savait qu'il ne continuait à papoter que pour éviter d'entendre ce qui lui était arrivé à l'hôtel. Sans qu'il puisse l'expliquer, il avait l'impression que c'était sa faute, à cause de la manière dont il l'avait traitée.

Mais Kersti avait besoin d'en parler. Le regard planté sur la lueur ondoyant à travers le mica ridé par la chaleur de la trappe du poêle, elle toucha prudemment sa lèvre ouverte avec le bout de la langue. Puis elle commença à parler d'une voix blanche et monocorde.

— Il m'a fait monter à l'étage, m'a assise sur le lit et s'est mis à me parler… à dire des trucs insensés, mais vraiment sincères, tu vois ce que je veux dire ? Il a dit qu'il savait que j'étais pas digne de recevoir sa semence, mais que vu que les seules autres femmes de la ville étaient ma mère et les putes de l'hôtel, il faudrait bien qu'il s'en contente. Alors il… il m'a fait jouer avec lui, mais sa bite voulait pas se dresser… enfin, elle se dressait, mais elle restait pas dressée, et ça le rendait fou. Fou de colère ! Chaque fois qu'il m'écartait les jambes et essayait de la rentrer, elle se ratatinait comme de rien, et il jurait et grinçait des dents, et j'étais presque sûre qu'il l'avait jamais fait avec une femme… du moins pas de la façon normale. Puis il… il m'a attrapée par les cheveux et m'a secouée dans tous les sens en me disant que si jamais… si jamais… je disais à quiconque qu'il était pas capable de le faire à une femme, il m'écorcherait vive ! Et lentement, avec ça ! Et je me suis mise à chialer parce que j'avais la trouille et qu'il était à deux doigts de m'arracher tous les cheveux. Et c'est comme si mes pleurs l'excitaient, parce qu'il a rebandé, mais dès qu'il a essayé de me la mettre, elle s'est ramollie, alors il est devenu fou de rage et il a donné des coups de poing dans le mur jusqu'à ce que ses phalanges saignent, et il avait des larmes dans les yeux et il m'a dit que c'était pas sa faute à lui si sa bite restait pas debout. Un jour, quelqu'un l'avait frappée avec une règle. Très fort ! Et depuis… mais il m'a dit qu'il y avait une chose que je pouvais faire pour lui, et il m'a tirée du lit et mise à genoux, et il m'a prise par les cheveux et dit de me mettre au travail, alors je… je… (Difficilement, bruyamment, elle ravala sa salive.) Qu'est-ce que je pouvais faire ? (Ses yeux scrutaient ceux de Matthew.) Je veux dire… qu'est-ce que je pouvais faire ?

Il ferma les yeux et secoua la tête… Tout était sa faute.

Elle se tut un moment, mais il l'entendait ravaler ses pleurs.

— … puis ses hommes ont commencé à hurler en bas, comme quoi tu arrivais par la rue, avec un fusil, et j'étais contente parce que je croyais que tu venais me tirer de là. Mais non. Après qu'il a eu… tu sais… fait son affaire… il m'a dit que je ferais mieux de pas faire le moindre bruit sinon il me tabasserait comme y a pas, et il est descendu au bar sur la pointe des pieds. Pas longtemps après, il est revenu, il riait, et il a recommencé avec moi, et l'orage a éclaté et la pluie a commencé à tomber vraiment fort, et ça l'a plus ou moins excité, mais elle voulait toujours pas rester raide, alors il est devenu vraiment fou, et il m'a donné une grande claque et il m'a dit que je l'avais bien eu ! J'étais pas une vraie vierge ! C'est pour ça qu'il arrivait pas à rester raide ! Et je lui ai crié qu'il avait raison. J'étais pas vierge. S'il voulait une vierge, pourquoi il allait pas prendre cette Ruth Lillian Kane avec son beau chignon, et je…

Elle éclata en sanglots.

Matthew resta sonné quelques instants, puis posa maladroitement le bras sur son épaule et lui tapota le dos, en partie pour la consoler, en partie pour qu'elle s'arrête de pleurer et qu'il puisse réfléchir au problème. Son esprit s'accrochait à un fait horrible.

— Tu… tu lui as parlé de Ruth Lillian ?

— Ça m'a échappé. Et de toute façon, c'était pas juste qu'elle soit bien à l'abri pendant que moi je me faisais cogner ! C'était pas juste ! (Matthew ne bougeait pas, et Kersti ressentit sa condamnation silencieuse.) C'était pas ma faute ! Il me cognait et me forçait à lui faire ce truc !

Mais Matthew continuait à faire non de la tête, les yeux misérablement fixés sur le coin de la pièce.

Le poêle dégageait désormais une bonne chaleur, et elle se tourna pour se réchauffer de l'autre côté. Il se leva et alla à la fenêtre. Le vent qui sifflait par les interstices des panneaux mal ajustés lui donnait froid aux épaules, là où les larmes et la salive de Kersti les avaient mouillés. À travers les lambeaux du rideau de pluie qui tombait du toit, il voyait les mares couleur chocolat de la rue danser sous l'impact des gouttes.

Il dut se racler la gorge avant de pouvoir articuler :

— Comment tu t'es échappée ?

— Le chef a envoyé ses hommes rafler tout le monde pour la fête de ce soir. Quand il est descendu les rejoindre en bas, il m'a enfermée dans la chambre. J'ai attendu jusqu'à ce que je me dise qu'il devait être assez loin pour ne plus rien entendre, avec l'orage, leurs chants, tout ça, et je suis passée par la fenêtre de derrière qui donne sur le cabanon, et j'ai réussi à descendre comme ça. Je suis rentrée chez moi et je me suis mise à chialer, j'ai raconté à ma mère ce qu'il m'avait fait, mais elle m'a dit que ça servait à rien de pleurer après coup, et que j'aurais p'têt' dû rester à l'hôtel, au cas où le chef aurait encore besoin de moi. Elle a pas dit que c'était de ma faute. Mais ce qui est fait est fait, ça sert à rien de revenir dessus. La dernière chose qu'elle voulait, c'était que cet homme débarque encore à la maison pour me chercher. Ça m'a mise en rage, et je lui ai dit que si elle voulait que je retourne au bordel, pas de problème ! J'le ferais ! J'irais faire la pute ! Elle, elle pouvait aller au diable. Au diable et en enfer, tout de suite ! Et je suis partie en claquant la porte, et je me suis retrouvée dehors sous la pluie, et là-haut à l'hôtel tout le monde chantait et riait. Alors je suis venue ici. Je savais pas où aller. Je veux dire… où voulais-tu que j'aille ?

Matthew lui dit qu'elle pouvait rester jusqu'à ce qu'elle se soit bien réchauffée. Mais qu'ensuite, elle serait plus en sécurité dans le grenier de B.J., avec Frenchy et… avec Frenchy. Il savait que Ruth Lillian devait bientôt passer au magasin de son père.

— Va falloir que j'aille là-bas. Tu ferais mieux de garder ma couverture, pour pas attraper la mort.

— Matthew ?

— Hmm ?

— Tu m'en veux d'avoir parlé de Ruth Lillian, hein ?

— Non, je t'en veux pas, c'est juste que… Bon sang, Kersti ! Comment as-tu pu lui dire ça ? À quoi tu pensais ?

— C'est pas de ma faute !

Il la fixa d'un regard dur. Puis ferma les yeux et secoua la tête.

— Et toute façon, dit-elle d'un ton irrité et défensif, ce fils de pute était tellement parti qu'il a probablement pas fait attention à ce que je racontais. Je parie même qu'il m'a pas entendue.

Matthew la regarda d'un air triste.

— Non, il t'a entendue.

Avec la tombée de la nuit, on commença à voir les éclairs qui fleurissaient dans le ventre des nuages d'orage sur tout le pourtour de l'horizon, mais le grondement perpétuel du tonnerre coléreux était à peine audible sous le vacarme des trombes d'eau qui tombaient en diagonale dans l'implacable assaut qu'elles menaient contre les toits de tôle et les façades de bois. Alors qu'il gagnait le Grand Magasin par petits sprints entre deux bâtiments abandonnés, Matthew put apercevoir l'Hôtel des Voyageurs à plusieurs reprises à travers la pluie. Toutes les lampes étaient allumées et les fenêtres brillaient sous l'averse, projetant des taches d'or frétillantes sur les mares de boue qui crépitaient dans la rue. Il n'entendait ni chant ni piano, mais des ombres planaient et dansaient sur les fenêtres ; les "diacres" profitaient d'une nouvelle soirée de virile camaraderie.

Matthew trouva M. Kane à l'étage, dans la cuisine, assis dans le noir à la même place, face à son déjeuner intact.

— Ruth Lillian n'est pas encore arrivée ? demanda Matthew.

M. Kane fit non de la tête.

— Bon, ne vous inquiétez pas, monsieur. Elle devrait pas tarder.

Il alluma la lampe à pétrole sur la table de la cuisine et M. Kane cligna des yeux sous l'effet de cette lumière rentrant par effraction dans ses sombres ruminations.

— Je ferais mieux de réchauffer quelque chose pour Ruth Lillian, dit Matthew.

La concoction de haricots et de tomates en boîte (avec un peu d'oignon pour "le croustillant") était toujours sur l'arrière du poêle, à moitié figée et durcie sur les bords. En soufflant, Matthew parvint à faire rougeoyer quelques galets de charbons couverts de cendre, et il ne tarda pas à faire repartir le feu. Il vida l'assiette de M. Kane dans la poêle pour éviter de gâcher, puis ouvrit une boîte de corned-beef, en émietta le contenu avec une fourchette et l'ajouta au reste avec une nouvelle boîte de tomates. M. Kane le regardait faire d'un air ébahi. Le temps que le rata commence à frémir, les nuages d'orage avaient franchi la falaise et faisaient tonner leur colère sur les plaines.

Ils entendirent la porte de derrière s'ouvrir avec fracas, arrachée de la prise de Ruth Lillian par le vent.

— Papa ?

Alors que sa fille montait l'escalier en courant, M. Kane se leva pour la prendre dans ses bras, mais la table se trouvait dans le passage et leur embrassade fut gauche, comme l'étaient la plupart des gestes d'affection de cet homme tout en langage et rationalité. Gaucherie accrue par la parka volumineuse et dégoulinante que Ruth Lillian avait empruntée à Coots.

— Je me suis... tellement... inquiété, dit M. Kane d'une voix hachée. Je me suis imaginé... des tas... d'horribles...

— Tout va bien, papa, le rassura-t-elle en enlevant la parka et en la posant dans un coin. Ça va, je vais bien.

— Elle va pas seulement bien. Elle est magnifique ! dit B.J. en haut de l'escalier.

Il avait eu du mal à refermer la porte à cause du vent. Il avait décidé de venir avec elle parce qu'il ne supportait pas d'attendre là-haut sans rien faire, le temps que Coots descende affronter... Dieu seul sait quels dangers.

— Elle a sauvé la peau de Coots en le prévenant. Mais il a bien fait de la faire redescendre avec lui. Cette pluie a dû transformer le sentier en piège mortel.

— Oui, j'imagine que oui. Mais tout de même...

M. Kane se rassit à sa place ; Matthew sortit une assiette supplémentaire pour B.J. et lui servit du rata. Ruth Lillian mangeait avec appétit, B.J. avec prudence, et M. Kane ne mangeait pas.

— Cette substance a-t-elle un nom ? demanda B.J. en en tâtant prudemment un morceau du bout de sa fourchette.

— Oui monsieur, dit Matthew en rebondissant sur l'intention qu'il perçut chez B.J. de distraire M. Kane de ses soucis. J'appelle ça “le Rata de Twenty-Mile”.

— Hmm. Je vois. Eh bien, vingt miles, c'est peut-être une bonne distance. Tant que le vent souffle dans l'autre sens.

— Moi, je trouve ça délicieux, déclara loyalement Ruth Lillian en tendant son assiette pour que Matthew la resserve.

— Bah, *de gustibus non disputandum est*, comme ne cessent de le dire tous ceux qui n'ont pas de goût. (Il se tourna vers Matthew.) Kersti Bjorkvist est arrivée à l'écurie juste au moment où je partais. Elle m'a dit qu'elle était passée chez toi.

— Est-ce qu'elle vous a dit... autre chose ?

— Juste que sa mère l'avait mise à la porte. Je me demande pourquoi.

— Oh... une dispute.

Matthew savait que M. Kane ne devait pas apprendre ce qui était arrivé à Kersti à l'hôtel.

— Frenchy et elle gardent les lampes et le feu allumés dans le bureau de l'écurie, au cas où ces hommes regarderaient dans cette direction.

— Quand est-ce que Coots…

— D'un moment à l'autre, maintenant, le coupa sèchement B.J. avant de reprendre le contrôle de ses nerfs. Il ne va pas tarder à descendre, j'imagine. Il a dit qu'il attendrait que l'orage arrive pile sur la ville. Il pense que ça pourra couvrir n'importe quel bruit.

— Il est très courageux, votre ami, dit M. Kane.

— Oui, dit B.J. simplement.

— Il n'y a pas d'alternative, j'imagine ? Pas d'autre solution que… ?

— Pas avec ces hommes. Matthew vous a dit ce qu'ils ont fait à M. Delanny ?

M. Kane acquiesça et jeta un regard plein d'appréhension vers sa fille, qui avait les yeux baissés sur son assiette. Frenchy lui avait raconté ce qu'elle avait fait. Et pourquoi.

— Non, dit B.J. Avec des hommes comme ça, il n'y a pas d'autre solution.

— J'imagine que vous avez raison, mais…

— Mais quoi ?

— Tout est si compliqué. Je sais que cet homme est vicieux et dangereux, mais d'un autre côté Matthew m'a raconté comment il avait laissé Frenchy partir. Il l'a juste laissée partir, après qu'elle l'a privé de sa proie. Pourquoi a-t-il fait ça ?

— Je n'en sais rien, dit B.J. Peut-être que tout comme les chiens peuvent sentir la peur chez les gens, certains hommes peuvent sentir la panique chez leur victime, et que ça les plonge dans une sorte de frénésie de violence. Mais si vous n'avez pas peur – s'ils peuvent le voir dans vos yeux –, alors ils n'attaquent pas, parce que, au fond d'elles, toutes les brutes sadiques sont des pleutres. Je me souviens d'un conte indien à propos d'un jeune homme qui s'était isolé pour un jeûne de purification. Lorsqu'il émergea de sa méditation, il était entouré de loups affamés, mais il survécut en verrouillant sa concentration sur une image mentale de sa mère adorée, et il parvint à s'en aller en marchant lentement entre les loups, qui ne sentaient aucune peur émaner de lui. Peut-être que le fait que Frenchy se soit levée face à Lieder… l'ait regardé droit dans les yeux et l'ait défié… (B.J. haussa les épaules.) Alors que cette pauvre Chinky est timide et soumise… Elle fait une victime idéale. Sa terreur excite ses tortionnaires.

— Vous avez peut-être raison, dit M. Kane. Mais que dire de notre Matthew, là ? Ce chef semble s'être pris d'affection pour lui. Pourquoi ?

— Aucune idée, reconnut B.J. avant de se tourner vers Matthew pour lui demander : Qu'est-ce qu'il s'est passé quand il est venu chez toi ? Est-ce que tu t'es opposé à lui ? Est-ce que tu as refusé de t'aplatir ?

— Pas tant que je me souvienne. On a juste parlé de… Ah, si ! Il a fait une remarque sur M. Anthony Bradford Chumms – celui qui écrit les livres du Ringo Kid, voyez ? –, et je lui ai dit que je ne tolérerais pas d'entendre quelqu'un parler en mal de M. Chumms. Je suppose que c'était un peu s'opposer… plus ou moins.

— Et peut-être perçoit-il quelque chose de lui-même en toi, suggéra M. Kane. Nos sentiments sont faits de bien plus d'orgueil que nous ne voudrions le croire.

— Je ne vois pas en quoi nous pourrions être semblables, répliqua Matthew d'un ton sec. Il a dit que son père le battait. Et les autres enfants se moquaient sûrement de lui à l'école à cause de ça.

— Comme toi ? dit B.J. en jetant un bref coup d'œil vers Ruth Lillian, avec qui il avait parlé de Matthew pendant une heure dans l'après-midi.

— Comme moi ? Mon père m'a jamais battu. Et je vous garantis que personne s'est jamais moqué de moi à l'école.

Il sentit les yeux de Ruth Lillian se poser sur lui et il se souvint de lui avoir parlé des frères Benson, qui s'étaient moqués de lui parce que son père était un ivrogne et qu'il battait sa mère. Il prit garde de ne pas tourner la tête afin de ne pas croiser son regard. Il se sentait trahi. Il ne voyait pas du tout ce que lui et Lieder pouvaient avoir en commun. Il ne savait pas pourquoi Lieder avait dit qu'ils étaient tous les deux des "petits garçons brisés". Il n'avait pas l'impression que Lieder et...

Une lumière aveuglante les saisit. Un grondement de tonnerre assourdissant fit trembler les murs du Grand Magasin. Deux éclairs et deux craquements se succédèrent rapidement et noyèrent subitement la pièce dans une odeur d'ozone âcre et piquante, tandis que les images des fenêtres demeuraient imprimées en négatif sur leurs rétines.

Le premier éclair avait coupé le souffle de M. Kane, qui se tenait maintenant raide sur sa chaise et respirait par petites bouffées saccadées sans oser expirer à fond de crainte de déclencher une douleur cardiaque. Ruth Lillian tendit la main et attrapa celle de son père, mais sa respiration commençait déjà à s'apaiser et il fut bientôt capable de sourire et de dire d'une voix faible :

— Ça amuse Dieu. Ces petites blagues, faire peur aux gens comme ça. Qu'est-ce qu'il nous réserve d'autre, à votre avis ? Un petit appareil qui vous envoie une décharge quand vous attrapez la main secourable qu'Il vous tend ?

Tout le monde partit d'un petit rire, mais M. Kane avait toujours le visage livide et des gouttes de sueur froide perlaient sur son front.

— Vous avez pas besoin de rester à veiller plus longtemps, monsieur Kane, dit B.J. Dieu pourra tout aussi bien vous terroriser dans votre lit.

— C'est juste, dit M. Kane en pouffant doucement. Mieux, même. Il pourra glisser ses petites blagues au cœur de nos cauchemars.

Tout le monde lâcha de nouveau un petit rire. M. Kane pressa la main de sa fille pour lui montrer que c'était fini, qu'il allait bien, puis il se leva et alla dans sa chambre.

L'ORAGE ÉTAIT AU PLUS FORT, et Coots estima que les rouages de la fête à l'hôtel devaient être d'ores et déjà bien huilés à l'alcool. L'heure était venue. Il glissa une sixième balle dans son revolver. Comme tous les tireurs expérimentés, il laissait toujours la chambre placée sous le chien vide lorsqu'il faisait un travail physique parce que, comme il l'avait un jour expliqué à Matthew, si le chien se prenait dans quelque chose, on avait vite fait de se tirer une balle dans le pied… ou pire. Il mit une poignée de munitions supplémentaires dans la poche de sa veste, par habitude, mais il savait que s'il ne réglait pas l'affaire avec ses six premières balles, il y avait peu de chances pour qu'il puisse recharger. Frenchy était en bas de l'échelle du grenier ; elle observait ces préparatifs tout simples.

— Tu feras attention à toi, hein ?

Il hocha la tête.

— T'es un peu vieux pour ce genre de truc.

— Dieu sait que là-dessus, t'as raison !

— Pourquoi tu le fais, alors ?

— Ça, ça me la coupe.

Il enfonça son chapeau bien fermement sur son crâne et sortit sous l'orage.

Ils étaient tous les trois assis autour de la lampe dans un silence tendu, anticipant la prochaine volée de déflagrations et d'éclairs.

— Il se fait tard, commenta B.J. pour dire quelque chose.

— Il est quelle heure, à votre avis ? demanda Ruth Lillian.

— Pas loin de minuit. Je ne sais pas exactement. J'ai cassé ma montre il y a trois ans, mais vu le lent rythme des choses à Twenty-Mile, je n'ai jamais jugé utile de…

— Ruth Lillian ? l'interrompit Matthew. Je crois que tu ferais mieux de faire ta malle, au cas où tu devrais quitter la ville.

— Comment ça ?

— J'ai tout prévu. Tu peux suivre la voie ferrée jusqu'à Destiny. Ça sera pas facile, avec la pluie, les rails qui glissent et tout ça, mais il faut que tu t'en ailles, orage ou pas orage.

— Je peux pas abandonner papa ! Pas malade comme il est. Et faible.

— Il le faut, Ruth Lillian. Y a des choses que tu comprends pas. M. Lieder, il… (Matthew avala sa salive.) Il veut une vierge. Pour porter sa semence. Il veut un fils qui poursuive le combat après sa mort.

— Qui poursuive quel combat ? demanda B.J.

— Une espèce de combat contre les étrangers et Washington et – j'en sais rien – un truc sur les juifs qui sont jamais bûcherons, et d'autres genres de choses trouvées dans ce livre qu'il a. Ce qui compte, Ruth Lillian, c'est qu'il veut une vierge.

— Mais il ne sait même pas que je suis en ville.

— Maintenant, si.

— Comment il l'a appris ? demanda B.J. d'un ton sec.

— Kersti le lui a dit… mais c'était pas sa faute. Ça lui a échappé. Il la cognait et la maltraitait salement. Je veux dire, vraiment salement. Et la prochaine chose qu'il va faire, c'est te chercher, Ruth Lillian. Je le sais. Sans doute pas ce soir, avec l'orage et tout, mais demain, c'est sûr. C'est pour ça qu'il faut que tu partes d'ici. Tu comprends ?

Elle resta silencieuse un instant.

— Oui. Oui. Je comprends. Mais M. Coots a prévu de le descendre ce soir.

— Ouais, mais… et s'il se passait un truc ? dit Matthew. Et si Coots le loupait ? Tu dois être prête à partir.

— Comment ça, si Coots le loupait ? demanda B.J. d'un ton offensé. Coots l'aura ! Et si jamais il se passait quelque chose qui l'empêchait… Eh bien dans ce cas, nous devrons tout simplement protéger Ruth Lillian tous les deux. Toi et moi.

— Comment ?

— J'en sais rien, Matthew ! Nous devrons trouver le moy… Et le fusil de ton père, hein ?

— Il vaut rien. Je peux pas l'utiliser. J'ai essayé de le charger pas plus tard que tout à l'heure, mais j'ai pas pu. Je pouvais même pas toucher les… cartouches. Mes mains voulaient pas…

Le regard de Matthew se mit à passer de l'un à l'autre très vite, affolé.

— Holà, fiston ! Détends-toi.

— Mais je peux même pas… toucher… je peux même pas… je peux même pas…

— Matthew ? Matthew !

Sa respiration s'apaisa ; son regard s'adoucit ; il lâcha un long soupir et posa des yeux rêveurs au-delà de B.J. et Ruth Lillian, vers la fenêtre ruisselant de pluie où les lumières de l'hôtel projetaient des taches de lueur sale. L'orage se calma un instant et le bruit des hommes chantant sur la mélodie du piano mécanique émergea derrière le rugissement du vent.

— … Matthew ? répéta B.J.

Ruth Lillian posa une main sur sa manche.

— Matthew ?

Matthew cligna des yeux et déglutit, puis il accrocha son regard à celui de la jeune fille.

— Qu'est-ce qu'y a ? Qu'est-ce qui va pas ?

— Tu étais parti, dit-elle en lâchant un petit rire forcé.

Il fronça les sourcils, perplexe.

— Parti ?

— Tu sais, cet "autre endroit" dont tu m'as parlé ? Je crois que tu viens d'y aller.

Il regarda B.J., puis Ruth Lillian, confus.

— Qu'est-ce que tu essaies de… ? Je ne comprends pas ce que tu… ?

— Matthew ? dit B.J.

— Monsieur ?

— Je m'inquiète de la manière dont tu réagiras si ça tourne mal.

— Comment ça ?

— Eh bien… Quand on a vécu des choses horribles, c'est parfois difficile de… rester maître de soi en cas de coup dur.

Matthew regarda alternativement B.J. et Ruth Lillian avec un mélange d'incompréhension et de méfiance. Qu'est-ce qu'il se passait, là ?

— Cet après-midi, à l'écurie, expliqua B.J., Ruth Lillian et moi avons discuté de choses et d'autres, pour passer le temps.

— De choses et d'autres comme quoi ?

— Comme toi, surtout.

— Moi ?

— Ben, tu vois, c'est une chose que nous avons en commun : nous t'aimons bien tous les deux. Et nous nous faisons tous les deux du souci, et nous nous demandons… si…

— Vous vous faites du souci pour moi ?

Ruth Lillian relaya B.J. dans ses explications :

— M. Stone m'a dit ce qui était arrivé au Nebraska. Il m'a montré un journal. Et il a pensé – nous avons tous les deux pensé – que peut-être, tu vois, des fois, les gens ont besoin de parler des choses pour s'en libérer. Et comme nous sommes amis, toi et moi, et qu'on a parlé de tout ce qui peut exister sous le soleil – des Cracker-Jacks et de l'infini et tout ça – je me suis dit que peut-être…

— Tu t'es dit que peut-être quoi ?

— Ben, ça a dû être horrible quand t'étais gamin. Avec ton père qui cognait sans arrêt ta mère et tout ça.

— Mais c'était pas sa faute !

— C'était la faute à qui ? demanda B.J. en se rasseyant de manière à ne plus se trouver en pleine lumière.

— C'était la faute à personne. C'était juste pas de chance. Papa avait plein d'idées et plein de projets, mais il a jamais eu de chance. Les gens le voyaient comme il était à la fin, à tituber à toute heure, à vomir, ivre mort. Ils pensaient jamais à ce qu'il aurait pu devenir, si seulement il avait eu un peu de chance. Un soir où maman était malade, j'ai veillé pour lui changer ses cataplasmes de moutarde, et du coup j'étais encore debout quand mon père est rentré avec l'alcool triste… ce qui était mille fois mieux que quand il rentrait avec l'alcool mauvais. On s'est assis devant la cheminée, lui et moi, et il a commencé à me parler de comment c'était quand il était jeune. Je crois qu'il voulait que quelqu'un comprenne pourquoi il était comme il était. Comme tu disais, des fois, les gens ont besoin de parler des choses pour s'en…

Un enchaînement d'éclair et de déflagration quasi instantané depuis plus bas dans la montagne vint les surprendre, suivi d'un étrange bruit de craquement, comme si l'éclair en avait arraché un pan. L'espace d'un moment, l'assourdissant crépitement de la pluie sur le toit se calma alors que l'orage semblait reprendre sa respiration. Puis il revint avec une force redoublée ; le vent sifflait par les fenêtres, les aspirait, les faisait trembler dans leurs cadres mal ajustés au rythme de ses plaintes et de ses hurlements.

LES MUSCLES DU COU DE COOTS tressaillirent lorsque le doublé éclair déflagration fut suivi du bruit de craquement plus bas dans la montagne. Il se colla contre le mur du fond de l'Hôtel des Voyageurs, évitant le torrent d'eau qui chutait de la gouttière cassée pour être vaporisé par le vent avant de toucher le sol.

Les dents mises à nu par un rictus tendu, il ouvrit doucement la fenêtre de la cuisine au moment même où – pas de chance – le bruit du vent et de la pluie se calma, comme si l'orage eût un instant repris sa respiration et, pendant quelques secondes, il put entendre le piano mécanique qui jouait dans le bar. En attendant que l'orage recouvre sa furie, Coots enleva ses bottes et les posa là, contre le mur. Puis, avec la souplesse fluide du Cherokee, il se hissa lentement par la fenêtre et disparut dans l'obscurité de la cuisine, d'où il referma sans bruit la fenêtre derrière lui.

— PAPA ÉTAIT ASSIS LÀ, comme ça, devant le feu, avec des larmes plein le visage. Il m'a dit qu'il voulait me rapporter un livre, mais que quelqu'un l'avait arnaqué de tout son argent. C'est papa qui m'avait rapporté mon tout premier *Ringo Kid*, au retour d'une longue virée. Il a commencé à m'expliquer qu'un jour il allait devenir riche et que tout le monde le respecterait. Mais il a jamais eu de chance, il a jamais eu la moindre foutue once de chance ! Courir après la chance, c'était pour ça qu'il était venu en Amérique. Il avait rencontré un, comment on appelle ça, un "courtier de main-d'œuvre", là-bas dans le vieux pays, un homme qui paierait la traversée de papa en Amérique et lui trouverait du travail en échange de tant par mois jusqu'à ce que sa dette soit remboursée. Bon, papa avait seulement dix-sept ans, mais ça chauffait plus ou moins pour lui au village à cause d'une affaire de fille, alors il a saisi sa chance. En arrivant en Amérique, ils l'ont accueilli sur le quai et mis direct dans un train – quarante personnes par wagon de marchandises – et ce train l'a amené au travail que le courtier de main-d'œuvre lui avait trouvé. Une carrière d'ardoise dans le Vermont. C'était un travail difficile et dangereux... le genre de travail auquel les Américains de souche voulaient pas se frotter. Après avoir trimé là-haut tout un hiver pour seulement quelques dollars par mois en plus du gîte et du couvert, il découvrit qu'il n'avait remboursé que dix-sept dollars de ce qu'il devait au courtier. Tout le reste était parti en intérêts et "charges spéciales". À ce rythme, il aurait fallu qu'il travaille six ans dans cette carrière avant d'être libre de chercher un autre boulot. Bon, ça, c'était hors de question pour papa. Il s'est enfui et a passé les quelques années suivantes à dériver vers l'ouest, errant d'un lieu à l'autre sans jamais tomber sur cette petite pépite de chance qu'il cherchait. Les gens lui mentaient, le trompaient, le sous-payaient, alors il les volait, juste pour se faire justice. Tous les projets d'affaires qu'il élaborait tournaient au vinaigre pour des histoires qu'étaient jamais sa faute. C'était juste le manque de chance !

Matthew continua à raconter comment son père avait rencontré une fille qui travaillait dans une œuvre de bienfaisance à Tarkio, dans le Missouri ; une fille normale et pieuse. Elle était pas du genre "facile", le genre après quoi il courait d'habitude, mais quelqu'un lui avait dit que le père de cette fille était vieux et qu'elle hériterait de la ferme. Le jeune Dubchek s'est tout de suite vu fermier. Il planterait du maïs – ou autre chose –, et des insectes – ou un fléau comme ça – viendraient ravager les cultures de tout le monde sauf les siennes, et ils feraient tous faillite pendant que lui, il se ferait un sacré paquet de dollars, alors il rachèterait les fermes des environs pour une bouchée de pain et deviendrait grand propriétaire terrien. Il embaucherait des gens pour semer et récolter à sa place, puis il s'agrandirait, se lancerait dans le commerce des céréales et de l'alimentation, mais pas pour ouvrir juste une minable petite épicerie dans un trou paumé au bord du chemin de fer, non, il ferait les choses en grand ! Il écraserait le marché ! C'est comme ça qu'il faut faire ! Chiader ses marges, puis écraser le marché ! Tout ce qu'il faut, c'est avoir ce premier petit coup de chance.

Il s'inscrivit au club de lecture de la Bible de cette fille, et dès le premier jour il lui demanda si elle aurait la bonté de l'aider à comprendre certains passages qu'il trouvait difficiles, lui qu'était pas très fort en anglais et tout et tout.

Le fermier n'aima pas l'allure de ce Dubchek – pour ne rien dire de ses manières doucereuses et de son nom bizarre. Il lui ordonna de cesser de tourner autour de sa fille. Lors de leur dernière rencontre, dans la grange, Dubchek supplia la fille de lui donner un gage de son amour en souvenir, et la jeune femme, en larmes, ne sut pas lui dire non. Après ça, il resta dans les parages, à faire des petits boulots çà et là, jusqu'à ce qu'environ deux mois plus tard le fermier monte en ville dans sa carriole et lui ordonne, fouet à la main, d'épouser sa fille, sans quoi !

Lorsque le fermier mourut un an plus tard, Dubchek découvrit que l'héritage de son épouse consistait en un embrouillamini d'hypothèques et de sous-hypothèques. Il se sentit de nouveau trahi, cette fois par une femme qui lui avait fait miroiter l'appât d'une misérable ferme criblée de dettes pour le forcer à l'épouser. L'enfant naquit ; la ferme fut saisie ; et ils s'en allèrent tous trois plus loin vers l'ouest, vivant de petits boulots qui se terminaient à chaque fois de la même manière : le père se faisait renvoyer, accusé de fainéantise, ou de vol, ou d'ivresse, ou d'impertinence envers le patron. Entre ces petits boulots, il y avait les plans délirants pour devenir riche rapidement. Un jour, Dubchek réussit à payer le premier versement pour une ferme d'élevage de renards roux. La fourrure de renard roux faisait un tabac auprès des dames de la côte Est, qui étaient prêtes à payer cent dollars pour une étole à se mettre autour du cou. Cent dollars ! Tu multiplies ça par mille, et ça te fait cent mille dollars ! Et ce n'est qu'un début !

Pendant presque un an, il arrêta de boire et garda deux boulots, travaillant jour et nuit, par tous les temps, même quand il était malade, et économisa jusqu'au moindre penny. Au printemps, il avait assez d'argent pour payer la mise de départ sur une ferme en très mauvais état avec une maison d'habitation à moitié en ruine.

Qu'est-ce que ça pouvait faire, que la terre soit pas bonne ? Dubchek était pas un cul-terreux stupide ! Il allait faire de l'élevage de renards roux, et pour ça, y avait besoin que de quelques clapiers vite bricolés derrière la maison. Puis la malchance avait recommencé à frapper. Il eut du mal à trouver des renards. Pas un de ses voisins n'avait seulement entendu parler de ce genre d'élevage. Ils pensaient que les fourrures de renards, c'était les trappeurs qui les vendaient. D'accord… d'accord… d'accord, c'était bon, il allait prendre des renards sauvages et les élever dans des clapiers, et ils se reproduiraient et très bientôt la ferme grouillerait de renards ! Il réussit à acheter trois renards à un trappeur, dont un avec une jambe broyée par le piège. Ils moururent tous dans leurs clapiers, et ce fut celui à la jambe broyée qui survécut le plus longtemps… ce qui vous prouve bien à quoi ça tenait, tout ça. Après un long hiver bien froid et un long printemps bien bouillasseux, ils durent laisser la banque reprendre la ferme… Encore un coup de malchance pour alimenter l'amertume de Dubchek. Il se remit à boire. Et, bon sang, pourquoi s'en priver ? À quoi bon continuer à essayer quand le monde entier se liguait contre lui, quand tout complotait pour l'empêcher de devenir quelqu'un ?

Le vent forcit en un hurlement strident phénoménal, griffant les fenêtres du Grand Magasin, fouettant les larges rideaux de pluie qui cascadaient des gouttières pleines, les lacérant en lambeaux d'écume fous.

Par un effet de contraste aveuglant, le losange de lumière vive qui se déversait depuis la salle de bar intensifiait l'obscurité dans la cuisine de l'hôtel. Colt à la main, Coots se dirigea très lentement vers le pan de lumière en faisant rouler le poids de son corps du talon aux orteils de ses pieds nus pour ne faire aucun bruit. Queeny – coup de chance – chantait sur la musique du piano mécanique. *C'est juste un oiseau dans sa cage dorée, ô vi-si-on ma-gni-fi-que.* Il avançait, guidé par ses pieds nus plutôt que par ses yeux… *car son amour impé-ri-eux, pour l'or d'un homme si vi-i-i-eux !… C'est une fille dans une cage dorée.*

B.J. STONE ÉTAIT AUSSI AU FOND DE SA CHAISE, le visage hors du halo qui faisait rutiler les cheveux cuivre de Ruth Lillian. Il avait écouté avec compassion le récit de Matthew expliquant en quoi rien n'était la faute de son père parce qu'il n'avait jamais eu de chance. Mais son esprit s'en était parfois détaché pour se fixer sur Coots… dehors sous la pluie… en danger.

Matthew avait la tête baissée et ses yeux se perdaient dans l'ombre de ses arcades sourcilières. B.J. avait espéré que l'inquiétude sincère et évidente de Ruth Lillian aiderait Matthew à parler de ce qui s'était passé dans cette ferme du Nebraska. Mais il avait éludé ses questions en parlant de son père plutôt que de lui-même, et après la dernière déflagration d'éclairs et de tonnerre, il s'était tu. Alors B.J. se racla la gorge et se lança, d'une voix douce et posée :

— Je… hum… J'ai lu cet article dans un journal du Nebraska. Il y avait cet homme et cette femme qui vivaient dans une ferme. Avec leur fils. Un passant a entendu leur vache beugler pour qu'on la traie, alors il a frappé à la porte et jeté un coup d'œil par la fenêtre. Puis il a couru chercher de l'aide. Ils ont trouvé la femme morte. Nuque brisée. L'homme avait été abattu. À moitié pulvérisé par l'impact. (Il se tut, mais Matthew ne réagit pas, ne leva même pas la tête ; ses yeux restaient perdus dans l'ombre.) Le voisin décrivait Mme Dubchek comme une femme honnête et pieuse ; son mari comme un bon à rien violent avec "un penchant pour la bouteille". Le fils avait disparu. L'article laisse entendre qu'il a peut-être été kidnappé par les meurtriers. Ou tué et enterré quelque part. Le voisin était incapable de donner la moindre description valable du fils. "C'était juste un gamin… sans rien de spécial." (B.J. se pencha vers la lumière.) Ce voisin se trompait, Matthew. Ce gamin avait au contraire quelque chose de vraiment spécial. Et mon cœur est avec lui quand je pense à ce qu'il a dû éprouver en voyant ses parents… comme ça. Pire encore : il se peut qu'il ait été témoin de ces meurtres. Quel fardeau de souffrance et d'horreur il doit traîner en lui !

Matthew leva la tête et posa son regard sur le vide entre B.J. et Ruth Lillian. Il leva les mains et se toucha les tempes du bout des doigts, puis les lèvres, puis ses mains retombèrent sur ses cuisses. Il déglutit, sec. Lorsqu'il parla, il commença en plein milieu d'une phrase, comme s'il eût déjà parlé depuis quelque temps, mais sans que ses mots sortent.

— … alors maman, elle était allée passer la journée chez une voisine parce que papa l'avait salement tabassée, et elle voulait essayer de s'arranger le visage avant de rentrer à la maison parce que ça rendait papa fou de voir ses bleus. Moi, je… vous comprenez… je voulais pas rester là tout seul avec papa, ivre mort, puant le bourbon et le vomi, alors je… vous comprenez… j'ai marché jusqu'en ville, juste pour m'en aller un moment. Mais j'avais pas d'argent, et la nuit approchait et il s'est mis à pleuvoir, alors je suis rentré. Et maman était là étendue par terre, la tête un peu de travers et… pas dans le bon sens. Et il était debout à côté d'elle, à pleurer en se griffant les joues. Qu'est-ce qu'il allait devenir ? Qu'est-ce qu'on allait lui faire ? Il voulait pas ! Il voulait pas lui faire de mal ! Il l'avait juste un peu secouée ! Il m'a attrapé par le col et a approché son visage tout près du mien et m'a demandé bon sang mais qu'est-ce qu'il allait faire ? Il pleurait pas parce que maman était morte ! Seulement à cause de ce qu'on risquait de lui faire *à lui !* Et cette odeur de bourbon et de vomi ! Je pouvais pas respirer. Je ne pouvais ni voir ni respirer. Il s'est agenouillé près d'elle, et s'est mis à se balancer, à se bercer en geignant. Il a pas pris ma pauvre mère pour la bercer dans ses bras, non. Non, il se berçait lui-même, c'est tout ! Alors j'ai juste… vous comprenez… J'ai décroché son fusil et j'ai dit "papa ?" Mais il n'a pas levé la tête, alors j'ai juste…

Matthew déglutit si bruyamment que Ruth Lillian l'entendit. Sa voix était noyée de larmes, mais ses yeux restaient secs… distants… vides.

Ce n'était pas ce que B.J. s'attendait à entendre.

Coots s'aplatit contre le mur dans la dense obscurité de la cuisine, arma le chien de son colt et avança la tête vers le losange de lumière crue que projetait la salle de bar. Deux lampes tempête à réflecteur étaient posées sur le comptoir, leurs faisceaux dirigés vers la porte de la cuisine. Ces lumières étaient si vives qu'il en était difficile de voir ce qui se passait dans la salle, mais il parvint à deviner Jeff Calder debout derrière le comptoir, à moitié endormi. En étirant le cou encore un peu, Coots vit les dos de Mon-P'tit-Bobby et de Minus assis à une table d'un côté et de l'autre de Chinky, avec chacun une main posée sur ses cuisses. Les "diacres" étaient alignés sur leur banc, près du piano mécanique, où le Pr Murphy se tenait en se contorsionnant pour éviter le contact avec Queeny, penchée par-dessus ses épaules, à farfouiller dans les partitions perforées en quête d'une chanson qu'elle…

Hé, un instant. Les lampes tempête ! Qu'est-ce qu'elles faisaient là, posées sur le bar, faisceau pointé vers… ?

— Alors comme ça, vous vous appelez Coots, murmura Lieder en pressant le canon de son arme sous l'oreille de Coots, dans le petit creux mou. J'aime bien connaître le nom des gens.

— Tu as réagi dans la panique de l'instant, expliqua B.J. Le choc de voir ta mère étendue là par terre, et de savoir que c'était ton propre père qui… N'importe qui aurait pu réagir comme toi. Il faut que tu comprennes ça, et que tu essaies de te pardonner. Oh, il va te falloir du temps pour surmonter ce qui s'est passé. Peut-être que tu ne le surmonteras jamais. Mais crois-moi, fils, avec le temps tu trouveras quand même moyen de vivre avec… ou de vivre autour. Et chaque fois que tu sentiras que ça te ferait du bien d'en parler, sache que nous sommes là et que nous…

— Après… avoir fait ça, j'ai laissé tomber le fusil par terre, poursuivit Matthew, et j'ai pas pu le ramasser. J'ai essayé, mais j'ai pas pu.

Rien de ce que B.J. venait de dire n'avait pénétré son esprit.

— Mais tu l'as ramassé, dit Ruth Lillian en espérant le ramener sur la voie de la réalité. Tu l'as apporté ici, avec toi.

Il cligna des yeux et la regarda en fronçant les sourcils d'un air étonné, comme s'il eût compris ce fait pour la première fois.

— C'est vrai. Je… Je l'ai apporté avec moi.

— Pourquoi ? demanda B.J. Pourquoi tu l'as pris avec toi ?

— Je sais pas. Peut-être parce que c'était le fusil de papa. Et parce qu'il avait jamais eu de chance.

Ruth Lillian répéta ses mots en un murmure ébahi :

— Tu as porté ce fusil sur plus de cent miles… parce que ton père avait jamais eu de chance ?

Il posa ses yeux sur elle sans répondre. L'orage filait vers le sud-est aussi vite qu'il avait déboulé en rugissant du nord-ouest. Le vent était brusquement retombé, et les derniers éclairs zébraient faiblement des nuages noirs déjà distants sur l'horizon, suivis longtemps après par les lointains borborygmes d'un tonnerre fatigué.

— Matthew ? répéta-t-elle d'une voix douce. Est-ce que c'est pour ça que tu l'as transporté ?

— Ce fusil me dégoûte, Ruth Lillian. Il me dégoûte vraiment, profondément. Et je ne veux plus le voir, ni le toucher, jamais !

— Rien ne t'y oblige, Matthew, lui assura B.J. Tu n'auras plus à toucher ce fusil. Si tu veux, on va aller chez toi et on va… Qu'est-ce que c'était ?

Un coup de feu de l'autre côté de la rue. Suivi de cinq autres, tirés à intervalles réguliers, calmement.

B.J. se précipita à la fenêtre.

Après avoir vidé son barillet en l'air pour attirer l'attention, Lieder se tenait debout sur la terrasse de l'hôtel, silhouette découpée en contre-jour sur une stèle de lumière formée par l'embrasure de la porte.

Le vent était retombé, mais la pluie lourde et drue qu'apportent les traînes d'orage continuait à frapper verticalement, produisant un tel vacarme liquide sur les toits luisants et dans les flaques boueuses que Lieder dut placer ses mains en porte-voix avant de crier :

— Je sais que tu es là, l'instit ! Montre-toi, montre-toi, où que tu sois ! Allez allez ! On sort !

B.J. distinguait le contour de deux hommes derrière Lieder… Ses larbins. Et entre eux se tenait un grand…

— Oh mon Dieu, murmura B.J. Oh mon Dieu !

— Qu'est-ce qu'il y a ? demanda Ruth Lillian.

Ils tenaient Coots. Il avait les bras ligotés le long du corps et il était debout sur une chaise sous la lampe centrale du porche. B.J. avait du mal à voir, mais il comprit à la manière dont Coots se tenait – sur la pointe des pieds, pour soulager la tension – qu'il avait une corde autour du cou. Tendue sous la poutre. Et il y avait d'autres hommes amassés le long du mur de la terrasse. Les "diacres" de Lieder. Les témoins.

Lieder cria de nouveau, mais certains mots se perdirent dans le bruit de la pluie.

— … Coots ici présent… coupable… assassinat ! Avez-vous… dernières paroles à… ?

B.J. poussa un hurlement d'horreur, se rua vers l'escalier, le descendit quatre à quatre et trébucha en bas, chuta, se retrouva à quatre pattes dans le magasin. Il se releva immédiatement et se remit à courir en titubant dans le noir, se cogna la hanche contre le comptoir, fit tomber une pile de boîtes. Il gagna la porte d'entrée, qu'il secoua au point d'en faire tinter le carillon, mais elle était fermée.

— Attendez ! cria-t-il. Attendez !

B.J. traversa le magasin comme un fou, à l'aveugle, trouva la porte du fond, l'ouvrit violemment et sortit en glissant dans une flaque de boue forée par une mèche d'eau qui dégoulinait de la gouttière trop pleine.

— Attendez !

Lieder s'attendait à voir B.J. arriver depuis l'écurie, et il fut surpris de le voir débouler en dérapant dans la boue entre le Grand Magasin et les ruines du Double-Six.

— Ah ben ça ! Qu'est-ce que tu fabriquais là-bas, chez le juif ? Amène-toi par ici, l'instit ! Cours ! Tu vas y arriver ! Active, active !

— Attendez ! lâcha B.J. dans un soupir rauque, ses poumons tenaillés par le manque d'air.

— Cours ! (Lieder appuya sa semelle contre le coin de la chaise sur laquelle Coots se tenait sur la pointe des pieds.) Allez ! Magne-toi, l'instit ! Fonce ! Tu vas y arriver ! (Il fit basculer la chaise sous les pieds de Coots.) O-o-oh. Trop tard.

Le craquement de la nuque s'entendit dans le bruit de la pluie ; le corps se convulsa à deux reprises, si violemment que la cordelette de coton qui ligotait les bras se brisa ; puis il demeura immobile, tournant lentement sur lui-même, mains en coupelle, doigts contorsionnés vers l'arrière, pointes des pieds tendues l'une vers l'autre. Il y avait une éternité de souffrance humaine dans ces vieux pieds nus noueux qui tournaient.

B.J. se rua en titubant en haut des marches de la terrasse et attrapa Coots à hauteur des genoux. Il essaya de soulever son corps pour éliminer la traction sur la corde, mais il n'y parvint pas : les genoux et la taille étaient amorphes.

— Aidez-moi ! demanda-t-il d'une voix suppliante à Minus et Mon-P'tit-Bobby qui observaient la scène d'un air vivement intéressé. Aidez-moi, quelqu'un !

Il y eut des remous tendus sur le banc des diacres, mais personne ne se leva. B.J. pressa les genoux de Coots contre son torse et gémit.

Matthew traversa la rue en courant, dérapant dans la boue. Mais avant qu'il n'atteigne B.J., Lieder l'attrapa par le col et tira son visage tout contre le sien.

— T'étais au courant de tout ça, petit ? T'étais au courant, qu'ils voulaient m'abattre d'une balle dans le dos ?

Affolé, terrifié, Matthew s'écria :

— Quoi ? Qu'est-ce que vous voulez dire ?

— Je le savais ! cria Lieder en levant la tête vers la pluie. Je le savais ! J'ai toujours été un bon juge pour les chevaux et les hommes, et je savais qu'un garçon brisé pouvait pas s'en prendre à un autre garçon brisé. Ils t'avaient pas dit qu'ils complotaient pour m'abattre de sang-froid. Non ! Ils se sont servis de toi, petit. Tu les as laissés se servir de toi aussi vicieusement que si t'avais été le p'tit nouveau de la prison. Peut-être que maintenant tu sais qui est ton véritable ami ! (Il baissa les yeux vers B.J., qui s'était effondré à genoux sans lâcher les jambes de Coots, toujours serrées contre son torse.) Oh, pour l'amour de Dieu, vieil homme ! Il est mort ! C'est pas en pleurnichant que tu le feras revenir. Il est mort, et c'est ton vil complot qui l'a tué ! Aussi sûr que si c'était toi qui avais poussé cette chaise de sous ses pieds. Alors arrête de geindre comme une vieille femme !

B.J. marmonna quelque chose d'humide la tête enfouie contre les jambes de Coots.

— Comment ?

— Je veux… le décrocher.

— Alors vas-y, décroche-le ! Décroche-le ! J'ai pas besoin de voir un nègre prêt à tirer dans le dos traîner comme ça devant ma porte ! Allez ! Décroche-le !

B.J. leva la tête vers la poutre et la corde, perdu, le visage ruisselant de larmes et d'eau de pluie mêlées.

— Matthew… ?

Matthew tira son couteau Barlow de sa poche. B.J. monta sur la chaise et commença à trancher la corde, tandis que Matthew faisait de son mieux pour soulager la tension en portant Coots, mais ses jambes étaient trop molles, et lorsque la corde céda en lâchant un claquement mat, Coots s'effondra sur les épaules de Matthew, son poids mort le faisant plier les genoux et tituber sur place, mais aucun des diacres ne se leva pour l'aider ; ils restèrent collés au mur, terrorisés et ivres. B.J. dégagea le poids de Coots du dos de Matthew et s'assit sur la marche la plus basse, sous la pluie, tenant Coots dans ses bras, son visage mort pressé dans le creux de son cou.

— C'est-y pas un joli tableau ! dit Lieder en descendant sous la pluie pour se planter devant B.J. et Coots, au centre de l'attention. Ça, y a pas à dire, c'est ce que j'appelle une image d'authentique amitié, lança-t-il à l'adresse de ses hommes et de ses diacres d'une voix chargée de sincérité solennelle, la pluie dégoulinant de son chapeau sur le torse de Coots. Tu le croiras peut-être pas, l'instit, mais je compatis à ta grande douleur, sachant que c'est toi qui as causé la mort de ton ami par ta traîtrise et tes complots. L'amitié et la loyauté sont deux qualités que j'admire… (Il se retourna vers son public, sur la terrasse :) … tout autant que je hais les coups en douce et les messes basses. L'un d'entre vous est un judas. L'instit ? (Lieder posa la main sur la tête de B.J.) Tu veux savoir comment j'ai su, pour ton négro d'ami ?

B.J. ne bougea pas.

— Non, vaut peut-être mieux que je te dise pas. Après tout, j'ai donné ma parole. Mais bon, d'un autre côté, c'est vrai que j'ai horreur des messes basses. Depuis toujours. Depuis l'école. J'ai donné ma parole, alors je ne puis révéler l'identité de la personne qui m'a informé, dans l'espoir de s'attirer mes grâces. Mais je peux te donner un indice : c'était un homme d'Église.

B.J. releva la tête et ses yeux trouvèrent ceux du révérend Hibbard dans la muette assemblée des spectateurs.

Les yeux de Hibbard vacillèrent et il s'aplatit davantage contre le mur de l'hôtel en faisant non de la tête et en levant les paumes au ciel en signe d'impuissance.

— Oui mais... mais..., bafouilla-t-il sous le bruit de la pluie, je n'ai fait que mon devoir ! J'ai vu votre Coots là-haut, au Filon ! Je savais qu'il reviendrait aujourd'hui. C'était facile de deviner qu'il tenterait quelque chose !

Les yeux de B.J. restèrent pesamment vrillés dans ceux de Hibbard ; ils n'étaient chargés d'aucune haine ni colère, juste d'une tristesse infinie, d'une douleur infinie.

— C'est pas à moi que vous devez en vouloir ! s'écria Hibbard. Et si votre Coots avait échoué ? Hein ? M. Lieder aurait cru que nous étions tous avec vous ! Ça vous était égal, ce qui nous arriverait, hein ?

B.J. ferma les yeux et pencha la tête vers celle de Coots, mais Matthew continua à fixer le prédicateur d'un regard lourd de haine froide.

— Arrête de me regarder comme ça, petit ! J'ai fait mon devoir ! J'ai agi pour le bien de tous !

— Ah, vous mettez pas en colère, révérend, dit Lieder. Personne ne vous fera de mal. Après tout... (Il sourit.) Vous êtes désormais placé sous ma protection personnelle.

— Matthew ? dit B.J. doucement, il faut que je le ramène à la maison.

Matthew regarda autour de lui en quête d'un moyen pour transporter Coots, puis il décida d'aller chercher la charrette à bras qu'il utilisait pour transporter les marchandises livrées par le train. Il se hâta de retourner au Grand Magasin, et il était en train de sortir la charrette du cabanon lorsque Ruth Lillian ouvrit la porte de derrière.

— Matthew... ?

Mais il secoua la tête et repartit d'un pas lourd sous la pluie.

Ils hissèrent Coots dans la charrette aussi doucement qu'ils le purent, mais ses jambes et ses bras pendouillaient tristement de tout côté. B.J. attrapa les poignées et poussa Coots chez eux. La pluie lessivait les larmes sur son visage. Il avait les deux bras tendus des épaules jusqu'aux mains qui tenaient les poignées, et ses bottes patinaient dans une boue que venaient racler les pieds nus de Coots.

L'AUBE. Et la pluie s'était muée en une fine et froide nébulisation qui se condensait en perles opalescentes sur les fils rouillés de la clôture séparant le pré aux ânes du cimetière. Le bruit cru de l'acier de la bêche de B.J. tranchant la terre molle et sableuse était étrangement net et clair, comme peuvent l'être les sons dans le brouillard. Peu habitué à ce genre de travail physique, B.J. eut bientôt le souffle court, rauque et bilieux, alors il ne résista pas lorsque Matthew lui prit la bêche des mains et continua à creuser au même rythme.

B.J. s'assit par terre à côté de Coots et posa une main réconfortante sur son torse drapé dans une couverture, trop absorbé par sa douleur et sa peine pour remarquer l'expression particulière qu'arborait le visage de Matthew en creusant : regard lointain et vague demi-sourire.

Le manche vibra dans les mains de Matthew lorsque sa bêche heurta la couche rocheuse qui se trouvait environ quatre pieds sous la surface boueuse. Il se retourna et commença à attaquer l'autre bout de la tombe pour l'amener au même niveau. Ce n'est que lorsqu'il se redressa pour ôter son chapeau et s'essuyer le front qu'il remarqua Frenchy, debout derrière B.J. et Coots. Sans dire un mot, elle attrapa l'ourlet de ses jupons et le coinça dans sa ceinture, faisant apparaître ses bas de coton jusqu'au niveau du genou, où s'arrêtait son caleçon. Elle s'avança au bord de la tombe et tendit la main d'un geste qui ne souffrait aucune contestation. Matthew lui donna la bêche et la regarda creuser avec l'économique balancement des hanches d'une femme qui a fait sa part de travaux des champs avant de s'évader vers le monde des paillettes. Il se trouvait de son "côté balafre", et sa hideur immobile et froide le fascinait.

Il prit conscience d'un murmure chantant derrière lui… un vieux negro spiritual. Il tourna la tête, et Lieder était là, chapeau entre les mains, tête basse.

Sans regarder Lieder, B.J. se leva et relaya Frenchy, puis il donna la bêche à Matthew, qui mit la pierre à nu sur tout le fond de tombe avant que le tour de Frenchy ne revînt. Et pendant tout ce temps, Lieder continuait à chantonner d'une voix douce et plaintive, les mains croisées sur la crosse du colt armé qu'il portait à la ceinture. La tombe ne faisait que quelques pouces de plus que Coots, et il fut donc impossible de l'y descendre avec grâce. Matthew se retrouva debout dans le trou avec les pieds de Coots entre les bottes, tandis que B.J. lui enjambait la tête. Le visage de Coots s'était découvert dans le déplacement, et B.J. le recouvrit doucement avec un coin de la couverture. Ils se hissèrent hors du trou et se tinrent debout sur le bord, graves, jusqu'à ce que B.J. dise :

— Je suppose qu'il faudrait que je…, mais il se tut et secoua misérablement la tête : Il n'y a rien à dire.

Il enfonça la bêche dans le tas de terre fraîche et ne la lâcha pas, mais il était incapable de recouvrir Coots.

Frenchy lui prit l'outil des mains et le raccompagna à l'écurie, laissant Matthew remblayer la tombe.

Lieder cessa de chantonner et suivit B.J. des yeux.

— Regarde-le. Cet instit est effondré. Effondré de douleur et de deuil. Tu as vu comme il était même incapable d'essayer de se venger de moi ? Ce pauvre vieil homme déborde tellement de tristesse et d'autoapitoiement qu'il n'a plus de place en lui pour la haine. Et un homme a besoin de haine. Parfois, il n'y a plus que la haine qui nous maintienne en vie. Oh, tout ça est de sa faute, à ce vieux fou, c'est sûr, mais tout de même… (Lieder secoua la tête et aspira une longue bouffée d'air à travers ses dents serrées.) J'ai horreur de voir un homme tout chamboulé comme ça. Il sera plus bon pour personne tant que sa souffrance se sera pas éteinte d'elle-même, et ça prendra beaucoup, beaucoup de temps. Et tu sais ce que ça signifie,

Matthew ? Ça signifie que tu te retrouves seul, maintenant. Tu peux remercier ta bonne étoile

Matthew demeura raide et sans réaction, regard perdu ; il ne sentait même pas la main que Lieder avait posée sur son épaule.

— Ce n'est pas ma faute si ce zig a tenté de me tirer dans le dos, Matthew. Il fallait que je le punisse. Je n'avais pas le choix. Mais tu peux me croire quand je te jure devant Dieu que je regrette que ça se soit passé comme ça. Je ne voulais faire de mal à personne dans ce trou minable qui prétend se faire passer pour une ville. Mais voilà, personne me laisse jamais tranquille !

Matthew ne réagit pas. Il avait les yeux fixés sur l'espace où Lieder se tenait.

— Tu écoutes ce que je te dis, petit ?

Matthew cligna des yeux et ajusta sa vision sur le visage de Lieder.

— Il faut que j'enterre Coots, dit-il sèchement.

— D'accord, enterre-le. On parlera de tout ça demain. J'ai des projets pour toi, petit. Un brillant avenir !

Et il s'en alla en chantonnant le vieux negro spiritual qu'il semblait trouver si apaisant.

Matthew se baissa jusqu'à ce que sa bêche pleine touchât presque la couverture, parce qu'il voulait saupoudrer la terre délicatement sur la tête et les épaules de Coots, mais elle était humide et collante, et des mottes tombèrent qui le firent grimacer. Ce n'est que lorsque la tête fut entièrement recouverte d'une bonne épaisseur de terre qu'il put commencer à remblayer le reste de la tombe avec des gestes lents et réguliers, le regard calme, lointain.

À LA FOIS IVRE ET ASSOMMÉ PAR LA GUEULE DE BOIS, le Pr Murphy se sentait vraiment mal et il aurait volontiers échangé sa place au premier rang de l'enfer contre la possibilité de poser sa tête douloureuse sur un oreiller… mais non. Non, ils voulaient des bains chauds… ces deux brutes épaisses !… et il avait dû allumer un feu dans son chauffe-eau. Le grand avait trempé pendant une demi-heure avant de sortir et de retourner à l'Hôtel des Voyageurs. Mais le petit, là, avait réclamé un rabiot d'eau chaude. Maintenant, il se prélassait dans la baignoire, au-dessus de laquelle une nuée de vapeur en ascension luttait contre le brouillard qui tombait.

Le professeur avait levé au ciel ses yeux injectés de sang et s'était demandé combien de temps encore il allait devoir rester là, à attendre que ce foutu… Hé, mais qu'est-ce qui se passe ?

Il vit ce petit Dubchek – ou quel que soit son nom – sortir du bureau du marshal et marcher vers son salon, une étoile à six branches épinglée au revers de sa veste, portant sa fameuse pétoire énorme sur l'épaule, canon dans la main, crosse vers le ciel.

Minus avait replié les genoux pour s'affaisser jusqu'à ce que sa lèvre inférieure se trouve juste à la surface de l'eau visqueuse, où il faisait des bulles. Lorsqu'il leva les yeux, Matthew se trouvait entre sa baignoire et la chaudière crachotante.

— Alors, t'essaies encore de fourguer ce vieux tromblon, petit ? Je t'ai déjà dit que ça intéresse personne, une antiquité de dix tonnes qu'a… même pas… de muni…

Il laissa sa phrase en suspens lorsqu'il vit Matthew armer le chien. Ses yeux eurent un mouvement réflexe vers la chaise où se trouvait le colt qu'il avait pris à l'autre négro, sur sa pile de vêtements, puis revinrent de nouveau vers le visage de Matthew. Un sourire las arquait ses lèvres et il posait un regard doux sur Minus… ou plutôt, sur l'espace que Minus occupait. Lorsqu'il parla, ce fut de la voix à la fois lasse et posée que M. Anthony Bradford Chumms décrivait comme "plus lourde de menace qu'un feulement coléreux".

— Je suis désolé, Minus, mais il n'y a pas d'autre solution.

Le visage de Minus se mit à s'étaler, à s'aplatir, comme s'il allait fondre en larmes.

— Ma-a-a ? plaida-t-il en un gémissement tout recroquevillé.

Le fusil rugit, les lattes de la barrique éclatèrent et, l'espace d'une fraction de seconde, l'eau conserva la forme de la baignoire avec Minus dedans, et puis une mousse rose s'épanouit sur sa poitrine et l'eau s'effondra, le laissant un instant seul et nu, avant qu'il ne s'effondre lui aussi par terre, mort.

Le regard doux de Matthew monta lentement de ce qui restait de Minus vers la façade de l'hôtel tandis que ses mains cassaient mécaniquement le fusil, extirpaient la cartouche moite de cire à bougie fondue, en prenaient une nouvelle dans sa poche et l'enfonçaient dans la culasse.

Il fit claquer le canon en position et se dirigea vers l'hôtel, les poignets palpitant de douleur à cause du violent recul de son arme.

Mon-P'tit-Bobby sortit de l'hôtel par la porte saloon en titubant de hâte.

— Bon Dieu mais qu'est-ce qui… ?

— … l'a explosé… marmonna Matthew.

— A explosé ? Quoi ?

— Le chauffe-eau, j'imagine. Ton pote est vraiment pas beau à voir. Y en a partout.

Ça, c'était vraiment une chose que Mon-P'tit-Bobby se devait d'aller constater. Il se précipita vers le salon de coiffure, bousculant Matthew au passage.

— Hé ho, dit Matthew.

Mon-P'tit-Bobby se retourna. Il n'entendit jamais la déflagration de la cartouche qui lui arracha la tête.

Matthew n'eut pas un regard pour la chose qui tressaillait convulsivement par terre. Cette fois encore, il avait dû tirer à la hanche, et il avait entendu son poignet droit craquer sous l'effet du recul. Il ne lui faisait pas encore mal, mais il était paralysé, et Matthew dut poser son fusil dans le creux de son bras pour extraire la vieille cartouche et en charger une nouvelle.

D'un claquement, il remit le canon en place et gravit les marches de la terrasse de l'hôtel. Dos appuyé contre la paroi de bois patiné, au ras de l'embrasure de la porte, il passa sa langue entre ses lèvres et prit deux longues respirations. Lieder était probablement à l'intérieur, la porte en ligne de mire. Mais où ? Sur sa chaise inclinée contre le mur du fond ? Derrière le bar ? Accroupi sur les marches de la cuisine, canon pointé vers l'entrée ? À cette distance, son fusil pulvériserait le mur du fond sur un cercle de trois pieds de diamètres ; Matthew n'avait donc pas besoin de mettre parfaitement dans le mille, mais il n'aurait pas le temps de recharger s'il loupait. Comment le Ringo Kid... ? La porte de la cuisine claqua. Lieder s'enfuyait par-derrière ! Mais dans quelle direction ? Remontait-il vers le dépôt du révérend Hibbard en passant par l'arrière des maisons abandonnées ? Ou descendait-il vers l'auberge et le Grand Magasin ?

À moins qu'il ne soit en train de contourner furtivement les murs de l'hôtel pour le prendre à revers !

Matthew descendit les marches d'un bond et roula se tapir sous la terrasse, d'où il pourrait observer toute la rue à travers les planches cassées. Il recula en rampant jusqu'à ce que ses épaules touchent les fondations de pierre. Il regardait droit vers la rue, mais toute sa concentration pesait sur les marges floues de son champ de vision, où il espérait détecter du mouvement.

Et si Lieder était revenu par l'intérieur de l'hôtel et s'apprêtait à sortir sur la terrasse, au-dessus de lui ? Eh bien... eh bien, dans ce cas, il devrait faire ce qu'il avait fait dans *Le Ringo Kid prend un risque* : il tirerait à travers le plancher. Ça n'avait pas été aussi "réglo" que d'affronter l'homme dans un face-à-face, mais il s'était retrouvé sous ce porche avec une sale blessure, et l'honneur d'une femme était en jeu, alors il n'avait pas eu le ch...

Du mouvement dans le coin de son œil droit. Lieder traversait la rue à toute vitesse et montait les marches de la terrasse du Grand Magasin, dont le carillon tinta faiblement lorsqu'il y pénétra en trombe.

Ruth Lillian !

Matthew sortit de sa cachette en roulant sur lui-même et se retrouva debout au milieu de la rue. Que faire maintenant ? Vite ! Que faire ?

— Je suis là ! cria-t-il. C'est moi que vous voulez ! J'ai abattu vos hommes et je vais vous abattre ! (S'avançant vers le Grand Magasin, il tira en l'air pour attirer l'attention de Lieder vers lui et la détourner de Ruth Lillian.) Je suis là !

Il cassa le fusil et farfouilla dans sa poche pour y prendre une nouvelle cartouche, mais son poignet démis avait tant fait enfler ses doigts qu'ils n'étaient plus que des boudins gourds qui laissèrent choir la cartouche dans la boue. Sans cesser d'avancer vers le Grand Magasin, il passa son fusil dans sa main gauche et y enfonça une nouvelle cartouche avec le pouce droit. Arrivé au pied des marches, il s'arrêta et cria :

— Sortez de là !

— Je te veux aucun mal, petit, cria Lieder de l'intérieur. Tu es mon dauphin officiel ! L'avenir de notre mouvement !

— Sors de là, espèce de fils de pute !

— Bon, écoute-moi bien, petit. Si je sors, il n'y aura qu'une seule issue possible. Et ça serait un terrible gâchis.

— Je vais entrer !

La porte du Grand Magasin s'ouvrit violemment et Ruth Lillian apparut sur le seuil. Elle avait le cou bizarrement contorsionné par la poigne de Lieder qui la serrait devant lui en la tenant fermement par les cheveux de la main gauche.

— Évitons de tuer cette jeune vierge, petit ! On a mieux à faire avec elle, toi et moi ! Bon, je reconnais que quand l'autre Suédoise m'a parlé de Mlle Kane, ici présente, ça m'a vraiment foutu en boule. Alors comme ça, tu voulais essayer de garder ce joli bout de chair fraîche rien que pour toi, hein ? Tu devrais avoir honte ! Et puis j'ai réfléchi, et voilà comment je vois les choses. J'ai tué ton ami négro et tu t'es vengé en abattant mes hommes. Je veux bien considérer que nous sommes quittes. Et comme j'ai toujours eu de la tendresse pour les amours juvéniles, tu peux garder cette fille rien que pour toi. Qu'en dis-tu ?

Il poussa Ruth Lillian sur la terrasse et la suivit en la gardant bien serrée contre son torse.

Le regard de Matthew fit de rapides va-et-vient entre le visage de Lieder et celui de Ruth Lillian. Elle avait le regard luisant de larmes, et la traction que la poigne de Lieder imprimait à son visage donnait à ses yeux un air presque oriental. Elle avait les lèvres entrouvertes et les dents fermement serrées pour s'empêcher de hurler de douleur.

— Qu'avez-vous fait à M. Kane ?

— Il n'est pas trop amoché. Alors, qu'en dis-tu, petit ? Je ne veux pas te tuer, et je sais que tu n'as pas envie de faire un gros trou dans le corps de cette jeune vierge. Ça serait un terrible gâchis. (Il eut un sourire crispé.) Bon, ça ressemble peut-être à la confrontation finale d'un roman de desperados classique, mais ça ne l'est pas. Ça ne l'est pas, et tu sais pourquoi ? Parce que c'est moi qui ai tous les as dans mon jeu. Toi, tu es là, à découvert, et moi je suis derrière ce joli bout de chair fraîche. (Le sourire s'effaça de ses lèvres. Ses yeux pâles se glacèrent.) Et nous savons tous les deux – *nous savons tous les deux* – que tu n'abattras pas cette douce jeune femme pour m'avoir. (Il arma son revolver.) Donc voilà ce que t'as intérêt à faire, Matthew. T'as intérêt à poser ce fusil par terre et à reculer. Et t'as intérêt à le faire maintenant ! Parce que j'en ai assez de causer, petit, et le pas beau à voir va commencer beaucoup plus tôt que tu ne le crois.

— Vous devriez observer un peu mieux mon fusil, monsieur, dit Matthew de cette voix posée et calmement menaçante qu'Anthony Bradford Chumms a si souvent décrite.

Lieder baissa les yeux. La détente était enfoncée, et seul le pouce de Matthew crocheté sur le chien empêchait le coup de partir.

— Vous avez raison quand vous dites que je ne pourrais pas tirer le premier, dit-il doucement. Mais je n'aurai pas à le faire. Si vous m'abattez, le coup part. Et vous êtes mort.

— Et cette fille aussi.

— Elle préfère mourir que de vous laisser la maltraiter.

— Tu… tu es complètement fou, petit, dit Lieder en commençant à reculer lentement vers la porte.

— Un… pas… de plus, et je lâche le chien. (La calme détermination de sa voix fit s'arrêter Lieder.) Et il y a autre chose que vous devriez savoir, monsieur. Je me suis assez salement blessé au poignet en abattant vos brutes et je ne vais plus pouvoir retenir ce chien très longtemps.

Lieder jeta un coup d'œil par-dessus son épaule pour estimer la distance qui le séparait encore de la porte. Deux grands pas. Trop loin. Et le petit corps de cette fille n'amortirait pas grand-chose d'une cartouche double zéro tirée à cette distance. Il lança un regard furieux à Matthew, là, face à lui, avec sa ridicule étoile de shérif à la poitrine, et ce stupide fusil dans les mains.

Il sourit.

— Ah ben ça, Dieu me foudroie, dit-il en secouant la tête avec philosophie. Dieu-me-foudroie-sur-le-champ ! (Il leva la main, en laissant son revolver rouler naturellement autour de son index glissé dans le pontet.) Tu sais, je l'ai su dès le départ. Oui monsieur, dès que je t'ai vu, j'ai su que tu avais assez de tripes et assez de cervelle pour être mon bras droit.

— Lâchez-la.

— Et comment.

Il relâcha sa prise sur ses cheveux, mais quelques mèches restèrent emmêlées dans ses doigts, et Ruth Lillian dut faire un mouvement vif et douloureux de la tête pour se dégager. Elle s'avança vers Matthew.

— À terre! lui ordonna-t-il.

Et elle se coucha immédiatement sur le plancher de la terrasse.

Le sourire de Lieder s'élargit.

— Bien vu, petit. Tu es vraiment impressionnant, tu sais. Toi et moi, on va...

— Lâchez ce revolver et fermez-la!

— Ah, zut, si tu as décidé de m'abattre quoi qu'il arrive, j'aime autant pas te laisser faire sans me défendre. Et si tu as décidé de ne pas m'abattre, alors...

Il commença à s'avancer lentement vers les marches.

— Vous feriez mieux de lâcher ce flingue.

— Tu crois? Moi, j'en suis pas si sûr. Et je vais te dire pourquoi.

— Ne faites pas un pas de plus!

— Je vais te dire pourquoi, Matthew. Si tu avais vraiment voulu m'abattre de sang-froid, je serais déjà mort. Là, il y a à peine quelques instants... quand tu essayais de sauver cette fille de ce que tu penses être "un destin pire que la mort"... tu aurais pu m'abattre. Oui, tu aurais pu. Mais maintenant c'est fini, elle est saine et sauve – allez, sois gentille, chérie, rentre chez toi et va soigner ton père. (Ruth Lillian leva les yeux en quête d'approbation; Matthew hocha sèchement la tête sans lâcher Lieder du regard; elle rampa hors de sa position centrale entre les deux hommes, puis se leva et se précipita à l'intérieur du Grand Magasin.) Voilà, ça y est! Y a plus que toi et moi, maintenant, face à face, les yeux dans les yeux, et je ne crois pas que tu sois du genre à abattre froidement un homme qui ne t'a jamais montré qu'amitié et respect. Un homme qui...

— Ne descendez pas de ces marches !

— … un homme qui te respecte suffisamment pour faire de toi son successeur dans le grand combat pour sauver nos beaux États-Unis de…

— Plus un pas ! Je vous préviens… !

— C'est bon ! Je laisse tomber mon arme. Voilà, ploum ! dans la boue. Si c'est pas malheureux de traiter un revolver comme ça ! Je suis là, face à toi, et je me sens nu comme un ver sans aucune arme pour me défendre. Mais ça me va, Matthew. Ça me va. Et tu sais pourquoi ? Parce que ce petit duel final entre toi et moi est déjà fini. Il est fini, et j'ai gagné. J'ai gagné parce que tu es désemparé et hésitant ; ton cœur est fatigué de tout ça, ton esprit est brisé, et c'est moi qui suis aux commandes. Voilà ce qui arrive quand on s'affronte à un homme capable de persuader les oiseaux de se mettre à marcher rien qu'en leur parlant. En cet instant, Matthew, en cet instant précis, tu n'es pas tout à fait sûr de comprendre ce qui est en train de se passer, je me trompe ? Tu n'es même pas sûr de savoir de quoi je parle, ou pourquoi je parle comme ça, mais tu sens tout au fond de toi qu'il y a là quelque chose de dangereux. Mais n'aie aucune crainte, parce que je ne pourrais jamais me résoudre à te faire du mal. Regarde comme je m'offre à toi, mains nues, grand ouvertes. En signe de paix et de soumission. Et l'ire de Jéhovah s'abattra sur qui fera du mal à l'homme qui s'avance vers lui en supplique et en paix. (Il ricana comme un petit garçon.) Comme tu l'as sûrement reconnu, c'est de Paul aux Montaniens… 7, 13. (Il rit, une seule note, faible.) Et mince ! Voilà que j'en viens à presque souhaiter que tu m'abattes : les petits enfants à l'école seraient pas fascinés de lire dans ma biographie ce passage final qui explique comment j'ai continué à plaisanter jusqu'à mes tout derniers instants ? Quel homme ! Et tu sais quoi ? Toi aussi, tu vas devenir vraiment quelqu'un, Matthew. Toi et moi, côte à côte. Plus rien ne pourra nous arrêter. Maintenant, petit, ce que je vais faire, c'est tendre la main vers toi et prendre ton fusil. Alors j'imagine que si tu veux vraiment laisser claquer ce chien, c'est le moment de le faire.

Sans cesser de sourire, il tendit la main et saisit le canon du fusil. Mais Matthew ne lâcha pas prise.

Lieder lui décocha un regard noir.

— Je prends le fusil, petit!

Matthew fit non de la tête, mâchoires serrées, et un grognement sourd monta du plus profond de sa gorge.

Soudain, Lieder lâcha le canon.

— C'est bon… c'est bon… tu as gagné! Tu peux garder ce foutu fusil! C'est vrai quoi, après tout, il a une valeur sentimentale, vu que tu le tiens de ton père et tout ça. Moi? Bah, je suppose qu'il ne me reste plus qu'à tourner les talons et à quitter Twenty-Mile. (Il posa les poings sur les hanches et fixa Matthew dans les yeux.) Tu es vraiment impressionnant, petit! Têtu. Dur à cuire. Obstiné. (Il sourit.) Tout à fait moi à ton âge. (Il secoua la tête et lâcha un petit rire.) Qui l'eût cru, hein? Moi, forcé de m'aplatir devant un gosse! Ah là là, on est vraiment peu de chose. (Il se massa les tempes pour soulager sa tête douloureuse; puis il desserra le lacet tressé à médaillon pris au gardien de la prison.) Faut croire que je me fais vieux, Matthew. J'ai des douleurs et des maux à des endroits où je croyais même pas avoir de corps. Le pire, c'est les démangeaisons! Je jure devant Dieu que j'ai dû offrir un festin à chacune des puces de cet hôtel. (Il se gratta le flanc, passant le pouce sous son gilet en brocart vert et or, poussant la démangeaison vers sa colonne vertébrale, les dents mises à nu par un rictus de plaisir.) Eh oui, monsieur, on dirait bien que je vais juste devoir me trouver une autre ville avec un trésor de métal précieux pour payer ma milice d'Américains pure race qui débarrassera cette nation de…

Le coup de fusil transperça son abdomen et fit voler le revolver qu'il était en train de sortir de sa ceinture, dans son dos. Le fit voler, avec la main dedans, coincée dans le pontet par l'index. L'impact ayant projeté en arrière ses hanches plus rapidement que sa tête et ses talons, sa mâchoire inférieure vint claquer contre son torse et ses bottes tracèrent deux petits sillons dans la boue. Il se retrouva assis, le front sur les genoux, adossé contre l'escalier du porche du Grand Magasin éclaboussé de matière molle. Geignant de douleur, Matthew extirpa la cartouche chaude du canon et en remit une fraîche. Il tira de nouveau, et le corps inerte fit un bond. Il extirpa la cartouche cireuse chaude et en remit une nouvelle et tira, et le torse explosa en bouillie. Il extirpa la cartouche et en remit une autre et tira, et la tête se détacha du cou. Il extirpa la cartouche et en remit une autre, puis tourna les talons et remonta la rue.

Jeff Calder, qui s'était posté à la porte de l'Hôtel des Voyageurs pour observer ce qui se passait là-bas, au Grand Magasin, reculait désormais en boitillant pour laisser passer Matthew qui venait d'entrer en poussant la petite porte à double battant. Celui-ci haussa vivement les épaules pour y faire cesser les petites tapes de congratulations du vieux soldat.

— Qu'est-ce que j'te sers ? demanda Jeff Calder. Tout ce que tu veux. C'est la maison qui régale. Bon sang, j'aurais donné n'importe quoi pour être à tes côtés là-bas, à affronter ces vauriens, et j'y aurais été, tu peux m'croire, si ce foutu moignon s'était pas mis à m'faire souffrir comme y a pas. Ça doit être l'hiver qu'approche, et...

— Tu dégages de ma ligne de feu, c'est tout, dit Matthew d'une voix plate et monocorde.

Calant la crosse fermement contre son épaule pour éviter de se blesser davantage aux poignets, il visa la grappe de bouteilles posées sur l'étagère du bar. Elles explosèrent avec fracas ; le bas du grand miroir se fragmenta, laissant le haut glisser dans le cadre et se briser en deux en tombant par terre. Calmement, il extirpa la cartouche usagée et la remplaça par une nouvelle prise dans sa poche, puis il changea de position de manière à pouvoir tirer en enfilade sur les bouteilles alignées sous le comptoir. Celles-ci se désintégrèrent en une nébulisation de liquide et en éclats de verre qui firent exploser un des panneaux du fronton du bar.

Frenchy fit irruption dans la salle, suivie de Kersti.

— Qu'est-ce qui se passe, nom de Dieu ? Qu'est-ce que tu fais, petit ?

— Y aura plus d'ivrognerie à Twenty-Mile, m'dame. Pas tant que je serai marshal.

— Pas tant que... quoi ?

— C'est la gnôle qui transforme les hommes faibles en hommes mauvais, dit Matthew en citant une réplique du Ringo Kid tout en rechargeant son fusil.

Il fit feu de nouveau, détruisant le reste des bouteilles.

— Bien. Je sais que vous avez d'autres tord-boyaux en stock sous la trappe, dit-il. Et ils feraient mieux d'y rester, vous m'entendez ? (Il glissa sa dernière cartouche artisanale dans le canon et fit claquer le fusil en position.) Madame, dit-il en portant poliment l'index sous le rebord de son chapeau.

Marchant vers le dépôt du révérend, il croisa le Pr Murphy. Après avoir vu Minus et Mon-P'tit-Bobby morts, il avait copieusement vomi contre le mur de son salon, jusqu'à ce que ses entrailles fussent vides. Maintenant, les lèvres molles et moites, il regardait le corps nu de Minus… son ventre et son torse déchiquetés et suppurants, son petit pénis flasque. Il eut un haut-le-cœur, et le dégoût lui fit détourner le regard, mais la fascination morbide ne tarda pas à le ramener vers l'horrible spectacle.

Matthew se tenait au milieu de la rue, face au dépôt.

— Sortez de là, révérend ! cria-t-il.

La porte d'entrée était entrouverte et grinçait doucement dans la brise qui commençait à dissiper le brouillard.

— Vous ne pourrez pas vous cacher là-dedans éternellement.

Aucun mouvement à l'intérieur.

Il attendit une longue minute, imperturbable. Puis :

— C'est bon. C'est parti.

Et il gravit les marches de la terrasse.

Il savait que le révérend avait donné son arme à Lieder, mais il lui restait les couteaux de cuisine, le tisonnier et une petite hache pour le bois de chauffage. Et Hibbard pouvait se tapir derrière n'importe quelle porte, prêt à lui sauter dessus. Matthew arma donc le chien de son fusil avant d'ouvrir la porte d'entrée en grand en la poussant du bout du pied, puis regarda de biais à l'intérieur… Il secoua la tête, remit doucement son chien en position et releva du pouce son chapeau sur son front.

Le désordre qui régnait à l'intérieur ne laissait aucun doute. Hibbard avait filé. Il était repassé au dépôt, avait attrapé quelques vêtements et objets de valeur à la hâte, puis il avait filé. Soit il remontait la voie de chemin de fer vers le Filon Surprise, soit il s'était engagé dans la sinueuse descente vers Destiny. Se sentant soudain vide et amer en dedans, Matthew s'écroula sur la chaise la plus proche, face au bureau où le révérend mitonnait ses sermons infernaux. Ses deux poignets avaient été démis par le recul, et le droit, enflé, le lançait à chaque pulsation cardiaque. Il savait qu'il pouvait atténuer cette douleur en se laissant aller encore plus profondément dans l'Autre Endroit, simplement en lâchant prise et en glissant dans la tiédeur veloutée de… Non ! Il se leva en faisant basculer la chaise du creux des genoux.

Lorsqu'il sortit sur la terrasse du dépôt, le brouillard s'était levé, dévoilant les premières neiges de l'année tout là-haut, sur les sommets des montagnes, à l'Ouest. Des lambeaux de nuages déchiquetés filaient sur un dur ciel d'hiver tandis que, dans la rue, une brise fraîche faisait frémir l'eau boueuse des flaques. Il poussa un long soupir et remonta vers le Grand Magasin.

Il s'arrêta au Palais du rasoir et frappa à la porte avec son pied. Murphy apparut, les yeux rougis par la boisson, les joues livides après un nouvel accès de nausée.

— Suivez-moi.

— Écoute, petit, je me sens vraiment mal et je…

— Discutez pas et suivez-moi.

Murphy prit tellement garde à ne pas poser les yeux sur l'abdomen sanguinolent et le petit pénis flasque de Minus qu'il trébucha contre le corps sans tête de Mon-P'tit-Bobby et eut un haut-le-cœur. Il cracha, puis suivit docilement Matthew jusqu'à la terrasse de l'Hôtel des Voyageurs.

— Calder !

Le vieux vétéran boitilla jusqu'à la porte et passa la tête au-dessus des battants.

— Suis-moi !

— Tout de suite ?

— Suis-moi, c'est tout.

Ils continuèrent tous trois à descendre la rue vers le Grand Magasin, où une primitive fascination de charognard avait attiré les Bjorkvist mâles, venus voir les restes de Lieder, qu'Oskar ne put s'empêcher de tâter du bout du pied – geste d'éclat qui le fit frétiller d'audace.

— Voilà ce que je veux que vous fassiez, dit Matthew aux quatre hommes. Vous allez prendre des pelles et des balais, tout le matériel que vous voudrez, et me nettoyer ce qu'il reste de ces types. Ensuite, vous…

— Hé ho ! objecta M. Bjorkvist. Pourquoi on devrait…

Matthew changea son fusil de bras et planta un regard lourd et las dans les yeux de Bjorkvist avant de répondre :

— Je suis franchement dégoûté qu'aucun d'entre vous n'ait bougé le petit doigt pour sauver Coots. Alors ce serait une grossière erreur de votre part que de vous montrer impertinents. (Les yeux du marshal se plissèrent et il scruta lentement leurs visages, l'un après l'autre, les faisant chaque fois tourner la tête ou baisser les yeux.) Donc comme je disais, je veux que vous me débarrassiez de ces cadavres. Balancez-les dans le ravin. Je ne veux pas d'eux dans le même cimetière que Coots. Ensuite, je veux que vous me lessiviez tout ça à grande eau et que vous jetiez de la terre par là-dessus jusqu'à ce qu'on ne voie plus la moindre trace. Plus… la… moindre. Je serai assis là-bas, sur ma terrasse, à vous surveiller. Maintenant au travail.

Il jeta un regard vers la porte d'entrée du Grand Magasin, où Ruth Lillian se trouvait au côté de M. Kane, qui avait le front bandé. Il leur fit un signe de la tête, toucha le rebord de son chapeau, puis se retourna et se dirigea vers le bureau du marshal.

B.J. resta toute la matinée au lit, les yeux fixés au plafond, secs et piquants, comme peuvent l'être les yeux d'un vieil homme lorsqu'ils ont versé toutes les larmes qu'ils pouvaient produire. Il avait entendu les coups de feu dans la rue, mais ça lui était égal. Il avait entendu Frenchy et Kersti partir de la maison en courant pour aller à l'hôtel, mais ça lui était égal. Et maintenant, il entendait le bruit des pelles qu'on raclait sur la terre de la rue, et ça lui était égal. Pour la première fois, il sut qu'il était vieux. Vraiment vieux. Aucune tâche ne requérait son aide. Personne n'avait besoin de lui. Il n'avait personne à consoler, personne pour l'agacer, personne à taquiner. Alors autant rester là, allongé.

À midi, la rue avait été nettoyée des dernières traces de Lieder et de ses hommes, de la terre avait été saupoudrée là où il y avait du sang, et les hommes de ménage avaient regagné leur domicile en maugréant. Mais Matthew demeurait assis sur sa terrasse, étoile à six branches au revers de la veste, fusil chargé de sa dernière cartouche lourdement posé sur les cuisses.

Bien qu'il eût perçu son approche sur la frange de son champ de vision, il ne se tourna pas vers Ruth Lillian lorsqu'elle dit :

— On t'attend pour dîner.

— C'est très gentil de votre part, m'dame. Mais j'ai vraiment pas faim. Et toute façon… (Il leva son poignet enflé et ses doigts boudinés.) Ça m'étonnerait que je puisse faire des merveilles avec une fourchette.

Elle s'approcha et toucha précautionneusement la peau chaude tendue de sa main.

— Ça va passer, dit-il.

Mais elle entra dans le bureau et plongea un torchon dans la cuvette en émail ébréché que Matthew avait transportée depuis le Nebraska. Il se laissa faire lorsqu'elle noua le torchon trempé en bandage autour de son poignet.

— Voilà. Ça aidera à dégonfler.

— Ça fait déjà du bien. Merci.

— Je pourrais t'apporter un bol de pot-au-feu à manger ici, si tu veux ?

— Non, merci m'dame. Je suis bien comme ça.

— Oui, mais… (Elle ne savait que dire. Ce "m'dame" l'inquiétait.) Papa n'est pas blessé. Juste un mauvais mal de crâne.

— Je suis content de l'apprendre.

— Tu viendras pour dîner, j'espère ? (Elle sourit.) Tu ne seras pas obligé de t'occuper de la vaisselle. Pas avec ton poignet. Tu pourras juste bavarder tranquillement avec papa.

Il cligna des yeux et tourna la tête vers elle.

— Excusez-moi… vous disiez ?

— Je t'ai demandé si tu viendrais pour dîner.

Il la regarda en plissant le front d'un air vaguement étonné, jusqu'à ce qu'elle dise :

— Bon, je… Il faut que j'y aille. Le déjeuner va refroidir.

Il acquiesça lentement.

Elle sentait qu'elle devrait dire autre chose, mais ne trouva pas quoi, alors elle s'en alla.

Matthew ne vint pas pour dîner ce soir-là, et ne se montra pas non plus à l'Hôtel des Voyageurs le lendemain matin pour préparer le petit déjeuner des filles. C'était fini : il n'était plus le factotum de cette ville. Plus tard dans l'après-midi, il passa au Grand Magasin, portant toujours son insigne sur le torse et son fusil à l'épaule, crosse en l'air. De sa nouvelle voix à la fois douce et timide, il commanda à M. Kane de la farine, des haricots secs, du bacon, du sirop de maïs, des tomates en boîte et des pêches au sirop, que M. Kane rangea pour lui dans sa besace de toile parce que son poignet était encore enflé. Lorsque Ruth Lillian descendit le saluer, il dit qu'il espérait qu'elle se portait bien malgré le petit grabuge de la veille. Puis il lui dit qu'il ne les encombrerait plus de sa compagnie pour les repas. Il se débrouillerait pour se faire à manger lui-même, si ça leur faisait rien. Ruth Lillian était en train de dire qu'au contraire, bien au contraire, ça leur faisait quelque chose… lorsqu'il toucha le bout de son chapeau une fois vers elle, une fois vers son père, et s'en alla.

À partir de cet instant, et jusqu'au retour des mineurs le samedi suivant pour leur détente hebdomadaire, Matthew passa l'essentiel de son temps assis sur sa terrasse, la chaise inclinée contre le mur, à surveiller les choses. Marshal de Twenty-Mile. Figure hautement respectée.

Il ne lisait plus ses Ringo Kid.

La ville retrouva lentement sa routine et ses soucis habituels. Le Pr Murphy dénicha une barrique quelque part derrière le dépôt pour remplacer la baignoire qu'il avait perdue, et il paya Oskar Bjorkvist cinquante cents pour qu'il la récure et la rende suffisamment propre au goût des mineurs. De temps à autre, Oskar s'arrêtait de frotter pour lancer un regard noir en direction de Matthew qui l'observait, assis, les yeux mi-clos, de l'autre côté de la rue.

Frenchy prit d'office la succession de M. Delanny à l'Hôtel des Voyageurs. Elle s'asseyait même à sa table et y jouait parfois une partie de réussite. Après une brève mais franche explication de texte avec Jeff Calder au cours de laquelle les oreilles du vieux soldat sifflèrent sous les accusations de léchage de bottes, léchage de cul et extrême complaisance à l'égard de ces bandits, elle offrit au héros de la guerre le choix entre faire tout le nettoyage, tout le balayage, tous les lits, toutes les lessives, en plus de son travail de serveur, ou de prendre ses cliques, ses claques et sa jambe de bois pour foutre le camp d'ici en clopinant jusqu'à Destiny. Il devait aussi faire le petit déjeuner tous les matins, ce dont il s'acquitta à grand renfort de vociférations contre le Dayton Imperial et (lorsqu'il était certain que Frenchy ne pouvait pas l'entendre) à grand renfort de grognements rageurs contre ces arrogants d'négros à qui vous pouviez pas donner ça (un doigt) sans qu'ils vous prennent ça (le bras). Ses tentatives en matière de concoction de biscuits furent un tel désastre que Frenchy lui dit de laisser tomber, il n'avait qu'à s'en tenir aux bacon, haricots et café – s'il avait l'impudence d'appeler café sa mélasse granuleuse.

C'est autour d'une tasse de mélasse granuleuse que Frenchy donna à Kersti des conseils techniques clairs et sans chichis sur comment travailler vite, rester propre et soigner les hommes. Elle lui expliqua que c'était juste un boulot comme un autre.

— C'est la seule manière de prendre la chose, mon chou. Comme un boulot. Et s'il arrive le moindre truc où tu te sens dépassée, tu sors de la chambre et tu descends me voir. Je m'en occuperai. Je sais que ça fait peur. Moi aussi ça m'a fait peur quand j'ai commencé, et j'étais sacrément plus jeune que toi. T'inquiète pas, tout ira bien. Non, non, c'est pas grave. Vas-y, pleure, si tu veux. Tu as le droit.

Mais Kersti renifla et secoua la tête, et Frenchy lui dit qu'elle pouvait prendre n'importe laquelle de ses robes à froufrous, alors elle ferait mieux de monter fouiller dans son armoire pour y choisir la plus belle.

Plus tard dans l'après-midi, ce fut sous l'œil attentif de Frenchy que Calder rangea les bouteilles de bourbon qu'il avait remontées de la cave creusée sous la trappe. Le grincement-battement de la porte saloon la fit se retourner. Matthew était devant l'embrasure, fusil posé dans le creux de son coude. Elle lui adressa un regard de défi, un sourcil levé, en lui présentant d'emblée son profil balafré. Il considéra la nouvelle grappe de bouteille d'un œil mécontent ; puis, sachant qu'il ne lui restait qu'une seule cartouche, il haussa les épaules et s'en alla.

Il fallut trois jours avant que B.J. ne trouve le courage de se traîner hors de son lit, affaibli par l'atrophie musculaire et la dénutrition. Il alluma le feu de la forge dans l'atelier de ferrage et se mit à l'ouvrage gravant maladroitement quelques mots au fer rouge sur une des croix de bois standard de la compagnie minière, levant de temps à autre les yeux vers le ciel bas d'où descendait cette réfrigérante odeur sans odeur de la neige. L'hiver arrivait, et il arrivait vite. Il gâcha les deux premières croix, parce que graver les épitaphes, c'était le travail de Coots. Et de toute façon, B.J. avait toujours été un bon à rien avec les outils. Coots le raillait souvent avec ça. Pour finir, les mots avaient l'air d'avoir été écrits par un enfant de six ans qui se fût appliqué en vain.

AARON COOTS
MORT LE 4 OCTOBRE 1898
MON COMPAGNON AIMÉ
EN CE BREF VOYAGE

Plissant les yeux, il considéra cette phrase d'un œil critique, conscient du fait que Coots l'eût trouvée d'un sentimentalisme risible. Il envisagea d'en graver une autre, avec juste "Aaron Coots", mais finit par justifier sa déclaration sentimentale en se souvenant que les enterrements et les funérailles n'avaient rien à voir avec les morts. Ils ne servaient qu'à consoler les vivants. Ce message était sentimental… ? Eh bien tant pis : il était lui-même du genre sentimental et il voulait dire publiquement qu'il avait aimé Aaron Coots.

Quis desiderio sit pudor aut modus tam cari captis ?

Le samedi soir, lorsque le train de minerai arriva, faisceau du phare à kérosène découpant des flocons de neige en suspens dans l'air froid et sec, le poignet de Matthew avait presque entièrement dégonflé. La corne du train mugit et des jets de vapeur sifflèrent contre les jambes des pantalons des mineurs qui descendaient en criant. Ils ne savaient rien, bien sûr, de ce qui s'était passé à Twenty-Mile depuis leur dernière visite.

Assis sur sa terrasse, chaise inclinée contre le mur, Matthew regarda la horde tapageuse passer devant lui et remonter la rue pour aller manger à l'auberge avant de faire des achats au Grand Magasin et de commencer sa bringue. Lorsque les plus rapides

des mangeurs sortirent pour se diriger vers le Palais du rasoir et l'Hôtel des Voyageurs, Matthew les attendait au milieu de la rue.

— Voilà ce que vous devez savoir, messieurs, commença-t-il.

Il parla sans lever la voix, mais les mineurs répondirent avec une grande attention à la calme et impérieuse autorité de son ton – fort efficacement soutenue par cet énorme ancêtre de fusil dont le canon reposait sur le creux de son bras. Il expliqua qu'ils étaient libres de s'amuser et de faire la bringue autant qu'ils voulaient. Et qu'ils pourraient aller avec les filles de l'hôtel, si elles étaient d'accord.

— Mais il n'y aura plus d'ivrognerie à Twenty-Mile, parce que l'alcool cause trop de souffrances et de tristesse en ce monde. Et c'est mon boulot que de protéger les gens.

Au premier rang, un homme grommela que ça lui ferait bien mal au cul qu'un gamin…

— La ferme ! coupa Matthew, avant de recouvrer son calme et de poursuivre : Je suis désolé si ça ne plaît pas à tout le monde, mais c'est comme ça que ça va se passer à partir de maintenant, et je vous garantis que personne n'a intérêt à me contrarier.

Le grommeleur s'effaça en reculant dans la foule parce que la manière dont Matthew avait abattu les trois bandits avait été le sujet de conversation principal pendant le déjeuner – ça, et la question de savoir où était passée la serveuse blonde aux gros lolos.

Mais la mauvaise humeur de la foule enfla avec l'arrivée d'hommes sortant de l'auberge avec la ferme intention de monter directement à l'hôtel pour leur ration hebdomadaire de bourbon et de jambes en l'air. Le Pr Murphy s'y était joint, laissant son chauffe-eau crachoter et siffler, et ses baignoires produire des nuages de vapeur et s'élever dans la neige qui tombait tout doucement. Il demanda ce qui se passait par ici, nom de Dieu. Personne était tenté par un bon bain ? Mme Bjorkvist arriva avec son fils et son mari, qui arboraient toujours les hématomes jaunissants et les éraflures croûtées symétriques qu'ils traînaient depuis que Lieder s'était servi de leurs têtes comme de cymbales. Elle s'adressa aux mineurs et leur dit que Matthew n'avait aucun droit de régenter la vie des gens comme ça. Elle approcha son visage tout près de celui de Matthew et dit qu'elle n'avait pas l'intention de le regarder ruiner son commerce sans rien faire, parce que si les mineurs arrêtaient de venir, qu'adviendrait-il alors de Twenty-Mile, hein ?

Matthew fut déstabilisé. Il… Il faisait ça pour les protéger, bon sang !

— Pour qui y s'prend, toute façon ? lança Jeff Calder depuis le cœur de la foule. Personne l'a jamais élu marshal !

Mais… Mais ces gens le respectaient. Il s'était dressé contre ces bandits pour les protéger.

Le Pr Murphy rappela aux mineurs qu'ils étaient tous armés.

— Bon sang, c'est rien qu'un gamin arrogant tout juste sorti de ses couches !

Une vague de rires gras saisit la foule et fit rougir Matthew d'humiliation.

Oskar Bjorkvist profita de l'occasion pour lancer une pierre qui frappa Matthew au visage, lui ouvrant la pommette.

Les mineurs resserrèrent leur demi-cercle.

Matthew serra les dents et arma le chien de son fusil, bloquant la progression du groupe, faisant vivement se presser les hommes du premier rang contre le torse de ceux qui se trouvaient derrière eux.

Doc se fraya un passage dans le groupe.

— Allez, Ringo, c'est bon. Pas besoin de…

Matthew répéta que les hommes pouvaient faire la bringue autant qu'ils voulaient, mais que pour l'alcool, c'était non.

— Pas d'alcool ? dit Doc. Tu rigoles ! Moi, j'ai bien l'intention de m'en enfiler deux ou trois bien tassés avant de passer à la gaudriole. On y a droit, Ringo, après toute une semaine dans ce trou de l'enfer, là-haut.

— Un pas de plus, Doc, dit Ringo en citant la plume d'Anthony Bradford Chumms, et vous entrez dans l'histoire.

Un flocon de neige se posa sur ses cils, mais il ne sourcilla pas.

Bien à l'abri au dernier rang de l'attroupement, Sven Bjorkvist dit aux hommes qu'ils n'avaient aucune raison de tolérer une chose pareille.

— Ce gosse est givré ! Vous êtes des hommes, oui ou non ? Où sont vos armes ?

Doc lâcha un petit rire forcé, sur deux notes.

— Allez, Ringo ! On a bien ri, mais ça commence vraiment à chauffer, là. (Voyant que cela ne suscitait aucune réaction chez Matthew, Doc laissa tomber son ton badin.) Bon, écoute-moi bien, petit. Je vais descendre à l'hôtel. Je te laisse faire tout ce que tu auras les tripes de faire.

Il fit un pas en avant, mais Matthew lui bloqua le passage en abaissant son canon à hauteur de son ventre.

— Faites pas ça, Doc.

Le murmure grave et posé du Ringo Kid s'était changé en une voix enfantine et apeurée.

Doc plissa les yeux pour essayer de lire ce que ceux de Matthew exprimaient dans le mélange de pénombre croissante et de neige qui tombait de plus en plus dru.

— Faites pas ça, Doc, répéta Matthew. Je vous en prie, ne faites pas ça, chuchota-t-il ensuite.

— Matthew ? dit Ruth Lillian en se faufilant à travers la foule. Matthew ?

Il serra les mâchoires et secoua la tête.

Doc déglutit bruyamment.

B.J. Stone se tenait un peu à l'écart. Il savait qu'il devait intervenir mais il ignorait comment.

Ruth Lillian arriva à côté de Matthew.

— Donne-moi ce fusil, Matthew.

— Vous feriez mieux de vous écarter, m'dame.

— Non, je ne m'écarterai pas. Maintenant, donne-moi ce fusil.

Matthew secoua la tête, au bord des larmes.

— Tiens, Matthew, prends mon mouchoir. Tu saignes de la joue.

Il repoussa sa main d'un geste vif.

— Allez-vous-en, espèce de vile… ! S'il vous plaît… allez-vous-en ! (Ses yeux scrutèrent désespérément ceux de Ruth Lillian.) Laissez-moi seul ! Ne me forcez pas à… S'il vous plaît… s'il vous plaît… s'il vous plaît !

Il lâcha le long et faible gémissement d'une âme qui souffre et abaissa son fusil. B.J. s'avança et le prit de ses mains molles ; les mineurs se ruèrent en criant vers les bains chauds, le tord-boyaux tiède et la gaudriole frémissante. You-ouh ! Attention les filles, j'arrive ! Ils furent brièvement surpris d'entendre le train à faible écartement faire retentir d'insistants coups de corne alors qu'il remontait en ville en marche arrière, traînant derrière lui un cône de flocons de neige illuminés par son phare à kérosène. Bon Dieu, qu'est-ce que… ? Mais pas question pour les mineurs de laisser quoi que ce soit les priver de leurs quelques heures de réjouissances bien méritées.

— Ce gosse est complètement à la masse ! Vous vous souvenez de ce vieux Mule ? Le gars qui faisait des p'tits boulots avant d'casser sa pipe ? Eh ben ce gosse, il est exactement comme le vieux Mule !

Matthew se tenait debout au bord du ravin, entre Ruth Lillian et B.J. À l'ouest, la ligne de crête des montagnes était à peine visible dans la neige qui tombait. B.J. ahana en envoyant le lourd fusil tournoyer dans le vide.

Matthew baissa la tête et lâcha prise. Lâcha tout simplement prise pour glisser plus loin encore dans la paix délicieuse de l'Autre Endroit, où il demeura à jamais.

Ruth Lillian le prit par la main et le raccompagna, sous la neige, à contre-courant des mineurs riant, criant et plaisantant, vers le Grand Magasin, où son père les attendait sous le porche.

Février 1998
St. Etienne de Baïgorry

L'ARRIVÉE DE L'AUTOMNE DANS LE VERMONT ne manque jamais de susciter en moi une irrésistible envie de vagabondage. Un je-ne-sais-quoi de subtil et séduisant en mode mineur dans la lente mélancolie du déclin saisonnier, quelque chose de doux-amer dans la chair des reinettes rustiques que l'on croque, dans l'odeur des feux de camp, dans le bruissement des feuilles mortes où l'on s'enfonce jusqu'aux chevilles, me pousse à vouloir plier bagage et partir. Et pour moi, "partir" veut dire partir vers l'ouest, de même que "revenir" signifie revenir en Nouvelle-Angleterre. Cet instinct migratoire est peut-être un tropisme génétique résiduel imprimé dans mes onze générations de sang puritain, mais quelque chose me dit qu'il a encore plus à voir avec mes innombrables générations d'ancêtres iroquois.

L'automne 1962 m'envoya vagabonder plein ouest. Je roulais vers le couchant et j'avais passé Laramie depuis environ une heure, lorsque je me souvins d'un nom de lieu étrange que j'avais jadis vu sur une vieille carte : une ville appelée Destiny, située là-haut quelque part sur le flanc nord de la chaîne des Medicine Bow Mountains. Ce serait téméraire, ou tout simplement stupide de la part d'un vagabond que de louper son rendez-vous avec le Destin.

Aucun panneau n'indiquait la route à prendre pour Destiny, parce que ce n'était plus une ville à part entière, de sorte qu'il faisait déjà nuit lorsque, après deux tentatives infructueuses à rouler sur de longues pistes de terre, pulvérisant derrière moi des panaches de poussière rouge dans les rayons obliques du couchant, je trouvai ce qu'il restait du Destin : deux maisons (dont l'une vide et à vendre) et une station-service-épicerie générale. Aucune d'entre elles n'avait connu la caresse d'un pinceau depuis fort longtemps.

Le vieil homme qui tenait l'épicerie me dit qu'au tournant du siècle Destiny était une petite ville prospère desservant une mine d'argent dans les montagnes ainsi que la campagne environnante. Mais lorsque le Filon Surprise fit faillite, la voie secondaire qui la reliait à la ligne de chemin de fer de l'Union Pacific tomba à l'abandon, et la population se réduisit bientôt à une poignée de vieux n'ayant plus rien à faire qu'attendre la réponse à la Question ultime. La plupart des maisons avaient désormais disparu ; certaines avaient brûlé, d'autres avaient été démontées et d'autres enfin avaient simplement été détruites par les tempêtes.

— Pour ça, vous pourriez vous en payer une pour pas cher si vous êtes dans les affaires !

J'éludai la remarque en riant et lui demandai s'il pouvait me vendre un peu d'essence et m'héberger pour la nuit, à quoi il répondit :

— Pas de problème… Si ça vous embête pas de dormir dans votre voiture. Vous pourrez prendre le petit déjeuner avec moi. À l'aube. Question essence, ça va faire cinq ou six ans que j'ai fait le plein de la cuve. Je vends pas plus de soixante, soixante-dix gallons par an, surtout à des gens venus chasser le souvenir du côté de la vieille mine.

La pompe était un vieux modèle avec levier manuel faisant monter l'essence dans un compartiment en verre qui mesurait les gallons sur le côté.

— Et dîner, ça serait possible ? demandai-je.

— Pas de problème. Mais ça vous fera un dollar.

Une heure plus tard, nous étions assis à sa table couverte d'une toile cirée et mangions des œufs au plat avec des haricots en pestant contre ce putain de gouvernement, contre cette merde de rock'n'roll qui prétendait ressembler à de la musique et, à vrai dire, contre le "progrès" sous toutes ses formes étranges et menaçantes. Puis il sortit une bouteille de bourbon.

M. Pedersen était un loup solitaire de soixante-quatorze ans qui crevait parfois de pouvoir parler de ce qui l'intéressait le plus : le bon vieux temps à Destiny et dans la ville fantôme de Twenty-Mile, un peu plus haut dans la montagne. Il avait passé son enfance à Destiny, mais sa famille était partie quand tout avait fait faillite. Ils s'étaient installés à Cheyenne, où il avait grandi, trouvé du travail et pris femme. Il n'avait jamais eu d'enfant. ("Je sais pas pourquoi. Dieu sait qu'on a essayé et essayé, Meg et moi !")

L'attrait de Destiny était si fort qu'il y retourna à la mort de Meg et acheta la station-service-épicerie générale. Mais l'ouverture de l'Interstate 80 détourna bientôt tout le passage et condamna Destiny à la mort par strangulation économique. M. Pedersen devint le seul habitant de la ville, et ses rares clients étaient soit des gens qui s'étaient perdus, soit – plus rares encore – des chasseurs de trophées venus gravir la vieille voie ferrée à faible écartement qui grimpait dans la montagne, en quête de souvenirs historiques destinés à orner leurs tanières. Un de ces charognards de l'histoire revint de la difficile ascension jusqu'à Twenty-Mile pour parader avec plusieurs stèles "pittoresques" en bois qu'il avait pillées dans le cimetière. Après son départ, M. Pedersen se dit qu'il ferait mieux d'aller jeter un œil là-haut tant qu'il y avait encore quelque chose à voir. Il fit l'ascension (rude périple pour un homme approchant les soixante-dix ans) jusqu'à Twenty-Mile, où il campa pendant deux jours dans l'ancien bureau du marshal et dessina un plan de la ville, avec le nom des bâtiments et leur fonction. Il prit également note de tout ce qui était lisible sur les stèles du cimetière. Je cite plusieurs de ces épitaphes dans ce roman.

C'était une bonne chose pour moi qu'il ait fait cette carte parce que deux ans plus tard un groupe de chasseurs de bibelots fit un feu dans le gros poêle du Grand Magasin de Twenty-Mile. Le tuyau bouché par la rouille s'embrasa; les flammes se propagèrent au toit, d'où le vent projeta des flammèches d'un vieux bâtiment desséché à l'autre jusqu'à ce que, pour finir, il n'en restât plus que trois, les trois que l'on peut voir aujourd'hui… s'il ne leur est rien arrivé depuis mon dernier passage, il y a plus de quinze ans.

M. Pedersen me demanda ce que je faisais dans la vie; je lui dis que j'étais écrivain; il me dit que ça collait: les hommes qui ont un vrai boulot n'ont pas le loisir de vagabonder comme ça. Mais bien que l'écriture n'eût pas été "un vrai travail", il me confia qu'il avait longtemps caressé l'idée d'écrire lui-même un livre, un livre au sujet de ce qui s'était passé là-haut, à Twenty-Mile, et de ce qu'était devenue Destiny. Il me dit qu'il avait déversé des foutues quantités de bourbon dans les gosiers des anciens pour leur faire cracher leurs souvenirs, et qu'il avait noté tout ça. Mais qu'entre les rhumatismes qui lui prenaient les doigts et sa vue qui baissait, ça lui semblait maintenant peu probable qu'il écrive encore ce livre.

Je lui dis que j'aimerais beaucoup lire ses notes.

Il me regarda par en dessous à travers ses sourcils broussailleux.

— Pour que vous me les voliez?

— Exactement.

Il me décocha un regard noir… puis lâcha un éclat de rire asthmatique.

— Je vous les montrerai peut-être demain. Mais je promets rien. On verra.

À l'évidence, il n'avait pas eu sa dose de conversation et comptait bien garder mon oreille empathique à sa disposition encore un bon moment.

Le lendemain, après le petit déjeuner, je m'assis sur les marches de l'entrée du magasin et lus les bribes, notes et histoires que

M. Pedersen avait couchées sans aucun ordre dans une écriture ronde et laborieuse marquée par une approche radicalement créative de l'orthographe. Je lui suis reconnaissant d'avoir retranscrit les paroles des anciens *verbatim*, capturant ainsi les idiomes goûteux et les métaphores épaisses qui donnaient à la parlure de l'Ouest son inimitable piment avant qu'elle ne meure sous les coups de boutoir de l'anémique homogénéisation télévisuelle de notre culture. J'ai teinté les dialogues de ce roman de cette langue évocatrice, volant même parfois quelques-unes de ces expressions bien terreuses de l'Ouest. Être plus affairé qu'un unijambiste en plein concours de bottage de cul, par exemple.

À plusieurs reprises, alors que je lisais le manuscrit de M. Pedersen, mes yeux se voilèrent, comme si mon regard eût traversé la page pour considérer, au-delà, derrière le roman que je pourrais tirer de ces souvenirs, un roman qui serait fermement ancré dans les conventions du western, mais qui traiterait de questions plus vastes et plus contemporaines : la fin d'un siècle, la fin d'une époque, la fin d'un rêve qui définissait, mais aussi limitait les hommes américains… Un dernier western.

LORSQUE J'EUS FINI DE LIRE LE MANUSCRIT des mémoires de M. Pedersen sur Twenty-Mile, je le remerciai et, après une dernière tasse de café, je repris ma route vers l'ouest, mettant ce que j'appelai déjà "l'histoire de Twenty-Mile" sur le brûleur du fond, où elle allait mijoter beaucoup plus longtemps que je ne le pensais.

Mais je repassais de temps à autre dans le Wyoming pour siroter le bourbon de M. Pedersen et écouter ses histoires, histoires que j'étofferais ensuite en allant faire quelques recherches au département "patrimoine vivant" des archives de la Société d'histoire de Cheyenne, où je trouvai des mémoires de mécaniciens de train, employés de banque, mineurs, gardiens de prison, journalistes du Far West… et de toutes sortes de gens, mémoires souvent rédigés par des veuves désireuses de donner un sens à la vie de leur mari disparu. Je vidais des boîtes de dossiers et contemplais ces vestiges et débris du passé aptes à nourrir l'imagination de l'écrivain : articles de journaux, documents juridiques, registres municipaux, billets de train, mémoires, factures et livres de comptes de magasins, de banques.

J'allai aussi voir ce qu'il restait de Tie Siding : quelques fondations à peine visibles dans la terre rouge (les ruines sans toit de l'ancienne prison de pierre) et une tombe ceinte d'une vieille barrière vermoulue, maintes fois vandalisée. Je fis également à plusieurs reprises la difficile ascension jusqu'à Twenty-Mile, où je m'asseyais près du bord du ravin et regardais les montagnes de l'ouest en laissant les personnages de mon futur roman jouer leurs rencontres dans mon imagination.

Au cours de ma dernière visite, je fus attristé de voir combien M. Pedersen était devenu faible et fatigué. Il faut dire qu'il avait alors près de quatre-vingt-dix ans. Quand nous eûmes fini de petit-déjeuner, il me donna son manuscrit, bien emballé dans du papier kraft.

— Tenez, prenez ça avec vous.

— Vous êtes sûr ?

— Oui.

Il mourut cet automne-là.

Les années passèrent, où je consacrais mon temps et ma tête à d'autres ouvrages ; puis, il y a peu, il me vint à l'esprit que le centenaire des événements de Twenty-Mile approchait, et je me dis que le temps était venu d'écrire mon seul livre dans le genre du western en en revisitant les archétypes conventionnels : le "kid", le joueur de poker tuberculeux, les filles de saloon au cœur d'or, le petit commerçant philosophe, le prédicateur de l'Ouest sauvage, la jolie jeune première d'une ville bientôt fantôme, le nouveau venu mystérieux et amer, le hors-la-loi qui se déchaîne sur la ville tel un fléau biblique.

Si l'architecture narrative rudimentaire et l'épure psychologique des personnages qu'implique le genre laissaient toute latitude au développement des jeux d'imbrication entre intrigue et message auxquels s'attendent les lecteurs de Trevanian, les exigences du genre en matière de dénouement rapide me parurent contraignantes, car j'avais aussi envie de répondre à des questions telles que : Pourquoi le train de minerai repassa-t-il par Twenty-Mile en remontant la voie en marche arrière tandis que Ruth Lillian raccompagnait Matthew chez lui, fendant le flot des mineurs en quête de bringue ? Et pourquoi Twenty-Mile devint-elle ensuite une ville fantôme en l'espace de deux jours ? Et qu'advint-il de Ruth Lillian, de B.J. Stone, de Kersti, de Frenchy, de M. Kane, du révérend Hibbard et des autres ?

Prenez le train de minerai. Vous vous souvenez qu'il remonte en ville en donnant ses furieux coups d'avertisseur sonore dans l'indifférence totale des mineurs avides de bains chauds, de tord-boyaux et de jambes en l'air. Il avait parcouru environ trois miles de descente depuis Twenty-Mile lorsque le mécanicien fut soudain saisi d'effroi. Il écrasa le levier de frein pour un arrêt d'urgence : roues bloquées dérapant sur les rails, projection de gerbes d'étincelles et immobilisation totale à l'ultime seconde, pare-bœuf surplombant l'abîme ouvert par la chute d'une énorme dalle de roc lors de l'orage. (Rappelez-vous cet étrange bruit de craquement, comme si l'éclair avait arraché un pan de la montagne, qui interrompt le récit de Matthew sur l'éternel manque de chance de son père et qui fait tressaillir la nuque de Coots juste avant qu'il ne se colle contre le mur du fond de l'Hôtel des Voyageurs, dehors, sous la fenêtre de la cuisine.) À travers la neige tourbillonnante, le faible phare à kérosène de la locomotive avait brusquement dévoilé quelque vingt yards de rails tordus, suspendus, traverses ballantes, au-dessus du vide. Une main tremblante sur la vanne de vapeur, le mécanicien avait fait reculer son train aussi lentement que possible, mais devant le pare-bœuf, la vibration faisait tout de même tomber les rails tordus dans le ravin les uns après les autres à mesure qu'il reculait vers Twenty-Mile, où il arriva en faisant hurler son avertisseur pour prévenir tout le monde que la voie était coupée. Seuls quelques rares mineurs choisirent de repousser leur quête de plaisir le temps de s'enquérir des raisons de tout ce ramdam, mais la nouvelle se répandit vite et tout le monde, mineurs comme résidents, se réunit dans la salle de bar de l'Hôtel des Voyageurs pour décider quoi faire, tandis que dehors les flocons s'épaississaient et tombaient de plus en plus dru, au point que Ruth Lillian, à sa fenêtre, regard morne et perdu, eut un instant la sensation de s'élever vers le ciel.

Lorsqu'ils apprirent qu'ils étaient coupés du monde, les mineurs poussèrent d'abord de bruyants cris de joie à la perspective de ces vacances forcées ; les résidents de Twenty-Mile qui craignaient un brutal manque à gagner dans l'hypothèse où le Filon Surprise eût dû fermer, fût-ce momentanément, échangèrent quant à eux de longs murmures anxieux. La réunion débuta ainsi dans un tohu-bohu de rires, de sifflements et de hourra, mais ce chaos populocratique laissa la place à un débat plus sérieux une fois que Doc fut unanimement choisi pour représenter les intérêts des mineurs, et B.J. Stone élu à contrecœur pour représenter ceux des résidents, laissant le reste de la foule vaquer à ses activités de prestation et consommation de bon temps.

B.J. et Doc tombèrent d'accord pour dire que le mieux était que le train remontât au Filon chercher l'équipe de maintenance et tous les stocks de ravitaillement qui s'y trouvaient. Doc suggéra que tout le monde attende ensuite bien sagement à Twenty-Mile pendant que deux ou trois des mineurs les plus téméraires tentaient de gagner Destiny par le vieux et périlleux sentier ouvert lors de la construction de la voie de chemin de fer. Mais B.J. n'en saisissait pas l'intérêt. N'ayant pas vu le train arriver, les habitants de Destiny savaient déjà forcément que quelque chose clochait, mais que pouvaient-ils y faire ? La différence d'écartement des rails entre la voie principale et le petit embranchement qui desservait Twenty-Mile empêchait toute locomotive de monter à la rescousse. Et de toute façon, comment aurait-elle pu franchir l'abîme ouvert par la chute de la dalle de roc ? Non, il fallait voir les choses en face : tout le monde, résidents comme mineurs, jeunes comme vieux, allait devoir descendre par le vieux sentier, qui ne cessait de s'enneiger alors même qu'ils parlaient. Doc demanda à B.J. combien de temps cette descente pourrait prendre, et B.J. haussa les épaules. Si le sentier n'avait pas trop été endommagé par l'érosion et les intempéries, et si la neige n'était pas trop profonde, les plus vaillants des mineurs pourraient gagner Destiny en… bah, disons un jour et demi, peut-être ? Il faudrait s'arrêter pour bivouaquer à la nuit tombée, parce qu'il serait suicidaire de tenter de continuer à descendre dans le noir.

— Et pour les plus si vaillants que ça ? demanda Doc. Pour les femmes et les…

— Les vieux débris ? proposa B.J. pour couper court à l'embarras de Doc. Eh bien, les femmes sont sans doute plus solides que la plupart des hommes. Quant à nous autres vieux débris, y aura pas le choix, faudra qu'on fasse de notre mieux.

Ils décidèrent que la journée du lendemain, dimanche, serait consacrée à l'organisation de la descente, prévue pour commencer le lundi aux premières lueurs de l'aube. Les hommes les plus costauds partiraient devant pour ouvrir la voie dans la neige.

Quelques mineurs choisirent de remonter chercher leurs biens au Filon Surprise, mais la plupart confièrent cette tâche à un ami pour continuer à faire la bringue en ville.

Au Filon, on entassa tout ce qui pouvait être utile (ainsi que pas mal de choses qui ne l'étaient pas) dans les bennes et sur les plateaux, et toute la main-d'œuvre descendit de la mine avec la certitude qu'elle y reviendrait dès que ses propriétaires bostoniens auraient fait réparer la voie. En réalité, en dehors des quelques petites pièces pillées par les chasseurs de trophées, les outils et la machinerie sont encore intacts à ce jour, comme si le travail s'était mystérieusement interrompu en pleine activité. Croulantes et traîtresses, les galeries sont encore relativement riches en minerai d'argent et, au fil des ans, des dizaines de projets d'exploitation furent élaborés, mais personne ne trouva comment s'y prendre pour faire descendre la production sans générer des frais supérieurs à ce que le minerai pouvait rapporter.

Le rassemblement d'un aussi grand nombre de mineurs fut une vraie manne pour l'auberge des Bjorkvist, où on les logea à deux par lit. Le menu resta le même, avec les habituels "steaks", biscuits (jusqu'à épuisement du stock de farine) et pêches au sirop (jusqu'à la dernière boîte). Comme il n'y avait pas d'autre endroit où ils auraient pu manger et dormir, Mme Bjorkvist se sentit dans l'obligation de leur demander trois dollars par demi-lit et un dollar supplémentaire pour chaque repas.

Étonnamment – ou peut-être pas si étonnamment que cela, étant donné l'effet aphrodisiaque de la mort que trahissent les pics de natalité en période de guerre ou de catastrophe –, les filles de Frenchy firent un chiffre d'affaires record au cours de cette première nuit et de la journée du dimanche, travaillant jusqu'à l'aube du lundi, quand les mineurs durent entamer leur descente. Les clients avaient le choix entre Queeny, Chinky et Goldy. Goldy fut la plus demandée. L'attrait de la nouveauté, peut-être.

Moins étonnamment, le Grand Magasin vendit très vite tout son stock de couvertures, vêtements chauds, boîtes de conserve et autres produits susceptibles d'être utiles lors de la périlleuse descente*. Matthew passa toute la journée puis la nuit à aider au magasin, pour faire face à l'incessante cohue de clients avides et parfois belliqueux. Il encaissait, rendait la monnaie, emballait les achats sans se départir d'un grand sourire, les yeux doux et le regard lointain.

Connaissant M. Kane, on ne s'étonnera pas d'apprendre qu'il fit crédit aux clients qui n'avaient pas assez de liquide sur eux pour payer ce dont ils avaient besoin ; connaissant le (désormais regretté) sens de l'honneur yankee, on ne s'étonnera pas non plus d'apprendre qu'une grande majorité de ces mineurs payèrent Ruth Lillian dès qu'ils eurent accès à leurs économies, à Destiny.

Doc se chargea de la triste mission consistant à abattre les deux vieux ânes que Coots avait fait descendre de la mine pour qu'ils se reposent et se retapent dans leur pré, et le lundi midi les derniers mineurs avaient traversé ce pré puis disparu par le sentier escarpé, laissant la neige patiente combler lentement leurs empreintes derrière eux. Sous la férule de Frenchy, les filles furent les premières résidentes de la ville à entamer leur descente. Elles traversèrent le pré en traînant les pieds dans la neige, enveloppées d'une étrange stratification de couvertures, manteaux et capuches de fortune, sous

* Signalons que, contre toute attente, un seul mineur fut porté disparu à l'issue de la descente de ce sentier instable sous les bourrasques de neige. Et cet homme avait littéralement disparu. D'après le récit du journaliste du *Destiny Sentinel*, lassé de devoir sans cesse dire à ses compagnons de ne pas lambiner, un jeune mineur avait fini par partir devant sans attendre personne. Mais il n'arriva pas à Destiny et l'on n'entendit plus jamais parler de lui.

lesquelles elles portaient chacune plusieurs pelures de jolies robes, parce que Frenchy leur avait interdit d'emporter autre chose que de la nourriture. Le fait que Lieder eût brûlé toutes leurs chaussures dans la chaudière de Murphy s'avéra salvateur : les bonnes grosses bottes solides (et pas un poil trop grandes) que Queeny avait empruntées à un mineur lui furent d'un meilleur secours sur le sentier que n'eussent pu l'être ses anciennes bottines toutes fines ; Frenchy avait, quant à elle, chaussé des bottes que B.J. lui avait données ; et Chinky, dont les petits pieds se fussent perdus dans des bottes de mineur, s'était équipée d'une des solides paires de chaussures de Ruth Lillian.

L'après-midi était déjà bien avancée lorsque la petite troupe constituée par les Bjorkvist, Jeff Calder et le Pr Murphy fut enfin prête à partir. La veille au soir, ils s'étaient tous réunis dans la cuisine de l'auberge, et le Pr Murphy avait émis l'idée de prendre tout le minerai d'argent abandonné dans le train qu'ils pourraient transporter. Ce minerai bocardé contenait près de vingt pour cent d'argent pur. Une livre d'argent pour cinq livres de minerai ! Une fois les frais de raffinage et de fonderie déduits, il devait tout de même vous rester environ la moitié de cette valeur. Tout compris, cela faisait une livre d'argent pour dix livres de minerai. Ils ramassèrent tous les sacs qu'ils trouvèrent et attendirent que les derniers mineurs fussent partis (à quoi bon mettre tout le monde au courant ?) pour les remplir à pleines mains. Il leur fallut procéder à quelques choix douloureux entre minerai et vêtements supplémentaires, minerai et nourriture… Au bout du compte, ils n'emportèrent que le strict minimum pour leurs deux jours de descente.

Le ciel lourd de neige s'épaississait déjà de façon menaçante lorsque les quatre hommes et la femme traversèrent le pré aux ânes en traçant des sillons dans la neige, l'échine courbée sous le poids du minerai.

Leur cupidité allait les faire souffrir de la faim, de la fatigue et du froid – et votre serviteur ne vous fait que les *F*, eût dit Coots. Au milieu du deuxième jour, la jambe de bois de Jeff Calder lui fit prendre du retard, et quand il comprit que les autres n'avaient aucune intention de risquer leur vie et leur argent en ralentissant pour l'attendre, il abandonna son sac de butin. Lorsqu'il rattrapa le reste du groupe, Mme Bjorkvist n'en revint pas qu'il eût abandonné son trésor comme ça. Le gaspillage est un péché ! Elle tanna son mari et son fils jusqu'à ce qu'ils acceptent de remonter le récupérer. Pendant qu'elle et le Pr Murphy attendaient leur retour, pelotonnés l'un contre l'autre pour se tenir chaud, Jeff Calder poursuivit son chemin, allégé de son fardeau. Et c'est ainsi que, bien que n'ayant qu'une seule jambe, il fut le premier de leur groupe à arriver à Destiny, où il s'abandonna avec plaisir à la curiosité d'un jeune reporter du *Destiny Tribune*, comme nous le verrons un peu plus loin.

Les autres continuèrent à descendre en trébuchant, jambes flageolant sous le poids de leurs sacs, chutant fréquemment sur leurs genoux, ahanant, laissant s'écouler de leurs lèvres une bave qui creusait des sillons dans la neige accumulée sous leur menton. Il vint un moment où ils durent choisir entre le minerai et la vie. Pleurant de colère et de rage, Mme Bjorkvist brandit un poing au ciel et maudit le Dieu cruel qui la spoliait de sa récompense parfaitement méritée après toutes les souffrances qu'elle avait endurées. D'accord ! D'accord ! Elle abandonnait le minerai ! Mais elle insista pour que tout le monde lançât ses sacs dans le ravin. Si eux ne pouvaient pas les garder, alors personne ne les aurait. Lorsqu'ils arrivèrent tous les quatre enfin à Destiny, ils étaient en si mauvais état qu'ils durent passer plus d'une semaine au lit, dans une auberge qui sala cruellement leur note. On dit que Mme Bjorkvist ne fut plus jamais la même, ce qui ne put être qu'un bienfait pour tous ceux qui eurent ensuite affaire à elle.

B.J. regarda le groupe de cinq traverser son pré aux ânes, tous courbés sous le poids de deux sacs noués l'un à l'autre derrière la nuque. Il secoua la tête et rassembla quelques affaires – juste quelques vêtements et son précieux Lucilius – puis il descendit aider les Kane à préparer leur descente. Pour finir, ils ne partirent que le lendemain matin.

Tout au long de la journée où le Grand Magasin fut pris d'assaut par des clients paniqués, M. Kane avait passé son temps à repousser les requêtes de sa fille inquiète de le voir se tuer à la tâche.

— Matthew et moi, on peut se charger de tout ça, papa !

À présent, ils étaient les derniers résidents de Twenty-Mile, et M. Kane descendait l'escalier avec une petite boîte en carton remplie de souvenirs que B.J. devait placer dans un des minces rouleaux de couvertures qui seraient leur seul fardeau au cours de la descente. B.J. tendit les mains pour réceptionner la boîte, mais M. Kane les lui saisit, lâchant ses souvenirs. Il s'assit lourdement sur la dernière marche et leva les yeux, ébahi.

— On dirait... Oh, monsieur Stone, on dirait bien que...

Et il mourut en serrant les mains de l'homme qui aurait pu être son ami si les choses avaient tourné différemment.

Plus tard, lorsqu'elle passerait en revue le contenu de cette boîte de souvenirs, Ruth Lillian découvrirait une boucle de fins cheveux de bébé roux... les siens..., l'excellente paire de ciseaux allemands que son grand-père avait apportée du vieux pays et une photographie jaunie de ses grands-parents avec leur fils... son père... posant fièrement devant une enseigne qui disait: *Compagnie Américaine de Mercerie de Luxe (Service Garanti, Prix Attractifs)*.

Bien qu'elle se fût préparée à la mort de son père depuis des années, elle eut tout de même du mal à ravaler ses larmes silencieuses.

Ils transportèrent M. Kane jusqu'au cimetière dans la même charrette que Coots. Matthew ne parvint qu'à creuser une tombe peu profonde dans le sol dur, et le mieux que B.J. put faire en matière de croix fut de planter un pieu sur lequel il avait cloué une planche gravée à la va-vite avec les mots suivants: “David Kane... Homme de bien.”

À la dernière minute, Matthew repassa par le bureau du marshal pour y prendre ses affaires. Il n'emporta que sa couverture Hudson Bay, son dictionnaire à la reliure cassée, une écharpe et une paire de gants que Ruth Lillian avait mises de côté pour lui avant que les mineurs n'eussent dévalisé le magasin, ainsi que le sac de toile contenant ses trésors: la petite bouteille de verre bleue que l'on avait si mystérieusement enterrée, la bille arborant un drapeau américain suspendu en son cœur, et la pierre incrustée de flocons dorés dont quelqu'un avait dit que ce n'était que de l'or des fous, mais en était-on si sûr? Son autre trésor, l'étoile de marshal à six branches, n'avait pas quitté le revers de son veston.

Ils s'arrêtèrent tous trois quelques instants auprès de la clôture pour regarder sous la neige la terre où Coots et M. Kane reposaient côte à côte. Puis ils traversèrent le pré aux ânes.

Le moment est venu pour moi de confesser ma dette envers le *Destiny Tribune*, et tout particulièrement envers son journaliste-à-tout-faire C.R. Harriman. (J'ignore totalement quels prénoms ces initiales représentent.) Maniant savoureusement sa plume journalistique ampoulée et riche en figures chantournées caractéristique de l'époque, le jeune Harriman fit un récit détaillé de l'arrivée des réfugiés de Twenty-Mile ; et ce fut lui qui, quelque trente ans plus tard, écrivit le récit de ses propres derniers jours à Destiny que j'aurai l'occasion de mentionner bientôt.

Parcourant les pages friables aux bords jaunis du *Tribune* dans les locaux des archives de la Société d'histoire, j'appris que le révérend Hibbard arriva à Destiny trois jours après le lynchage de Coots et cinq jours avant que les premiers mineurs n'y débarquent en boitillant. On le trouva errant dans les rues, boueux, contusionné et à bout de forces. C'est par l'interview de Hibbard conduite par C.R. Harriman que Destiny apprit ce qu'il était advenu des trois fous criminels qui s'étaient échappés de la prison d'État puis avaient disparu après avoir tué ce maître d'école à la retraite à Tie Siding et commis ces atrocités sur cette pauvre femme qui était juste passée le voir. Hibbard décrivit le règne de terreur qu'ils avaient imposé à Twenty-Mile et parla de la mort de M. Delanny, le propriétaire de l'hôtel, ainsi que du lynchage d'un métis du nom de Coots. Le révérend expliqua qu'après avoir fait tout ce qu'il avait pu – en vain, malheureusement, en vain –, il s'était porté volontaire pour entreprendre la dangereuse descente vers Destiny afin d'y sonner l'alerte et d'y chercher secours. Le journaliste félicita le révérend Hibbard pour son courage et laissa entendre que le maire serait bien inspiré de prouver la reconnaissance de la communauté en lui accordant quelque récompense matérielle, mais le lendemain matin, Hibbard avait disparu. Il avait vidé son compte en banque et pris le premier train du matin en direction de l'ouest.

J'étais en train de lire le récit de l'arrivée de Hibbard dans le *Destiny Tribune* lorsque la chose me frappa : Pourquoi lui avait-il fallu trois jours pour gagner Destiny? Les plus ou moins trente miles de descente le long de la voie ferrée sinueuse – même en faisant très attention – n'auraient pas dû lui prendre plus d'un jour. Après tout, il n'avait pas encore neigé ; et deux mois plus tôt, Matthew avait fait cette ascension en à peine plus de douze heures.

Je compris alors que Hibbard ne pouvait pas être descendu en longeant la voie ferrée. L'éboulement dû à l'orage l'avait déjà coupée. Pour le révérend, les événements avaient donc dû s'enchaîner comme suit: après avoir pris à la hâte quelques objets de valeur dans son dépôt, il s'était engagé le long du chemin de fer, sous l'orage, mais en arrivant à la béance ouverte par le rocher, il s'était vu obligé de rebrousser chemin jusqu'à Twenty-Mile en espérant sans doute se faufiler par les marges de la ville, traverser le pré aux ânes et emprunter le vieux sentier escarpé pour Destiny, celui-là même que les mineurs et les résidents allaient emprunter un peu plus tard. Si mes calculs sont à peu près exacts, il devait alors se cacher quelque part (peut-être dans une des maisons abandonnées) pendant que B.J., Matthew et Frenchy enterraient Coots.

J'éprouve une grande répugnance à imaginer le révérend Hibbard en train d'observer l'enterrement de Coots depuis la cachette où il se tapit.

C'est dans l'interview que C.R. Harriman fit d'un "…redoutable vieux soldat qui, bien qu'ayant perdu une jambe en se battant pour sa patrie, prit la tête de la périlleuse expédition jusqu'à Destiny, et parvint à mener quatre autres résidents à bon port", que j'ai glané quelques informations sur la descente de nos porteurs de minerai. Mais de nombreux détails demeuraient vagues, parce que (pour reprendre l'euphémisme alambiqué d'Harriman) "les épreuves que ce vieux soldat haut en couleur avait rencontrées au cours de sa descente et son état de fatigue subséquent ne l'empêchèrent pas d'accepter moult libations congratulatoires offertes par l'honorable clientèle de diverses oasis locales".

Dans un article intitulé "Incident dramatique à Twenty-Mile", ce soldat, qui déclara s'appeler le sergent-major Jefferson M. Calder, décrit l'affrontement entre Matthew et les psychopathes échappés de la prison d'État. Il raconte comment ce tout jeune homme s'est dressé contre les desperados en usant de tactiques qu'il lui avait lui-même enseignées. Mais l'extrême tension de cette confrontation avait "…tout bonnement vidé le petit. L'avait rendu comme qui dirait simple d'esprit. Bon Dieu, il s'était même mis à se prendre pour le marshal de la ville !"

Ma dette envers C.R. Harriman ne se limite pas aux interviews qu'il publia dans le *Destiny Tribune*. Il y a quelques années, un collègue m'a envoyé un livre, pensant qu'il pourrait m'intéresser. Lorsque j'ouvris le colis, le nom de C.R. Harriman écrit en grosses lettres sur la couverture suscita immédiatement ma curiosité. Il s'agissait du récit, publié à compte d'auteur, de ses jeunes années dans le Wyoming, avec un thème central parfaitement résumé dans le titre : *La Fin de Destiny*. Trois cents exemplaires numérotés en furent imprimés en 1928, et j'imagine que le n° 132, que j'ai sous les yeux alors que j'écris ces lignes, est aujourd'hui le dernier exemplaire existant, même si je serais ravi d'apprendre par un lecteur que d'autres ont survécu.

Après une description vivante et riche en anecdotes de la naissance et de la croissance de Destiny, le livre d'Harriman se concentre sur les six semaines qui séparèrent l'arrivée des mineurs, frigorifiés et exténués après leur longue descente du sentier enneigé, de la panique économique qui entraîna l'effondrement de la ville.

Sitôt retapés, les mineurs se mirent à errer bruyamment dans les rues, animant Destiny d'une atmosphère festive et débridée. Après avoir récolté leur salaire auprès de l'agent de la mine établi en ville, ils se mirent en devoir de faire la bringue comme jamais, persuadés qu'ils étaient que ce répit serait de courte durée et qu'ils devaient en profiter avant de retourner trimer au fond des galeries dès que les propriétaires de Boston auraient fait réparer le chemin de fer.

L'information concernant l'effondrement de la voie de chemin de fer fut effectivement télégraphiée à Boston, et des jours de silence s'ensuivirent, au cours desquels la compagnie évalua d'un côté les investissements considérables que sa réparation entraînerait, et de l'autre les bénéfices qu'elle pouvait encore espérer tirer de l'exploitation de la mine. Puis ses instructions arrivèrent au bureau de Destiny : après avoir coupé tout lien entre la succursale de Twenty-Mile et son entreprise mère pour se dégager de toute responsabilité ultérieure, les propriétaires bostoniens déclarèrent la première en état de faillite officielle, laissant les mineurs sans emploi et la douzaine de petites entreprises de services de Destiny avec un tas de factures impayées sur les bras. La ville fut assommée par cette nouvelle, car cela se passait avant le scandale légal du "chapitre 11" de la loi sur les faillites, à une époque où fuir ses dettes était considéré comme déshonorant et où l'on attendait des hommes poussés à la faillite qu'ils se suicidassent – ce qu'ils faisaient d'ailleurs souvent. Après avoir assuré les habitants en colère que les propriétaires de Boston étaient tout à fait conscients de leurs responsabilités, l'agent de la compagnie ferma discrètement la porte de son bureau et prit le train de 2 heures du matin en direction de l'est pour échapper au déplaisant honneur du goudron et des plumes.

Moins de deux semaines après l'arrivée des mineurs et résidents de Twenty-Mile, la banque de Destiny fit faillite et la plupart des commerçants vendirent leur magasin et plièrent bagage en compagnie du médecin, du pasteur, de l'avocat et des filles de joie ; et que reste-t-il d'une ville quand vous ne pouvez plus y faire soigner vos maux, sauver votre âme, défendre votre cas ou pomper votre poireau ? Le croque-mort ne tarda pas à partir lui aussi, et le dernier bar cloua ses portes et ses fenêtres. Et là, c'est le pompon ! Si on peut même plus se saouler ni se faire enterrer… !

Mais cette ruine générale était encore totalement inimaginable lorsque Frenchy et ses filles apparurent, étrangement chaussées, par l'épuisant sentier de derrière, dans une ville qui résonnait de la liesse des mineurs. Tandis que les filles se remettaient de leur expédition dans les baignoires en fer-blanc de l'Hôtel Royal de Destiny, Frenchy entreprit des négociations avec le plus grand saloon de la ville, et C.R. Harriman nous informe que, moins de deux jours plus tard, ses "belles de nuit" illuminaient aussi bien les heures des mineurs que celles des citoyens de la ville. Je vais citer un assez long passage de cet article pour vous donner un échantillon de la (parfois bancale mais néanmoins) somptueuse prose journalistique de l'Ouest sauvage de C. R. Harriman : "Cette troïka d'odalisques maladroitement sculptées était menée par une certaine 'Frenchy', femme pleine d'esprit d'entreprise et d'ascendance indubitablement nubienne*. Cette 'Frenchy' ne s'adonnait pas elle-même à la vente – ou, plus précisément, à la location – de ses attraits charnels et, au vu de la façade assez repoussante qu'elle avait héritée de l'application d'un tesson de bouteille sur sa joue gauche, il est peu probable qu'elle eût trouvé grande clientèle parmi nos citoyens raffinés, même si les rudes mineurs eussent su quant à eux sans nul doute dépasser ces superficielles nuances cosmétiques. Mais son trio de filles offrait une variété conçue pour émoustiller tous les appétits (à l'exception des plus tatillons). Il y avait 'Queeny', femme à la silhouette, au tempérament et à la voix épanouis, libérée des prudes inhibitions de la jeunesse (ainsi, à vrai dire, que de celles de l'âge mûr) ; il y avait 'Chinky', timide envoyée du Grand Empire céleste ; et il y avait enfin 'Goldy', puissante cheftaine viking aux traits plus qu'ordinairement ordinaires, mais à la tête couronnée des luxuriantes boucles blondes qui lui valurent son surnom."

Dans un appendice de son ouvrage, Harriman raconte comment il croisa la piste d'un des résidents de Twenty-Mile grâce à ce qu'il appelle "une de ces 'mystérieuses' coïncidences si fréquentes dans notre nation de vagabonds que le vrai mystère est que nous continuions à nous en étonner". Deux ou trois ans après avoir quitté Destiny et trouvé un poste dans un quotidien de San Francisco, on le chargea d'écrire "un article d'ambiance" sur une communauté de marginaux vivant dans un campement de fortune de l'autre côté de la baie, dans les montagnes basses qui s'élèvent derrière Oakland. Là, il trouva le révérend Hibbard, qui était devenu le chef spirituel d'un petit groupe de fanatiques convaincus que l'apocalypse de la Deuxième Venue aurait lieu lors du passage au XXe siècle. Lorsque cette date funeste arriva puis passa sans déclencher le moindre incident cataclysmique, Hibbard se replongea dans les écrits de Jean et de Daniel et, ô surprise !, y découvrit une erreur de calcul de vingt et un ans – vingt et un étant le produit exact de la Trinité que multiplient les Sept Sceaux. Il était désormais évident que l'apocalypse aurait lieu en 1921, le jour de

* Rappelons au lecteur que M. Harriman écrit à une époque où le *politically correct* était encore bien loin de devenir un principe plus important que la liberté d'expression.

la Saint-Sylvestre : Hibbard et ses disciples s'envoleraient alors vers le paradis tandis que les fornicateurs, les mécréants, les carnivores, les darwiniens, les blasphémateurs et toute la racaille de ce genre qui constituent notre race humaine seraient précipités, hurlant, gigotant, dans les flammes éternelles de l'enfer. Dans l'attente de ce spectacle roboratif, le révérend Hibbard demandait à ses disciples de mener une vie de prière, de chasteté et d'obéissance reconnaissante à leur guide bien aimé. Lorsque le grand jour arriva, ils n'étaient plus qu'une petite poignée d'adeptes à se tenir debout, en toge blanche, au sommet de leur petite montagne, sous une pluie battante, pour voir la première aube de l'an 1922 poindre sans entraîner d'autre catastrophe qu'une demi-douzaine de gros rhumes (et beaucoup de railleries de la part des garçonnes et des nouveaux riches de la Belle Époque) ; le révérend Hibbard les avait quant à lui précédés sur le chemin de leur récompense, laissant derrière lui un enfant conçu dans le corps de la fille de treize ans d'un adepte dévoué. Hibbard n'était pas le premier marchand de péchés à faire son beurre sur le penchant de l'Amérique pour un fondamentalisme anti-intellectuel pétri de courroux et sur l'addiction de ses égarés et de ses blessés pour l'opium des sectes. Malheureusement, il ne serait pas non plus le dernier.

En dehors d'une référence en tant qu'ultimes arrivants de Twenty-Mile et de deux rapides allusions à la confrontation entre le jeune homme et les fugitifs, le *Destiny Tribune* nous en apprend peu sur Matthew, Ruth Lillian et B.J. Stone. J'imagine qu'il est assez normal que la fermeture de la mine eût monopolisé l'essentiel de l'attention du journal, vu les conséquences dévastatrices qu'elle eut sur la prospérité de la ville. Les registres de la banque de Destiny montrent que Gerald (Doc) Kerry retira ses économies dès son arrivée en ville. Il avait toujours douté que les propriétaires de Boston eussent été prêts à investir davantage dans cette mine si jamais quelque chose devait lui arriver (comme il le confie à Matthew lors de la conversation qu'ils ont au dîner, autour des pêches au sirop et des biscuits). On peut en déduire que Doc fit alors part de ses doutes à B.J. Stone car, le lendemain, B.J., Ruth Lillian et toutes les filles de Frenchy retirèrent leur argent. Ce fut une décision avisée puisque deux jours plus tard tous les clients de la banque s'y ruèrent, et celle-ci fut forcée de fermer, pour ne plus jamais rouvrir.

Je ne vous cacherai pas le plaisir mauvais que je ressentis lorsque je découvris dans le registre que, parmi les nombreux comptes qui partirent en fumée à l'occasion de cette faillite, il y en avait un petit au nom du Pr Michael Francis Murphy et un autre très gros au nom de Mme Sven Bjorkvist.

Ruth Lillian dut être surprise d'apprendre que son père avait placé toutes ses économies à son nom et que celles-ci avaient fini par former une somme tout à fait rondelette. En étudiant les relevés de transactions, j'ai découvert qu'au cours de la panique financière qui saisit Destiny, elle (ou plutôt, B.J. agissant en son nom) racheta les stocks complets de deux magasins de vêtements, d'une quincaillerie, d'une mercerie et d'une sellerie, à des prix sauvagement sacrifiés par l'affolement général. Les bons de livraison de la compagnie de chemin de fer nous informent que ces biens les suivirent ensuite lorsqu'ils partirent s'installer à Seattle.

Naturellement, Frenchy sentit elle aussi le vent tourner : deux jours plus tard, elle et ses filles prirent également des billets de train pour Seattle et filèrent sur les traces d'une clientèle attirée par la ruée vers l'or du Klondike. Lors des recherches que j'ai effectuées à Seattle, je suis tombé sur un bail établi au nom de Frenchy (Marie-Thérèse Courbin) pour une "résidence hôtelière" sur Skid Road (que la sagesse populaire dégradera bientôt en "Skid *row*"*, terme générique pouvant aujourd'hui désigner n'importe quel quartier mal famé).

* Cette expression date effectivement du milieu du XIXe siècle et est intimement associée à la conquête de l'Ouest américain. À l'origine, *a skid road* désigne une voie aménagée en rondins ou en planches de bois sur laquelle on faisait glisser (*to skid*) les troncs d'arbres issus de l'exploitation forestière. Le passage de *road* (route) à *row* (rangée, alignement) s'explique concrètement par la référence aux camps de bûcherons qui s'installèrent naturellement le long de ces voies, et linguistiquement par les connotations plus négatives dont ce second terme est porteur – y compris par sa proximité graphique, sinon phonologique, avec son homonyme *row* (prononcé "raouh" et non "rehou"), qui signifie *vacarme, boucan* mais aussi *dispute* ou *engueulade*. Certaines sources situent l'apparition de *Skid Row* à Vancouver, d'autres, comme Trevanian ici, à Seattle. (NdT)

Comme je m'y suis attaché, je trouverais fort plaisant d'imaginer un avenir heureux pour ces quatre femmes. Je vois aisément Frenchy retourner vivre riche à La Nouvelle-Orléans, dans une belle maison ancienne d'où elle domine la société locale grâce au soutien financier généreux qu'elle apporte à la Première Église américaine unifiée du Tabernacle du glorieux message du Christ ressuscité, dont aucun des fidèles n'ose ne serait-ce que murmurer le moindre commentaire sur la théorie de jeunes "neveux" sculpturaux qu'elle entretient et couvre de présents, costumes de couturiers, notamment, et cigares hors de prix. Kersti ? Eh bien, Kersti, je la vois utiliser son pactole de belle de nuit pour acheter quelques hectares de terre fertile où, en compagnie d'un mari pur sang, elle élève une tribu de vauriens à têtes blondes. Quant à Queeny, je l'imagine avoir conquis le cœur de quelque mineur du Klondike aux cheveux grisonnants qui serait tombé sur un splendide filon et aurait ouvert un cabaret où, chaque soir, le clou du spectacle serait sa célèbre danse des Sept Voiles. Puis, son temps enfin venu, elle mourrait d'une crise cardiaque rapide et indolore la frappant à l'instant précis où elle finirait d'honorer son septième rappel devant un public en délire. Chinky ? Pauvre Chinky, condamnée par la nature au statut de victime, éternellement vouée à se faire manipuler puis jeter par une longue succession d'inconnus sans visage et sans cœur. J'ai bien peur que la plus belle chose que je puisse raisonnablement envisager pour Chinky ne soit qu'une vie brève.

Tout cela, malheureusement, n'est qu'invention. La réalité, c'est qu'après que Frenchy eut signé ce bail elle et les filles disparurent dans les tourbillons de l'histoire sans plus y laisser aucune trace. Mais nous savons au moins que Frenchy a établi son commerce à Seattle, où ses filles pouvaient moissonner de l'immigrant fraîchement débarqué du paquebot plutôt que de devoir se coltiner l'âpre chemin de Chilicoot Pass vers les gisements d'or, où elles auraient dû se battre avec ces professionnelles hommasses et rudes du Yukon qui usinaient les files de prospecteurs en un travail à la chaîne d'une productivité apte à susciter l'admiration du tout jeune Henry Ford.

Je n'eus en revanche aucun mal à suivre la trace de Ruth Lillian à Seattle, car elle y devint une petite légende de la finance locale et fut donc inévitablement le sujet d'une thèse jamais publiée (et, à vrai dire, jamais achevée)*. C'est à cette biographie que je dois nombre des informations que j'ai pu trouver sur la vie subséquente de Ruth Lillian. On y apprend qu'elle arrive à Seattle en compagnie de B.J. Stone et de Matthew Dubchek avec trois wagons pleins d'outils, de vêtements et autre matériel alors même que des milliers d'hommes s'y amassent avant d'aller tenter leur chance du côté des gisements d'or de l'Alaska. Il semblerait que Ruth Lillian eût bien tiré parti de l'histoire que son père racontait sur le vieux camelot ambulant yankee, selon lequel le chemin le plus sûr vers la fortune passait non pas par la prospection mais par la vente de piolets et de pelles aux naïfs qui comptaient s'y lancer. Protégé des effets flétrissants du chagrin et de l'autoapitoiement par la présence de deux jeunes personnes dont il se sentait responsable, B.J. Stone devint le gérant du magasin de Ruth Lillian, sur la façade duquel trônait une enseigne aux lettres joliment calligraphiées proclamant : *Grand Magasin de Kane*.

On peut s'imaginer Matthew travaillant avec bonheur au magasin pendant ses premières années d'activité frénétique et éminemment profitable. Mais par la suite, sa vie active semble s'être cantonnée au jardinage et autres petits boulots dans la maison que Ruth Lillian avait fait construire à deux pas du magasin.

Jusqu'en 1917, la plupart des factures et des bons de commande du Grand Magasin portent la signature de B.J. Stone (même si tous les documents juridiques et financiers furent signés par Ruth Lillian, qui portait encore le nom de Ruth Lillian Kane). Puis, brusquement, c'est le nom de Ruth Lillian qui figure sur tous les papiers, parce que B.J. est mort l'année où les Sammies se ruèrent vers les passerelles des transports de troupes au son de fanfares jouant *Over There* pour aller mourir dans les tranchées de "la der des ders".

À trente-six ans, Ruth Lillian épousa David S. Marx, concurrent aussi sérieux que travailleur dont l'entreprise de vente par correspondance de matériel agricole et de vêtements de travail ("Produits garantis fabriqués en Amérique par des Américains !") s'était forgé une solide réputation de qualité qui s'étendait du nord

* Michele Goldman-Harris, *R. Lillian Marx : The Woman and Her Times.*

de l'Alaska jusqu'à San Francisco. Ce fut à la fois audacieux et rusé de la part de M. Marx que d'abandonner l'identité de sa compagnie pour fusionner ses activités sous le label du magasin de Ruth Lillian en reconnaissant que "Grand Magasin" conférait à leur entreprise commune une aura nostalgique de fiabilité et d'honnêteté. Il renforça cette image en utilisant une police de caractères d'allure ancienne pour la couverture de ses catalogues, pratique maintenue par la holding multinationale qui possède aujourd'hui l'entreprise, bien que son cœur de cible soit passé des fermiers et colons aux jeunes urbains aisés soucieux d'afficher leur attachement à l'écologie, au patrimoine de la nation, au bon vieux temps et... à tout ça. Les vêtements sont désormais confectionnés par des femmes sous-payées dans des *sweatshops* de l'Asie du Sud-Est.

Il semblerait que M. Marx acceptât de continuer à prendre en charge les obligations morales de Ruth Lillian, car Matthew les suivit lorsqu'ils emménagèrent dans ce que l'on appela bientôt la Marx-Kane House, et que l'on peut aujourd'hui visiter (sur rendez-vous). Cette bâtisse aux ornements surchargés construite dans le plus pur style "magnat du bois" nouveau riche du nord de la côte Ouest, est une des rares maisons à avoir survécu au grand incendie qui dévasta Seattle. Matthew est alors décrit par ses voisins comme "... l'homme à tout faire de la maison. Il vaquait à ses tâches avec une humeur bonhomme, une étoile à six branches constamment épinglée au revers de sa veste. Il était bien connu dans le quartier de Queen Ann Hill, où il faisait chaque soir de longues promenades erratiques. De temps à autre, un enfant mal élevé le suivait en répétant 'débile' ou 'neuneu' sur un air de ritournelle, mais une brève et tempétueuse visite de la part de Mme Marx suffisait toujours pour y mettre un terme"*.

M. Marx mourut de surmenage à son bureau un an après que le krach de Wall Street eut menacé non seulement les profits de la compagnie mais aussi les postes des quelque quatre cents employés

* Ces anecdotes sont tirées de la biographie de Goldman-Harris, dans laquelle je découvris également, au fil de quelques retranscriptions d'entretiens avec une Ruth Lillian très âgée, l'habitude qu'elle avait prise de décrire les personnes et les comportements qui lui déplaisaient comme *petits!*

qui travaillaient désormais pour elle, car à peine trois ans auparavant elle avait racheté deux de ses principaux fournisseurs.

En 1931, au plus noir de la crise, Ruth Lillian devint présidente du Grand Magasin. Prenant elle-même en main la gestion quotidienne des affaires ; instaurant des méthodes de travail plus efficaces ; déclarant un moratoire sur les profits ; insistant pour maintenir la réputation de grande qualité dont sa marque jouissait alors même que le prix des produits plongeait en chute libre ; et surtout, faisant appel à la créativité de sa main-d'œuvre en sollicitant ses idées et suggestions, et en récompensant celles qui étaient acceptées, elle parvint à traverser l'océan tumultueux de la Grande Dépression sans avoir à licencier le moindre de ses employés ni même à rogner sur leurs avantages sociaux*. Ainsi, lorsque l'entrée de l'Amérique dans la Seconde Guerre mondiale tira la nation de son marasme économique pour la faire entrer dans une ère de profits exponentiels, les onze succursales du Grand Magasin, son service de vente par correspondance et ses activités de production profitèrent magnifiquement des avantages commerciaux liés à une solide réputation de qualité et d'équité, une clientèle fidèle, et une main-d'œuvre d'une loyauté à toute épreuve.

Durant la deuxième année de cette guerre, alors que les radios de tout le pays ne bruissaient que de la complainte du soldat suppliant métaphoriquement sa douce de ne point s'asseoir sous le pommier avec un autre que moi, avec un autre que moi. Non ! Non ! Non !**..., Matthew mourut dans son sommeil.

La guerre s'acheva et Ruth Lillian prit sa retraite de présidente d'une compagnie désormais aussi robuste que profitable, pour devenir une figure sérieuse et redoutée de l'activisme politique progressiste, ainsi qu'une mécène généreuse, quoique occasionnellement

* Il est difficile d'éviter la comparaison entre la manière dont Ruth Lillian traitait ses employés et collègues et les pratiques de brigands d'aujourd'hui qui consistent à presser la main-d'œuvre comme un citron jusqu'à ce qu'elle ait livré son dernier cent de profit, à "rationaliser" la production (c'est-à-dire à réduire la main-d'œuvre) au point de générer une frénésie de travail parfaitement inefficace chez les employés restants, tout en leur déniant tout droit à des avantages sociaux civilisés et à un avenir sûr.

** Référence à la célèbre chanson *Don't Sit Under the Apple Tree (With Anyone Else But Me)* enregistrée par Glenn Miller et reprise dans la comédie musicale *Private Buckaroo.* (NdT) méprisante, de tout ce qui pouvait passer pour de la culture. Les gens la reconnaissaient dans la rue à ses cheveux roux piqués de quelques mèches grises et coiffés en un chignon sophistiqué maintenu par d'antiques peignes en argent, ainsi qu'à ses robes démodées cousues main, qui contrastaient de manière militante avec le New Look de l'après-guerre et ses jupes disgracieusement coupées au mollet.

Ruth Lillian mourut en 1963, à un âge fort avancé. Seattle fut surprise d'apprendre que tout ce qu'il restait de sa fortune estimée à plusieurs millions de dollars était sa vaste demeure de Queen Ann Hill, elle-même hypothéquée jusqu'aux dernières cendres qui pouvaient traîner au fond de la cheminée. L'on découvrit alors que tout son argent avait servi à soutenir des organisations luttant contre ce qu'elle tenait pour la plus grande menace à laquelle le genre humain se trouvait confronté : l'explosion démographique mondiale. (Quand on pense que, depuis le décès de Ruth Lillian, la population mondiale a plus que doublé, et doublera encore au cours des vingt-sept années à venir, cela donne à réfléchir.)

Il y a onze ans, devant me rendre à Seattle pour assister aux obsèques d'un vieil ami (celui qui m'avait envoyé le livre de C.R. Harriman), je décidai d'y passer une quinzaine de jours pour faire des recherches en vue de l'écriture de ce roman. Entre autres choses, je découvris que Ruth Lillian et M. Marx étaient enterrés dans le plus ancien cimetière de Seattle, qui n'est plus utilisé aujourd'hui que comme un "espace vert" à l'écart des grandes artères, où les personnes âgées et les amoureux aiment à venir se promener de temps à autre. Le nom de B.J. Stone figurait également dans ses registres… mais pas celui de Matthew Dubchek. Inutile de vous dire combien j'en fus déçu, car je me voyais déjà me recueillir sur sa tombe en faisant silencieusement repasser dans mon esprit le fil des événements qui secouèrent Twenty-Mile il y a tant d'années de cela.

Ayant estimé qu'il serait vain de visiter ce cimetière dans la mesure où Matthew n'y était pas, je rentrai à mon hôtel avec deux bonnes heures à tuer avant d'aller prendre mon vol de retour pour la France. Mais soudain, une étrange pulsion me fit descendre de ma chambre et prendre un taxi pour le cimetière en espérant qu'il fût encore ouvert car l'après-midi tirait déjà à sa fin.

Je descendis l'allée centrale bordée d'arbres ruisselant doucement sous le crachin typique de Seattle, et finis par atteindre l'emplacement des Marx-Kane, enclos par une barrière en fer forgé délimitant un espace suffisamment grand pour accueillir les nombreux enfants et petits-enfants que le couple n'eut jamais. La stèle de Ruth Lillian et celle de son mari se dressaient côte à côte, telles deux lourdes proclamations d'appartenance bourgeoise en marbre noir poli. Dans un coin de la concession se trouvait la tombe de B.J. :

BENJAMIN JOSEPH STONE
MORT LE 6 NOVEMBRE 1917
COMPAGNON AIMÉ EN CE BREF VOYAGE

Ainsi, Ruth Lillian s'était souvenue des mots que B.J. avait si péniblement, si maladroitement gravés sur la croix de bois de Coots. C'était tout elle. Je fus heureux de voir que, bien qu'il reposât à un demi-continent de distance de son Coots, B.J. gisait au moins en paix auprès d'une sorte de famille.

Mais c'est dans l'autre coin de la concession que mes yeux se posèrent sur ce qui allait vraiment faire vibrer le grand sentimental qui est en moi. Pas étonnant que je n'eusse trouvé trace d'aucun "Matthew Dubchek" dans les registres du cimetière !

La tombe est en granite des Rocheuses grossièrement taillé. Si l'épitaphe que Ruth Lillian y fit graver plonge probablement plus d'un promeneur dans des abîmes de perplexité, elle eût sans aucun doute émerveillé Matthew :

RINGO KID
1880-1943

Liste des personnages d'*Incident à Twenty-Mile*

(par ordre d'entrée en scène)

D'après les biographies de travail consultées par l'auteur.

Tillman, John Arthur, dit "CB", *gardien de prison*: Cheyenne, Wyoming, 1875 – †Laramie, Wyoming, 1898.

Davidson, Lawrence (dit le Lanceur d'acide), *martyriseur d'enfants:* Glens Falls, New York, 1838 – †Prison d'État, Rawlings, Wyoming, 1909.

Childs, Elmer William (dit le Politicien) : Leeds, Yorkshire, Angleterre (date inconnue) – †Prison d'État, Rawlings, Wyoming, 1903.

Wheelwright, James (dit le Revenant), *bourreau de prostituées, puis producteur de films comiques*: Evanston, Illinois, 1851 – †Hollywood, Californie, 1926.

Lieder, Hamilton Adams, *patriote*: ferme des environs de Tie Siding, Wyoming, 1858 – †Twenty-Mile, Wyoming, 1898.

Quincy, Alphonse Xavier (dit le Guerrier), *auteur de délirante propagande xénophobe. Passa l'essentiel de sa vie dans des institutions spécialisées*: Montréal, Canada, 1832 – †Poughkeepsie, New York, 1889.

Delanny, Henry Evans, *joueur*: Macon, Géorgie, 1856 – †Twenty-Mile, Wyoming, 1898.

Bjorkvist, Olga, *propriétaire d'une auberge*: Töcksfors, Suède, 1852 – †Fremont, Californie, 1928.

Kane, David, *commerçant*: Dortmund, Westphalie, 1841 – †Twenty-Mile, Wyoming, 1898.

Kane, Ruth Lillian (épouse Marx), *commerçante, fille de David et Kathleen*: Blair, Nebraska, 1881 – †Seattle, Washington, 1963.

Stone, Benjamin Joseph, *instituteur, puis palefrenier, puis directeur commercial*: Boston, Massachusetts, 1839 – †Seattle, Washington, 1917.

Coots, Aaron, *soldat, homme de main, palefrenier*: Cateechee, Caroline du Sud, 1841 – †Twenty-Mile, Wyoming, 1898.

Dubchek, Matthew, *factotum, marshal éphémère*: Tarkio, Missouri, 1880 – †Seattle, Washington, 1943.

Chumms, Anthony Bradford, *pseudonyme de Lewis W. Milford, critique social et auteur secret de westerns bon marché*: Ramsden Heath, Essex, Angleterre, 1858 – †Dinder, Somerset, Angleterre, 1951.

Murphy, Francis, (dit Professeur), *barbier*: Worcester, Massachusetts, 1858 – †date et lieu inconnus.

Calder, Jefferson M., *soldat, barman, factotum*: Cairo, Illinois, 1839 – †date et lieu inconnus.

Bjorkvist, Sven, *mari d'Olga*: Töcksfors, Suède, 1849 – †Fremont, Californie, 1922.

Bjorkvist, Kersti, (dite Goldy), *fille d'Olga et Sven; devient prostituée*: Töcksfors, Suède, 1876 – †date et lieu inconnus.

Bjorkvist, Oskar, *fils d'Olga et Sven*: What Cheer, Iowa, 1882 – †date et lieu inconnus.

Callahan, Bridget Mary (dite Queeny), *danseuse, puis prostituée*: Trenton, New Jersey, 1837 – †date et lieu inconnus.

Courbin, Marie-Thérèse (dite Frenchy), *prostituée, puis tenancière de maison close*: Goudeau, Louisiane, 1859 – †date et lieu inconnus.

Tchang (prénom inconnu, dite Chinky), *prostituée*: province du Zhejiang, 1878 – †date et lieu inconnus.

Kane, Samuel, *père de David, tailleur, puis petit entrepreneur*: Dortmund, Westphalie, 1810 – †New York, New York, 1854.

Kane, Sarah, *épouse de Samuel, mère de David*: Dortmund, Westphalie, 1814 – †New York, New York, 1854.

Pike, Barnaby, *tambour-major yankee, premier mentor de David Kane*: date et lieu de naissance inconnus – †South Dayton, New York (date inconnue).

Hibbard, Leroy, *prédicateur, puis prophète de l'Apocalypse*: Ellsworth, Maine, 1858 – †Richmond, Californie, 1919.

Tillman, Mary Elizabeth, *veuve de John, puis missionnaire chrétienne*: West Florence, Ohio, 1881 – †province du Gansu, Chine, 1939.

Milford, Stanley (dit Minus): date et lieu de naissance inconnus – †Twenty-Mile, Wyoming, 1898.

Mabois, Robert (dit Mon-P'tit-Bobby): date et lieu de naissance inconnus – †Twenty-Mile, Wyoming, 1898.

Kerry, Gerald, (dit Doc), *technicien des mines*: Latham, Tennessee, 1849 – †Dawson, Yukon, 1903.

White, Roger, (dit Razz), *mineur, clown de l'équipe*: date et lieu de naissance inconnus – †date et lieu inconnus.

Benson, Luke et Bradford, *tyrans des cours d'école*: Bushnell, Nebraska – †dates et lieux inconnus.

Pickering, Mary Ellis, épouse Montgomery, *institutrice, future épouse de L. Montgomery*: date et lieu de naissance inconnus – †date et lieu inconnus.

Montgomery, Lawrence, *inspecteur d'écoles, expert en gestion des garçons bagarreurs*: date et lieu de naissance inconnus – †date et lieu inconnus.

Bowles, T.W., *fermier, voisin qui découvre les corps de M. et Mme Dubchek et en fait un récit détaillé au journaliste du* Nebraska Plainsman : date et lieu de naissance inconnus – †date et lieu inconnus.

Ballard, Edgar Mather, *instituteur*: New Haven, Connecticut 1831 – †Tie Siding, Wyoming, 1898.

Sklodowska, Angelica, *victime malheureuse*: Tie Siding, Wyoming, 1859 – †Tie Siding, Wyoming, 1898.

Kane, Kathleen, née Evans, *épouse de David, mère de Ruth Lillian*: Troy, New York, 1859 – †date et lieu inconnus.

Bradford, Chester, *éphémère marshal de Twenty-Mile, éphémère amant de Kathleen Kane*: date et lieu de naissance inconnus – †date et lieu inconnus.

Utuburu, Beñat, *immigrant basque; d'abord berger puis, à la suite d'un grave accident qui le rendit simple d'esprit, factotum.* (Difficile à prononcer, son nom fut abrégé en "Burro", c'est-à-dire *âne* en espagnol, puis transformé en "Mule") : Sainte-Engrâce, Hautes-Pyrénées, France, 1853 – †Twenty-Mile, Wyoming, 1892.

Cooper, John, (dit Lucky Jack), *chercheur d'or*: Eureka Springs, Arkansas, 1841 – †Lodgepole Creek Gully, Wyoming, 1898.

Mitchell, Arthur, *directeur de foyer pour mauvais garçons ; expert en discipline*: date et lieu de naissance inconnus – †date et lieu inconnus.

Dubchek, Martha, née Taylor, *mère de Matthew*: Tarkio, Missouri, 1856 – †Bushnell, Nebraska, 1898.

Dubchek, Karl Anton, *père de Matthew*: environs d'Odzaci, Serbie, 1854 – †Bushnell, Nebraska, 1898.

Taylor, John, *fermier, père de Martha Dubchek*: lieu de naissance inconnu, 1819 – †Tarkio, Missouri, 1881.

Kilmer, Paul, *mineur, seul homme à ne jamais être arrivé à Destiny lors de l'ultime descente*: date et lieu de naissance inconnus – †(supposée) Medicine Bow Mountains, 1898.

Harriman, C.R., *journaliste*: Richmond, Virginie, 1874 – †San Francisco, Californie, 1951.

Snopes, Chastity Ann, *"épouse spirituelle" du révérend Hibbard, mère de son enfant, morte d'une pneumonie contractée en attendant l'Ascension sous la pluie*: Niles, Californie, 1907 – †Richmond, Californie, 1922.

Marx, David S., *homme d'affaires et époux de Ruth Lillian Kane*: New York, New York, 1867 – †Seattle, Washington, 1930.

Goldman-Harris, Michele, *thésard, auteur de la biographie inachevée de Ruth Lillian Kane-Marx*: Redmond, Washington, 1961.

Pedersen, Niels, *charpentier, futur dernier résident de Destiny; mémorialiste et collecteur d'histoires*: Destiny, Wyoming, 1888 – †Destiny, Wyoming, 1976.

Collection Nature Writing

Edward Abbey
Désert solitaire
Un fou ordinaire

Rick Bass
Le Livre de Yaak

Ron Carlson
Le Signal

Kathleen Dean Moore
Petit traité de philosophie naturelle

Gerald Durrell
Ma famille et autres animaux

Pete Fromm
Indian Creek
Avant la nuit
Chinook

John Gierach
Traité du zen et de l'art de la pêche à la mouche
Truites & Cie
Mêmes les truites ont du vague à l'âme

John Haines
Vingt-cinq ans de solitude

Robert Hunter
Les Combattants de l'Arc-en-Ciel

Howard McCord
L'homme qui marchait sur la Lune

John McPhee
Rencontres avec l'Archidruide

Doug Peacock
Une guerre dans la tête

Rob Schultheis
L'Or des fous
Sortilèges de l'Ouest

Alan Tennant
En vol

David Vann
Sukkwan Island
Désolations

John D. Voelker
Itinéraire d'un pêcheur à la mouche
Testament d'un pêcheur à la mouche

Collection Noire

Edward Abbey
Le Gang de la Clef à Molette
Le Retour du Gang de la Clef à Molette
Le Feu sur la montagne

Craig Johnson
Little Bird
Le Camp des Morts
L'Indien blanc

William G. Tapply
Dérive sanglante
Casco Bay
Dark Tiger

Jim Tenuto
La Rivière de sang

Trevanian
La Sanction
L'Expert
Shibumi
Incident à Twenty-Mile

Collection Americana

Viken Berberian
Das Kapital

Greg Olear
Totally Killer

Tom Robbins
Comme la grenouille sur son nénuphar
Une bien étrange attraction
Un parfum de Jitterbug

Terry Southern
Texas Marijuana et autres saveurs

Mark Sundeen
Le Making Of de "Toro"

Tony Vigorito
Dans un jour ou deux

Stephen Wright
Méditations en vert

CET OUVRAGE A ÉTÉ COMPOSÉ PAR
ATLANT'COMMUNICATION

ACHEVÉ D'IMPRIMER EN NOVEMBRE 2018 PAR
CPI FIRMIN-DIDOT
À MESNIL-SUR-L'ESTRÉE

IMPRIMÉ EN FRANCE

DÉPÔT LÉGAL: OCTOBRE 2011
2e édition
N° D'IMPRESSION: 150357